Протоиерей Александр Мень
родился в Москве 22 января
1935 года. С 1953 года изучал
биологию в институтах
Москвы и Сибири.
Рукоположен 1 июня 1958 года.
Параллельно с приходской
работой окончил семинарию
и духовную академию.
Тридцать три года служил
в храмах Подмосковья.
Автор «Сына Человеческого»,
комментариев к Библии
и многих других книг
о религиозном пути человечества.
9 сентября 1990 года был убит
по дороге в Храм…

ЗОЯ МАСЛЕНИКОВА

АЛЕКСАНДР
МЕНЬ

ЖИЗНЬ

ЗАХАРОВ • МОСКВА • 2002

УДК 882-94
ТБК 104
М 31

*Впервые эта книга вышла в 1995 году,
здесь она печатается в новой редакции.*

Издание второе

ISBN 5-8159-0264-0

Об этой книге

Трудно переоценить роль отца Александра Меня в религиозном пробуждении российской интеллигенции после семидесятилетнего обморочного беспамятства. Его подвижнический труд сеятеля Слова Божия на выжженной атеизмом, бесплодной, казалось, земле, его трагическая одинокая фигура и мученическая гибель по дороге в храм от топора убийцы будут, несомненно, привлекать внимание не одного поколения мыслящих читателей.

Автору выпало счастье общаться с отцом Александром на протяжении без малого двадцати трех лет.

В 1979—1980 гг. отец Александр Мень рассказывал мне о своем прошлом. Мало-помалу выяснялось, как он сложился в качестве мыслителя, священника, характера.

Рассказывал урывками: в электричках, по дороге от своего новодеревенского храма до станции, в вагоне скорого поезда Феодосия—Москва... По всему видно было, что он впервые так подробно и последовательно говорит о своем детстве, юности, первых годах служения в Церкви и эти воспоминания доставляют ему удовольствие.

Когда возникла идея из записей этих рассказов сделать книгу, он сразу согласился. Для глав о детстве дал рукописные воспоминания своей матери «Мой путь» и тетки — «Катакомбы XX века». Вот почему их свидетельства по воле отца Александра обильно цитируются в первой главе.

Иногда в текст вклиниваются разные документы или мои собственные свидетельства о событиях, очевидцем которых мне довелось быть. Кроме того, я дружила с матерью отца Александра и многое слышала от нее.

Случалось, на вопрос, который затрагивал особо важную для него тему, отец Александр отвечал: «Это я сам напишу». И действительно, писал. Поэтому в первой части есть страницы, написанные им самим.

Повествование о своей жизни отец Александр довел примерно до 1967 года. В этом году мы познакомились, и далее жизнь его протекала у меня на глазах. Поэтому первая, биографическая часть книги завершается лишь кратким упоминанием о главных событиях последнего, новодеревенского периода служения отца Александра. Через год после знакомства я стала вести дневник, потому что испытывала потребность фиксировать события моей религиозной жизни. Она началась и протекала под его могучим воздействием, и, естественно, в дневниках есть множество записей о моем замечательном духовнике и наших не всегда простых отношениях.

На этой же основе и написана вторая часть этой книги. Но это не всегда буквальный дневниковый текст: иногда он сокращен, иногда для краткости просто пересказан, порой в него вводятся необходимые уточнения или пояснения. И вообще при жизни автора невозможно, мне кажется, публиковать дневник без изъятий. Но смысл и содержание записей остались неизменными.

Изредка текст как бы повисает в воздухе, когда оригинал касается жизни моих соприхожан, не уполномочивавших меня говорить о них в печати.

У меня сохранилось около ста шестидесяти писем отца Александра, и часть их включена в эту книгу.

Автор приносит читателю извинения в том, что в книге, построенной на документальных свидетельствах разных людей, он иногда не сумел избежать повторений, а также в том, что, рассказывая о великом пастыре, ему пришлось говорить и о собственной незначительной персоне, иначе трудно было бы рассказать о наставническом труде его духовника.

В конце концов не в этом дело: важно сберечь для современников и потомства любые большие и малые события жизни этого религиозного гения и святого подвижника, в том числе и те, что попадали в поле зрения автора на протяжении более двух десятилетий.

Зоя Масленикова

ГЛАВА ПЕРВАЯ
ИСТОКИ

Происхождение

Вы спрашиваете о моих предках, но я, к сожалению, знаю о них не так много, поскольку не очень большое значение придавал «родству по плоти».

Происходили мои пращуры, очевидно, из Польши, если судить по фамилии Василевские (по материнской линии). Но в начале XIX века они жили уже в России, и мой предок был артиллеристом в армии Александра I. Сын его служил 25 лет при Николае I, в силу чего его дети получили право жительства в столицах.

Прабабушка моя, Анна Осиповна, могучая, волевая женщина, рано овдовела и, однако, сумела вырастить семерых детей: Николая, Владимира, Илью, Якова (отца Веры Яковлевны), Розу, Веру и Цецилию (мою бабушку). Трое из сыновей были образованными, инженерами, жили в Москве. До самой смерти бабушка командовала ими. Это были мужики большой физической силы и с хорошими светлыми характерами (впрочем, Илья был смутьян, и его едва не приговорили к расстрелу за оскорбление офицера: он был военным, солдатом. Офицер оскорбил его в бане, и он своротил ему набок челюсть. Перед судом бабушка в трауре пришла к генералу, упала на колени и сказала, что он «единственный». Парня не расстреляли, отправили в ссылку в Иркутск, а потом скоро произошла революция).

Тетя Роза была красивой и мечтала стать актрисой, но бабушка не допустила. Роза вышла замуж за землевладельца из Финляндии и осталась там после революции. Ее дети (мои двоюродные дяди) выросли там. Один погиб во время Финской войны. После смерти мужа Роза уехала в Израиль, где и умерла (туда же уехал и ее сын).

Цецилия, моя бабушка, была страстной, религиозной, волевой женщиной. Она мечтала о научной карьере. В 1905 г. уехала в Швейцарию и поступила в Бернский университет. Там встретила юного одессита Соломона Цуперфейна и вышла за него замуж. У меня сохранился брачный контракт. Дед обожал ее до конца дней. Умерли они почти одновременно. Его отец (мой прадед) был одесским контрабандистом бабелевского типа: страшно пил, был отчаянным, имел 22 детей, погиб, когда на спор полез в какой-то котел.

Бабушка и дед кончили университет по факультету химии с докторскими дипломами. Во время учебы родилась в Берне мама. Дед между лекциями бегал взглянуть на нее. Был он сентиментален, постоянно говорил по-французски (его звали «французиком», быть может, за усы). Окончив университет, они поселились в Париже. Есть мамины фотографии с бонной в Люксембургском саду. До пяти лет мама говорила только по-французски. Там же родился их сын Лео-Жорж. Первая мировая война застала их в Париже. Дед был мобилизован, а семья поехала в Харьков, где и жила до Второй мировой войны. Дед держал потом на стене полевую сумку, в которой застряла пуля, не попавшая в него...

В Швейцарии бабушка слушала речи Ленина и сильно полевела. Потом стала очень советской, с полной искренностью. Поэтому, когда мама в восемь лет потянулась к вере, к христианству, бабушка начала с ней жестокую войну. Но, как стало ясно потом, тщетно. 16-ти лет мама сбежала из Харькова и поселилась у дяди Якова, подружившись с его дочерью Верой. Одно время чуть не стала баптисткой. Но потом... вы знаете.

Прабабушка жила с ними. Она настояла на мамином браке и дождалась меня. Я ее помню, хотя она умерла, когда мне было полтора года. Кстати, она ездила в Париж проверить, как ведет себя дочь в развратной Франции (при этом не знала ни грамоты, ни французского языка). Есть ее парижское фото в боа и перьях. В молодости она тяжело болела, и ее исцелил о. Иоанн Кронштадтский. Она была религиозной на еврейский лад. Но ее дети стали вольнодумцами, интеллигентами.

Мать Веры Яковлевны увлекалась Толстым. В их доме я в детстве прочел кучу толстовских книг по религиозным вопросам. Но они тогда вызывали у меня острое неприятие. Только сейчас я оценил Толстого более объективно.

Кроме военных и инженеров у нас в роду было два писателя: Семен Юшкевич и Василевский (Не—Буква), посредственные беллетристы.

Уточнение, но неважное: была у мамы еще одна тетка, Вера, т.е. было три сестры. Среди друзей мамы и В.Я. в детстве были Кунины и семья Розы Марковны. Дружба в два поколения. Иосиф Кунин сейчас музыковед (в «Жизни замечательных людей» — «Чайковский» и «Римский-Корсаков»). Его сестра крестилась, прихожанка отца Дм.Дудко, подруга А.И.Цветаевой, поэтесса.

Родителей отца помню плохо. Дед был очень религиозным. Но я его видел мало (он жил в Киеве). Его отец был булочником (мелкий буржуа), а жена славилась своей мудростью. К ней ходили за советами. Звали ее Дина. Я ее не помню. Отец в детстве учился в религиозной еврейской школе. Но учитель, который оказал на него влияние, был из гаскалы, т.е. из светских, и атеист. Он убил в отце веру, хотя настоящим атеистом он никогда не стал.

Вот и все, что помню. Классовое происхождение: мелкая буржуазия, интеллигенция и военные. Все мамины дядья умерли во время войны от голода. Как все крупные люди, они не переносили недоедания (Илья мог съесть 20 котлет зараз). Еврейского языка (идиш) никто не знал. Отец помнил иврит со школы и иногда читал наизусть пророков. Но для него это была просто поэзия. Он был очень терпеливый человек, добрый и веселый. Но жил в страхе. Его любимый брат был расстрелян в первые послереволюционные годы (по наговору жены); папа из-за этого не хотел жениться. Женился в 32 года. Атаковал маму много лет (шесть или семь).

Папа и мама любили театр и всегда ходили. Я в этом отношении в них не уродился.

Отец

Вольф Григорьевич Мень родился в 1902 или 1901 году, точно он сам не знал. Отец его был человеком непрактичным, мечтательным. Жена его родила мужу восьмерых детей. Двое из них погибли во время пожара, но шестерых она вырастила. Бабушку эту Алик никогда не видел, а дедушка приезжал к ним в Москву в 1941 году, когда отца арестовали.

Вольф (впоследствии принявший имя Владимир) кончил хедер, а потом в годы гражданской войны поступил в Киевский технологический институт. Помимо технологического института, он закончил второй вуз, химический. Работал в текстильной промышленности. Его специальностью была окраска тканей, он написал и опубликовал множество работ по технологии крашения.

И вот, работая на ситценабивной фабрике в Орехово-Зуеве, он знакомится с инженером-электриком Веней Василевским. Тот приглашает его в Москву, в родительский дом, и там происходит встреча с живой, веселой, прямодушной и ослепительно хорошенькой Леночкой, двоюродной сестрой Вени, которой едва минуло 18 лет.

По воскресеньям друзья приезжали в Москву, и Владимир Григорьевич часто бывал у Василевских, где жила Леночка. Он покупал билеты в театр или кино и обычно приглашал Леночку, водил ее к знакомым и родным. Они всюду появлялись вместе, и многие считали Леночку его невестой. Володя действительно не раз делал предложение, но Леночка уходила от ответа. В те годы ей не очень-то хотелось замуж. Ей рисовалась в мыслях совсем иная жизнь, целиком посвященная Христу. Но время шло, не принося никаких возможностей не только постричься в монахини, но и креститься, и родные начали настаивать на том, чтобы Леночка сделала наконец выбор.

Однажды Владимир Григорьевич прямо поставил вопрос: «Почему ты не хочешь за меня замуж?» Леночка ответила: «Потому что я исповедую христианскую веру». Меньше всего ожидал он такого ответа. Долго они шли молча. Наконец он сказал: «Ты теперь еще выше в моих глазах. А я-то думал, что любишь кого-то другого».

В следующую встречу он сказал: «Но ведь то, что ты верующая, не помешает нам в нашей семейной жизни. Ты можешь ходить в церковь послушать какого-нибудь архиерея, а я буду ходить на лекции, а потом мы будем делиться с тобой тем, что нам было интересно». Тут Леночка почувствовала, что воля Божия в том, чтобы она вышла замуж за Владимира Григорьевича, и через два месяца, на Красную Горку 15 апреля 1934 года, сыграли свадьбу.

Итак, неверующему человеку, жившему в постоянном напряженном страхе, выпала нелегкая доля, занимая пост главного инженера фабрики, иметь религиозную семью, что само по себе в сталинские времена было в его положении опасно. Но более того, семья была связана с какой-то подпольной, запрещенной Церковью. В доме без конца читали машинописную или заграничную религиозную литературу.

Владимиру Григорьевичу пришлось пережить обыск, арест, тюрьму, ссылку. Ему было страшно за своих, особенно во время войны, когда они упорно не уезжали в эвакуацию и оставались в Загорске в непосредственной близости от немцев, уничтожавших всех евреев поголовно. Они внимали не его настоятельным просьбам, уговорам, требованиям — ехать к нему в Свердловск, повиновались не главе семьи, а какому-то подпольному священнику, который и сам-то был на волосок от гибели и мог их всех погубить с собой в два счета. Он обиделся и на какое-то время перестал писать.

И все же Владимир Григорьевич проявил удивительное терпение и выдержку. В семье не было споров и ссор, все молчаливо считались друг с другом в быту. Леночка была отличной женой и матерью, все с виду шло гладко. При внешней живости и веселости, он был по природе человеком замкнутым, и с годами замкнутость эта усугубилась. В центре всех его интересов была работа, она заполняла его время и мысли, и дети видели его мало. Уходил он на работу, пока они спали, возвращался, когда дети были в постели. Алику только исполнилось шесть лет, а Павлику — три года, когда отца арестовали. Правда, через год выпустили, но в Москву вернуться не разрешили, всю войну он жил в Свердловске в разлуке с семьей и работал на большом химическом заводе.

Алику шел уже одиннадцатый год, когда возобнови-
лась жизнь с отцом. Так и закрепилась у Владимира Григорьевича привычка не вмешиваться в то, что составля-
ло центральный нерв всей жизни жены и детей. Впрочем, он не был убежденным атеистом. Иногда, особенно
во время болезни, говорил: «Нет, наверное, все-таки что-
то есть».

Мать

Мама отца Александра, Елена Семеновна Мень (Цу-
перфейн), родилась в 1909 году. На ее духовное развитие
оказала огромное влияние бабушка Анна Осиповна, та
самая, которую в 1890 году исцелил отец Иоанн Кронштадтский, сравнительно недавно причисленный Церковью к лику святых. Тогда она после смерти мужа осталась с большой семьей на руках: у нее было семеро детей, старшему исполнилось восемнадцать, а младшей —
три года. Бабушка заболела. «И вот в Харьков, где она
тогда жила, приезжает о. Иоанн Кронштадтский, — писала в своих воспоминаниях Елена Семеновна. — Соседка уговорила бабушку пойти к нему и просить исцеления.
Храм и площадь перед ним были полны народа, но соседка сумела провести бабушку через всю эту толпу, и
они предстали перед о.Иоанном. Он взглянул на бабушку и сказал: «Я знаю, что вы еврейка, но вижу в вас
глубокую веру в Бога. Помолимся Господу, и Он исцелит
вас от вашей болезни. Через месяц у вас все пройдет». Он
благословил ее, и опухоль начала постепенно спадать, а
через месяц от нее ничего не осталось».

Эта бабушка ничему не учила Леночку, но очень любила ее, больше всех своих детей и внуков, и ее пример
и любовь действовали лучше всяких нравоучений. Она
вложила в сердце девочки понятие о Боге—Творце Все-
ленной, любящем всех людей. Глядя на бабушку, девочке тоже хотелось молиться.

Восьми лет, в 1917 году, Лена поступила в частную
гимназию в Харькове. Неправославные могли уходить с
уроков Закона Божия, но Лена большей частью остава-

лась и внимательно слушала объяснения батюшки. Выучила молитвы перед учением и после учения.

Мама ее давала уроки французского и немецкого, а отец, инженер-химик, был на фронте. Шла первая мировая война.

«Однажды одна из маминых учениц, — вспоминала Елена Семеновна, — оставила у нас учебник Нового Завета, а сама уехала в деревню на летние каникулы. Я начала читать этот учебник («Новый Завет» в изложении священника Виноградова), и чем дальше я читала, тем более проникалась его духом и тем более разгоралась во мне любовь ко Христу. А когда я дошла до Распятия и услышала слова: «Отче, прости им, ибо не ведают, что творят», во мне что-то дрогнуло, со мною произошло потрясение, какого никогда не случалось ни до, ни после того момента. Я почувствовала, что не могу отойти от Христа. Впоследствии я забивалась в какое-нибудь местечко и часами не сводила глаз с Распятия, целовала, обливала его слезами. Тут я дала обещание непременно креститься, но как это осуществить, я не знала... Наконец, я решила сказать об этом маме. На маму мои слова произвели впечатление взорвавшейся бомбы. Она была в ужасе, стала кричать на меня, а потом бить... А я продолжала твердить: «Я все равно приму крещение». В это время мне было девять лет».

Лена увлеченно читала книги про первых христиан — «Фабиолу» Евг.Тур и «Камо грядеши» Сенкевича. Затем прочла «На рассвете христианства» Фаррара.

В восьмом и девятом классе Лена училась в Москве, а жила у своей бабушки. Там она сдружилась со своей двоюродной сестрой — Верой Василевской. Этой дружбе, продолжавшейся всю жизнь, не мешала разница в характерах. Вера была замкнутой, тревожной, склонной к меланхолии, а Леночка жизнерадостной и общительной.

Живя в Москве, Лена изредка ходила в церковь, но богослужение на церковнославянском языке было непонятно, и она стала посещать баптистские собрания.

Закончив девятилетку, Лена вернулась к родителям в Харьков и работала там чертежницей. По воскресеньям ходила на баптистские собрания, и это все больше обостряло отношения с родителями, которые не могли примириться с ее влечением к христианству. После очередного скандала с побоями ей пришлось уйти из дому. Ее приютила одна сестра-баптистка.

Верочка кинулась в Харьков, разыскала кузину и увезла в Москву. В Москве Леночка тоже работала чертежницей-копировщицей. Она была толкова, внимательна, аккуратна, работа ей нравилась, ее ценили, и она поступила на курсы чертежников-конструкторов, что дало ей по окончании хорошую специальность.

Понемногу она стала ходить в церковь. Верочка познакомила сестру со своими подружками, большей частью это были девушки, с которыми Вера училась в университете. Но одна из ее подруг особенно привлекала Леночку. Звали ее Тоней Зайцевой.

«Тоня была девушкой глубоко верующей, — писала о ней Елена Семеновна, — и это отражалось во всем ее поведении, во всех ее словах. Я знала, что у нее был духовный отец — старец». Этому старцу, отцу Серафиму (Батюгову), суждено будет сыграть решающую роль в ее судьбе.

В 1934 году Елена Семеновна вышла замуж за Владимира Григорьевича Меня.

Первенец

Вскоре оказалось, что Елена Семеновна в положении. Она знала почему-то, что родит мальчика, и решила посвятить первенца Богу. Все время беременности она провела в глубокой молитве и много молилась о том, чтобы из ребенка вышел верный ученик Христа. Она заранее выбрала ему имя Александр.

Он родился 22 января 1935 года в старом родильном доме Грауермана на Большой Молчановке. Этот роддом, основанный еще до революции, существует и поныне. В результате реконструкции района он оказался одним из первых зданий по левой стороне Нового Арбата.

Тонин старец прислал письмо, в котором давал молодой матери указание о том, чтобы во время кормления ребенка она непременно читала три раза «Отче наш», три раза «Богородицу» и один раз «Верую», т.е. краткое молитвенное правило преподобного Серафима Саровского. Он считал необходимым начинать духовное воспитание с первых дней жизни ребенка.

3 сентября 1935 года, согласно обету, Елена Семеновна отправилась с семимесячным Аликом в Загорск, в бревенчатый домик, где скрывался отец Серафим.

Елена Семеновна давно уже ощущала себя христианкой, однако со своим крещением медлила. Это были опасные сталинские времена, она боялась подвести мужа. Да кроме того, с большой серьезностью относилась к этому таинству и считала себя еще неготовой.

Но в этот день сын и мать приняли святое крещение и сделались членами катакомбной Церкви.

Елена Семеновна начала часто ездить к отцу Серафиму, ставшему ее духовником. А через год приняла крещение и Вера Яковлевна и тоже сделалась духовной дочерью отца Серафима.

«С появлением моего первого сыночка, — вспоминала Елена Семеновна, — у нас началась новая жизнь. В центре нашей семьи стал Алик. Я снова почти переселилась к Верочке, так как у нее была большая квартира, а у нас с Володей — девятиметровая комната на пятом этаже... Верочка могла часами сидеть у колыбели ребенка и сочиняла вдохновенные стихи».

Десять песен о маленьком мальчике

Вера Яковлевна была второй матерью Алика. Ее привязывала к Леночке нежная любовь, и, когда та ждала своего первенца, Верочка тоже ждала его как собственное дитя.

Сохранились ее стихотворения в прозе, посвященные новорожденному Алику и датированные мартом 1935 года. Вряд ли читатель встречал где-нибудь подобное выражение беспредельной благоговейной любви к ребенку. Недаром отец Серафим сказал Верочке: «За вашу любовь этот самый Алик большим человеком будет». Та любовь, которой окружили его детство мать и тетя, была важнейшим фактором, формировавшим его характер (впрочем, во всей силе она сохранилась у обеих до самой их смерти). Более того, любовь делает сердце прозорливым, и эти маленькие поэмы таинственным образом предвидят

будущее нашего героя. Они написаны в 1935 году, и я
привожу их со своими комментариями, относящимися к
зрелому мужу.

I

*Ты в плену, маленький мальчик. Они думают, что креп-
ко держат тебя, но ты еще свободен, свободен и чист. Ты
уже смотришь на мир, но без удивления и любопытства.
Ты не знаешь человеческого языка и улыбаешься ангелам,
маленький человек! Твои крошечные ручки и ножки, как
перышки майского жука.*

*Они хотят сделать тебя человеком, и ты отдаешься
весь, как цветок.*

*Ты не знаешь «я» и «не я» — в этом-то и состоит твое
блаженство. Когда ты научишься противопоставлять себя
миру и будешь знать свое имя, — ты утратишь свободу и
для тебя начнется борьба, которая не прекращается всю
жизнь. Какое тепло окружает тебя, твою головку, твое
маленькое тельце? Это тепло младенчества. Да сохранит
тебя Младенец Христос!*

Маленький мальчик каким-то чудом сумеет сохранить
свою свободу, выйдя в широкий мир. Он по-прежнему
будет встречаться с ангелами на каждой литургии. Став
дедом, он, как и в младенчестве, будет отдаваться нуждающимся в нем людям и Божьему миру и познает радость слияния «я» и «не я». А в борьбе он станет воином
Христовым, и ему будут помогать нездешние силы.

II

*Маленький мальчик оглядывается по сторонам, обводит
глазами комнату. В его глазках не отражено еще ни одно
человеческое чувство; он еще не различает сквозь утрен-
ний туман нашего человеческого мира, который мы соткали сами, как паутину, который подменил нам Вселенную...*

*Далеко в весеннем небе сияют звезды. Ты ничего не зна-
ешь о звездах, но ты сам так недавно оттуда, из глубины
мироздания, и сам горишь еще неотраженным светом, маленький Орион!*

Этот свет будет гореть в нем всю жизнь. И он действительно взойдет в духовной ночи России как созвездие дарований, соединившихся в единое целое.

III

Отчего ты так чист, дитя? Словно ангелы Божии соткали для тебя ложе из лепестков белой лилии. Ты поворачиваешь головку и протягиваешь ручки. Ты хочешь утвердить себя в этом мире. Ты «дома», маленький мальчик, как эти цветы, деревья и птицы. Будь счастлив!

Мы, взрослые, здесь на чужбине, нам страшно. Мы вкусили от древа познания добра и зла, мы пошли против Бога, мы отдали свое счастье.

И твоя улыбка, малютка, не есть ли знак милосердия Божиего, знак прощенья? Не ты ли снова и снова приносишь его нам?

Последний абзац этого стихотворения — странное провиденье. Младенец станет священником, будет приносить людям прощение от Бога в таинстве отпущения грехов и освещать многим жизнь светлой улыбкой, как знаком милосердия Божиего.

IV

Отчего я люблю тебя так, маленький мальчик? Может быть, оттого, что ты один понимаешь меня?

Взрослые люди бывают совсем чужими.

Нет, и взрослым он будет обладать тем даром понимания, который Верочка почувствовала в младенце. Очень разные и непохожие люди будут потом говорить ему: «Вы один понимаете меня».

V

Ты напоминаешь мне море, маленький мальчик! Когда ты смотришь и смотришь вокруг своим младенческим взглядом, ты напоминаешь мне море в ясное утро, когда оно ровно дышит, отражая лазурную бесконечность неба.

*Когда по твоему личику проходит мимика неудоволь-
ствия или боли, она течет так быстро, как пена на греб-
нях утренних волн.*

*И когда ты спишь, дитя, я невольно думаю: так отды-
хала земля на седьмой день творения...*

Ты напоминаешь мне море...

Взгляд любви подсмотрел в будущем иерее одно из его
главных свойств. При кипучей энергии и огромной силе в
нем всегда будет отражаться бесконечность неба, и во
всех житейских бурях сохранится ясная безмятежность.

VI

*Вот они здесь все со своими чувствами, самосознанием
и болью. Ты далеко от них, маленький мальчик, ты не стал
еще частью их мира, ты сам целый мир.*

*Ты спишь золотым сном, малютка, ты видишь забы-
тые нами грезы, в которых нет обрывков желаний, тревог
и мук, наполняющих наши сновидения. Даже страха не знаешь ты.*

*И когда ты спишь, в тебе и вокруг тебя трудится це-
лый легион невидимых сил. В твоем маленьком теле, в твоей
крови, в мельчайших капиллярах твоих сосудов совершается великая работа созидания жизни.*

*А когда на тебя падает солнечный луч, ты весь оста-
ешься в луче. Ты даже улыбаешься во сне. Кто научил тебя
этой улыбке?*

Он и не станет никогда до конца «частью их мира». Он
пришел к ним, чтобы подарить им другой мир, получен-
ный от Неба. Он сохранит в себе свет упавшего на него
луча и сам станет светильником для многих.

VII

*Все поэты искали разгадку весны, а ты воплотил ее в
себе, маленькая ласточка, серебристый ландыш, пробудив-
шийся на утренней заре. Твой взор устремлен вдаль, но я не
знаю, что видишь ты.*

Лишь на секунду ты останавливаешь свой взгляд на мне, и я называю тебя по имени, и мне кажется, что, если бы явился архангел с белыми крыльями, в нем было бы меньше нежности.

Через много лет немолодой францисканский монах-священник, отец Станислас Добровольскас, живущий на глухом литовском хуторе, человек европейской образованности, владеющий одиннадцатью языками, прошедший лагеря и тюрьмы, выдающийся проповедник слова Божия, назовет отца Александра «Московской весной».

VIII

Лунный луч упал в твою колыбель, и замкнулся золотой круг. В этом круге — ты!

Между мирами нет границ, ты примирил их все, как голубь, принесший пальмовую ветвь.

Какая стена закрывает вход? Как трудно дышать! Но ты здесь, так близко, и если я сумею забыть себя, ты позволишь мне подняться вместе с тобой, на один миг, на крыльях твоей невинности.

Все свои духовные силы отец Александр устремит на то, чтобы устранять границы между мирами, освящать сотворенный Богом мир в его земной реальности. А одна его духовная дочь, «доктор богословия», как ее называют друзья, символически изобразит впечатление, исходящее от духовника, как всеобъемлющую сферу.

IX

В твоих глазах отражается игра света. С каждым днем ты все сознательней смотришь вокруг, словно с непреодолимой силой стремишься проникнуть в окружающий тебя мир.

Ты просыпаешься с каждым днем и тянешься доверчиво навстречу большому миру, как цветок навстречу солнцу.

Тебе предстоит завоевать этот мир!

Непреодолимое стремление к познанию станет одной из главных черт отца Александра, а вся его деятельность будет направлена на то, чтобы завоевать окружающий мир для Бога.

X

Даже думая о тебе, невозможно не называть тебя по имени. В нем заключается неповторимая индивидуальность человеческого существа. Ты весь гармоничен: твои пальчики, волосы и глазки, все твои движения, вся удивительная мимика твоего лица, совсем неосознанная, но унаследованная от бесчисленных поколений твоих предков — ничто не случайно в тебе, — все это ты. И потому нет в тебе ничего оторванного, ничего не связанного с сущностью твоего бытия. Ты почти космичен еще потому, что ты младенец, потому что вся нежность, растворенная в мире, окружает начало жизни, дитя-звездочка, маленький весенний цветок. Но любовь узнает тебя сквозь туман космической жизни и, глядя на тебя, невольно шепчешь слова: «Это ты, мы знали тебя давно...»

Имя в песне пропущено, Верочка застенчиво скрыла имя своего крохотного возлюбленного. Но имя его значит «Защитник людей», а его святой покровитель — благоверный князь Александр Невский. Всю жизнь тот, кого так назвали, будет исполнять вложенную в него с этим именем задачу. Нарекши его Александром, родные предугадали его жизненное призвание, и это почувствуют толпы людей, которые будут приходить к нему ежедневно за помощью и поддержкой. Любовь Веры Яковлевны мистическим образом узнавала его сквозь туман космической жизни и помогала раскрытию тех духовных богатств, которые были заложены в мальчике.

От года до двух

Уцелела также тетрадка с записями Веры Яковлевны о развитии Алика с года до двух лет. Это еще одно трогательное свидетельство ее любви и пристального внимания к мальчику. Она вела свои наблюдения профессионально, будучи специалистом по детской психологии. Записи эти весьма любопытны: характерные черты нашего героя проступают очень рано, он как бы родился на свет уже с вполне опрсделенными задатками, личность его узнаваема с младенчества. Приводим с сокращениями дневник Веры Яковлевны.

1936 год. Январь

Дня за два до своего дня рождения Алик заболел гриппом. Ночь с 21 на 22 января была особенно тяжелой, он весь горел и в бреду повторял слова «дядя», «тик-так» и другие. На следующий день температура снизилась. Когда его закутали и понесли в консультацию, он, увидав на площади городские часы, указал на них, назвав их: «Тик-так». После болезни начался новый, более бурный период развития. Правда, запас слов мало увеличивается, но зато значение слов, вернее, объем значений расширяется: «дядя» значит не только дядя, но и всякий человек, ребенок, человеческая фигура на портрете, картине; «а-а-а» — кровать, кресло, санки; «кис-кис» — кошка, горжетка, щетка, игрушечный зайчик. Появился интерес к изображениям, на таблице с цветными фигурами обводит каждую фигуру пальчиком, часто указывает на портрет, говорит: «дядя», на картинке узнает знакомые предметы, по просьбе указал на изображение кошки «кис-кис». Преобладающие интересы — экспериментирование, открывание и закрывание дверей, ящиков, коробочек, вкладывание, вынимание, соединение и разъединение.

Февраль

14 февраля впервые прошел сам несколько шагов без поддержки. Начал за последние дни сознательно употреблять слово «мама».

28/II. Птиц (соловья и петушка) резиновых и целлулоидовых без различия называет «ко-ко», причем очень выразительно произносит это слово. Изображает (подражательно) встречу петушка с соловьем, говорит «ко-ко», смеется. Со словом «мама» обращается не только к маме, но и ко мне. Много упражняется в свободной ходьбе и беге, по нескольку раз пробегает по комнате взад-вперед, каждый раз все быстрее. Большая потребность играть с детьми, бежит к ним навстречу со словами: «Аля, Аля, Аля», дает и берет у них предметы, старается им подражать в звуках, в движении, очень оживляется.

Март

7/III. Показывает лужи на улице, говоря «а-а», то же, когда в комнате моют пол, при виде водопроводного крана, ведра и т.д. Охотно рассматривает картинки, просит показать их ему, указывая на то место на этажерке, где они лежат. На картинке пальчиком указывает на каждую собачку в отдельности, выражает удовольствие. Во дворе очень заинтересован детьми, кричит им уже не «дядя», но «Аля».

8/III. Стремится играть с детьми, но когда Н. отняла у него куклы, был огорчен, но не решался взять у нее обратно, пытался подойти к ней, но вновь возвращался ко мне, прося о содействии. Когда его просишь дать Наде игрушку, дает, когда она отнимает у него, смущен, не знает, что делать.

17/III. Стал очень внимателен к речи, повторяет некоторые незнакомые слова, игрушку — «гуши» и т.д. Находит иллюстрации в газете и называет по-своему. Увидел женщину с ребятами в газете, сказал: «Мама, Аля». Увидев, что мама спит, сказал: «Мама ааа».

Апрель

23/IV. Из игрушек появился интерес к животным: зайчик, мишка, кукла. Каждую игрушку называет своим именем. Начал ходить по улице ножками, бегает, любит элементы подвижных игр. Самостоятельно пускает в ход радио, находит вилку и вставляет ее в штепсель. Вспоминает об отсутствующих. Слушая рассказ, повторяет знакомые слова.

Май

18/V. Стал более требователен, иногда раздражается оттого, что его не понимают. Очень подвижен и стремителен. Старается называть окружающие предметы. Принесла ему книжку «Птичий двор», занимался ею больше получаса, называет птиц, разговаривает с ними, по многу раз перелистывает, напевает, вновь называет птиц. Приехав на дачу, все время бегал по лугу, радуется при виде животных, называет их, знакомится быстро с детьми.

24/V. Появились игры со сложным социальным содержанием. Посадил зайчика за стол и стал кормить его обедом, пользуясь совочком вместо ложки, опуская его каждый раз в ведерко и затем приближая ко рту зайчика, при этом называл блюда, которые предлагал зайчику: «пут» — суп, «катота» — картошка. Выходит за калитку, говорит: «до свиданья», машет при этом ручкой. Видя, что от него удаляешься, немного испуганно окликает и затем с торжествующим смехом бежит на зов. Эту игру часто повторяет, как бы играя своими переживаниями, произвольно их вызывая и овладевая ими. Бегает, несколько затрудняясь в выборе направления, определенно направляется только к животным или к катящемуся мячу. Не устает называть знакомые предметы и животных, ловит слова на лету, услышав слово «муравей», ищет муравьев и громко кричит: «Маммей». Указывает на каждую пролетающую птицу, говоря: «пица». Но особый энтузиазм вызывают коза, гусь и петух. Не боится приближаться к животным.

27/V. Алик стал сознательно вспоминать об отсутствующих, которых видел даже 10 дней назад. Поглощен впечатлениями от окружающего, весь загорается, вспоминая животных. Укладываясь спать дома, не может уснуть, поет или говорит «ав-ав — абака», «коза», «петух» и т.д. Сегодня познакомился с теленком, без конца повторял: «теленок», возвращаясь домой, опять рвался к нему, говорил: «идем туда, теленок». Прислушиваясь к пению птиц, поднимает ручки вверх: «там пица». Требует карандаши и бумагу: «дай-дай-ка», «писать»; пишет точки и недолго штрихи, мнет бумагу. Огромная потребность в общении. Увидав рабочего, который катит по дороге тачку, закричал: «коляска».

30/V. Нашел веточку сосны, пытался подобрать название, сказал сначала: «палка», затем «цветочек» и, наконец, «кисточка». Также при виде коровы: «абака», «лошадь», «теленок». Вчера впервые понял значение слова «брось». Обрадовался открытию, подымал одну за другой палочки с земли и бросал, говоря: «Брось». Дома делал то же с булкой, хотя явно жаль было с ней расстаться, но потребность экспериментировать оказалась сильней стремления обладать.

31/V. «Читает» с увлечением книжку «Птичий двор», которую называет «петух», вносит разнообразие в рассматривание картинок, замечает детали, там, где не хватает слов, создает собственные. Знакомые слова повторяет на разные лады, особенно новые. Мимика во время «чтения» очень богатая. Весел, много поет. Абсолютно не боится животных и готов как угодно далеко идти за козой или теленком.

Июнь

9/VI. Поражает быстрый рост понимания речи, отвечает, подает реплики тогда, когда речь не сопровождается жестами. Очень сценичен, активен, заинтересован в окружающем, весел. Появились намеренные шалости, например, во время еды он повернул головку, и я нечаянно попала ложкой на его щечку, он рассмеялся и затем сам уже нарочно вымазал ложкой всю щеку и стал мазать окружающие предметы, так что ложку пришлось отнять. Бурно радуется встрече. Не была два дня, придя, тихо постучала в дверь, он не видел меня и не слышал моего голоса, но сам догадался и заявил: «Голя». По-прежнему очень ревнив. Когда мама меня обнимает в его присутствии, кричит: «Уходи». Больше всего заинтересован животными, очень серьезно их изучает, рассматривает, вспоминает о них с увлечением: «теленок му-му». В лесу очень оживлен, просит достать ветку, называет их «цветочки». Птиц узнает по голосу.

24/VI. Очень быстрый темп развития. Каждые два-три дня новые неожиданные проявления. 18-го отказался подойти близко к козе, к которой так стремился прежде; уцепившись за мое платье, повторял: «боишься». То же и по отношению к собаке: «боишься укусит». Однако выражения испуга при этом нет. Иногда удается заманить его поближе к козе, протягивая ей листья, которые она жует. Тогда Алик также, но на почтительном расстоянии, протягивает по направлению к козе травку, говоря: «на, на листочки». Новая страсть в животном мире — цыплята («пипятки»), гусята. С восторгом гоняется за ними. Козу и козленка безошибочно отличает, иногда говорит: «козленок маленький», «теленок хороший». Развитие мышления, рост структурных связей совершенно отчетливы наряду с развитием речи. Имеется целый ряд «хитростей», при помощи которых стремится достигнуть желаемого.

На прогулке, занятый каким-либо животным или кустом, не хочет следовать за взрослыми. Когда его оставляют одного или уходят вперед, он, чтобы обратить на себя внимание, делает вид, что берет в рот иглы елочки (знает из прежнего опыта, что следят за тем, чтобы он ничего не брал в рот). Когда к нему подходишь, он сам открывает рот и, отрицательно качая головой, говорит: «не-не-не».

Внимательно следит за всем происходящим вокруг, называет по именам людей, детей, животных. Во время грозы каждый раз при ударе грома поднимает пальчик вверх и говорит «гом» (гром). Когда гроза кончилась, неожиданно заявил: «ушла». На мой вопрос: «кто ушла?» — ответил: «гом». Явления природы отождествляет с людьми, хотел подарить дождю свои игрушки, протягивал их на дождь по собственной инициативе, говоря: «на, дождик, зайку, на, на».

Речь уже явно объединилась с мышлением, и последнее сделалось богаче категориями, стал видимым образом мыслить о том, что было раньше и что находится в другом месте.

Он способен «рассказать» о пережитом. Так, например, через несколько дней после того, как он был в гостях у Тони, он, вспоминая об этом, передает свою игру с ней.

Очень любит переходить через мостики, непременно самостоятельно, не держась за руку. На Алика можно воздействовать путем «логической аргументации», указаний на объективные препятствия, например: «не надо идти в лужу, там вода, мокро». — Алик понимает это как препятствие; не надо есть ягоду, поднятую с земли, поднял, сам сказал: «ягодка, умойся».

Прекрасно понимает, когда говорят о нем, сам старается рассказать то же, очевидно вспоминая о произошедшем.

Расширение опыта за пределы зрительного и слухового поля дает начало отсчету от непосредственно данного — жизни воображения. В речи обилие видовых обозначений, которые почти играют роль имен. Потребность в назывании так велика, что он не считается с точностью, по-своему произнося такие трудные слова, как «градусник», меняя их до неузнаваемости. Однако значительную часть слов произносит верно, выправляя их в процессе развития речи. Так, еще недавно говорил «мамика», теперь — «машина».

Август

19/VIII. За последнее время произошли очень большие изменения, темп развития речи, мышления, воображения очень быстрый, так же, как и выявление ряда индивидуальных особенностей. Говорит связными предложениями из трех и более слов, употребляет разные времена и лица глаголов, падежи имен существительных.

Во время пребывания Альдика из новых для него отношений с другим ребенком появилось слово «обидел». «Альдик обидел Алю», причем обидной оказывается даже интонация и форма слова, например, в слове «Алястик» появилась в какой-то форме самооценка. На вопрос: «Аля нехороший мальчик?» — сначала не нашелся и реагировал аффективным — «не надо», а затем сказал: «Соросий» (Хороший). Оформляется представление о будущем, способен ожидать обещанного.

Начал осознавать лучше свои собственные переживания и чужие. Если раньше только сердился, когда видел, как целуются при встрече, или говорил: «Не надо полуть» (Не надо целовать), то сейчас пытается интерпретировать: «Мама любит Голю». Осознает свое неумение и неудачи при попытках сделать что-либо, например, вставить палки в колесики коляски, выражает это в словах «умеешь никак». Часто употребляет слово «красивый», вкладывая в него определенный смысл. Стал говорить не только «красивая картинка», но и «красивая песенка». Понимает и интерпретирует сложные картинки. Узнает знакомые места, находит дорогу.

Узнает, где растет картофель, капуста, свекла. Запоминает отдельные строчки стихов и охотно применяет их в речи, при виде петуха говорит: «Питусок масляна головушка» и т.д. Определилось стремление к игре «конструкторской»: вставлять, закручивать и т.д.

Сентябрь

Многими чертами поведения Алик напоминает дошкольника. Его игры нередко носят процессуальный характер. Он инсценирует ряд действий. Резинового слона укладывает спать, купает, выработалась эгоцентрическая речь. Купая слона, говорит о том, что ему «мыло в глазки попало», поливая его из кружки, приговаривает «с гуся вода» таким же тоном, каким говорит это Катя, поливая его после купания.

В лесу находит палочки, щепочки, напоминающие ему животных, и заставляет их действовать так, как действуют соответствующие животные, например: «коза — бодается», «лошадка — поехала». Любит игры с распределением ролей, повторяет их по многу раз, например: взял замочек от чемодана, который напоминал ему часы. Игра заключалась в том, что Алик подавал мне этот замочек и спрашивал: «Который час?» Я должна была делать вид, что смотрю на часы, и отвечать: «Семь часов».

Альдик уехал в то время, когда Алик спал. Когда он проснулся, он бегал по комнатам, заглядывал во все углы, повторяя вопрос: «Альдик, где ты?» Интересен ход рассуждения и умозаключения Алика. Сначала он предположил, что Альдик ушел гулять, но, посмотрев в окно, он произнес: «Мокро, дождик» — и тут же сделал вывод: «Комната» — и побежал с тем же вопросом в соседнюю комнату.

Вообще Алик как-то понимает причинную зависимость явлений, твердо ее усваивает, а потому и поддается убеждению. Он усвоил ряд привычных связей. Когда ему хочется получить яблоко, которое он видит, он говорит: «Яблочко вымыть, отрезать ножичком», при виде ножика он говорит: «Ножичком порежешься», при виде штепселя электрической лампы: «Электричество укусит, больно Але». При виде кровати, которую передвигают, он сам говорит себе: «Отойди», которое много раз слышал; также, взяв в руки банку из-под консервов, сам говорит: «брось». Очень хорошо понимает предупреждения, например, «нагнись, а то ударишься», «обойди кругом, здесь вода» и т.д.

Алик часто говорит: «на-пожалуйста» и «на-спасибо», не различая того или другого понятия.

Чрезвычайно быстро усваивает новое, тотчас же вводит в свой обиход новое слово. Например, чтобы Алик не понял, в его присутствии было сказано по-французски про лежавшие на столе конфеты: «Il faut cacher les bonbons» [«Нужно спрятать конфеты»]. Алик тут же заявил: «Дать Але консетки, bonbons».

Запоминает и отрывками самостоятельно декламирует все стихи, какие слышит.

Алик стал очень нежен в обращении, старается всех называть ласковыми словами: «Гулишенька», «Катюша», «мама моя Леночка». Просит посидеть возле него, уложить его спать: «Гулишенька, садись ложить Алю», просит спеть ему определенную песенку. Осознает, что ему нравится: «песенка красива». С большим энтузиазмом встречает стадо коров: «идет стречать кововы». Увидев приближающееся стадо, радостно восклицает: «Кововы, овечки, теленок, дидоле (т.е. другой) теленок».

Также проявляется эстетическое чувство при созерцании природы. В последний вечер на даче ходили смотреть закат солнца. Алик ни за что не соглашался повернуться в сторону от заходящего солнца.

Однажды Алик, рассердившись на то, что я долго его одеваю, когда ему хотелось заняться чем-то другим, больно укусил меня в руку. Я быстро отошла от него и, ничего не сказав, села за стол. Алик отвернулся и долго сердито и жалобно плакал, стуча ножкой об пол. Тогда я решила выйти из комнаты, так как плач не прекращался, а подходить к нему в этот момент было бы нецелесообразно. Но стоило мне направиться к дверям, как Алик бросился ко мне с криком «Гулишенька», в котором ясно чувствовалось, как сильно пережил он все происходящее. Поражает интенсивность переживаний, их связанность с каким-то ядром личности и их осознанность.

Октябрь

12 октября Алик вернулся из Харькова, где прожил с 18 сентября. Он не только не забыл никого, но и форма его отношений и степень привязанности сохранились, как будто и не было почти месяца перерыва. Впечатления харьковские оказались очень сильны, как и впечатления дороги.

Память стала играть новую и особую роль в его жизни. За этот месяц его жизненный опыт значительно обогатился. Москва, Тарасовка, Харьков, поезд — различные слои, различные как бы «сцены» его жизни. Характерно употребление им слова «помнишь!», при этом он как бы ставит многоточие и вспоминает отдельные запечатлевшиеся в его сознании действия, причем эмоциональный фон такой, каким он был в момент действительного переживания, как будто он видит перед собой ранее пережитое. Например, вспоминая Тарасовку, воспроизводит свою речь и интонации при виде возвращения стада: «кововы идут, теленок маленький, овечки идут» и т.д.

Вспоминает дорогу, отдаленный гудок паровоза приводит его в состояние возбуждения. Через две недели после приезда во время вечерней прогулки, услышав гудок, спрашивает: «Сюда придет поезд?», «Поезд не тронет Алика?»

Сознательно относится к запрещению, «не надо» имеет для него серьезное значение чего-то объективного. Например, очень любил бегать по травке на бульваре, но после требования сторожа перестал это делать. После напоминания легко отказывается от своего намерения и сам говорит: «Дедушка сказал: не надо».

Очень точен в своих выражениях. Передает глаголами даже оттенки мысли. Все впечатления остаются в его сознании очень прочно, ничто не проходит мимо. Когда при нем читали в газете о падении самолета, Алик после рассказывал об этом происшествии: «Аэродром сломался, самолет упал». За последнее время исправил произношение тех слов, которые до сих пор произносил по-своему. Теперь говорит «морковка», а не «макотка», «гребешок», а не «бишюрок», «другая», а не «дидоле».

Декабрь

31/XII. За последнее время появились признаки, напоминающие «кризис 3-го года». Появляется временами негативизм, иногда даже в таких случаях: говоришь ему: «Это белый медведь». — «Нет, не белый, не белый, черный медведь», — отвечает Алик. Доставляет удовольствие говорить о предметах с прибавлением отрицательной частицы «не» — «не обезьяна», «не козочка» и т.д. Охотно передает любое поручение словесно, старается запомнить, иногда передает довольно сложную мысль, но если чем-либо отвлечется по дороге, то позабудет. Время и пространство для него раздвинулись, явно вспоминает о прошлом и мечтает о будущем.

Схватывает разнообразные выражения, которые служат ему для передачи собственных эмоций. Например, получив новую книжку с картинкой, изображающей льва, воскликнул: «Батюшки, лев! Подумайте, лев! Замечательная штука!» и т.д. Многое остается как бы где-то в глубине и порой неожиданно выявляется. Например, сегодня очень верно спел на французском языке песенку «Ainsi font», которую уже давно не слышал.

Чувствуется, что внутри работает мысль, делает собственные выводы, например, раньше боялся, когда по радио передавали голоса животных, на днях сам сказал: «Радио не тронет, только разговаривает, только расскажет».

Хорошо передает свои впечатления. При этом образовал существительное из слова «гулять». Там, на «гуляти», он видел собаку, Деда Мороза и т.д.

По картинкам дает описание сюжета, а часто и объяснение:

1) мальчик хочет открыть дверь, не умеет, попросил тетю (мальчик у доски в школе отвечает учительнице);

2) дядя взял у тети карандаш, тетя плачет.

Приносит вещи, подал к столу еду, пробовал вытирать чашки. Стремление все сделать самому, спеть, развинтить. Крутил швейную машинку так, что сорвал с нее ручку, при этом говорит: «Надо осторожненько». Временами проявляется требовательность и агрессивность. При недовольстве изредка бросается на пол и ударяет слегка головой об пол. Однако очень легко от этого отвлечь, и на этом состоянии он нисколько не фиксирован.

1937 год. Январь

1/1. Все интересы окружающих преломляются в его сознании, ни одно впечатление не проходит мимо, знает названия машин, книг, знает, где книги Пушкина, где учебники фонетики, знает, с какой интонацией я читаю по-английски.

Реагирует и на разговоры об Испании. Сегодня неожиданно, рассматривая картинки с автомобилями, сказал: «Интересно поехать на машине в Испанию».

Захвачен витринами и вывесками. Делится своими впечатлениями с прохожими, рассказывает обо всем.

Делает обобщения: «Мама спит, киска спит, слон спит, все спят». Играет, образуя всевозможные ситуации со зверями, проявляет много эмоционального отношения к ним. Знает названия всех диких животных и узнает их. Любит и игры с пением хороводного типа и легкую инсценировку сказки, например, «Теремок».

Вера Яковлевна

А теперь пришла пора сказать несколько слов об авторе этих песен и записей, двоюродной тетке отца Александра, Вере Яковлевне Василевской (по-домашнему — Голе).

Сначала краткая справка, написанная отцом Александром для неизданной книги Веры Яковлевны о подпольной Церкви «Катакомбы XX века», на которую мы еще не раз будем ссылаться в этой первой главе нашего повествования.

Вера Яковлевна Василевская, научный работник, специалист по педагогике и детской дефектологии. Окончила философский факультет Московского университета и институт иностранных языков. Ей принадлежит ряд работ, часть из которых опубликована. Главная из них: «Понимание учебного материала учащимися вспомогательной школы», изд. Академии наук РСФСР, М., 1960.

Вера Яковлевна родилась в 1902 году и так же, как и ее двоюродная сестра, с детства оказалась религиозной девочкой. Кончила гимназию и в 1918 году поступила в Московский университет на психологическое отделение философского факультета. Там она изучала философию и психологию, слушала лекции последних представителей идеалистической мысли в университете профессоров И.А.Ильина и Г.И.Челканова, посещала религиозно-философские собрания, на которых обсуждались волновавшие всех вопросы христианской веры и духовной жизни. Среди студентов было много «маросейских», т.е. духовных детей знаменитых священников-старцев отца и сына Мечевых, чей храм помещался в Москве на Маросейке.

Параллельно с университетом поступила работать в детский сад, познакомилась с Тоней Зайцевой, которая впоследствии стала ее крестной. Проработали вместе они одно лишь лето. Верочка знала, что Тоня — верующая и имеет духовного наставника. Позже она стала с ней переписываться и получала ответы, написанные с поразительной силой чувства и глубиной мысли. Скоро Вера узнала, что писал их Тонин духовник, отец Серафим

(Батюгов), а Тоня только переписывала как бы от себя. Отец Серафим принадлежал к «катакомбникам».

Вера Яковлевна сыграла большую роль в развитии научных интересов мальчика. Своей семьи у нее не было, и все нерастраченные силы души она вложила в его воспитание. Глубокая любовь привязывала ее к Елене Семеновне и ее детям, а потом к Ляле и Мише, детям отца Александра. Умерла она в 1975 году и похоронена на Новодеревенском кладбище, неподалеку от храма, где служил отец Александр.

Духовная колыбель

Вот что писал отец Александр о «Катакомбной Церкви», где началась духовная жизнь его мамы, тети и его собственная.

После Октябрьской революции в России существовало два официальных направления Русской Православной Церкви: «обновленческая» Церковь, впоследствии вносившая изменения в обряды и открыто сотрудничавшая с властями, державшими курс на искоренение религии как «предрассудка», и «тихоновская». Патриарх Тихон стремился к мирному сосуществованию с государством, но при этом старался избегать тех компромиссов, которые подрывали бы основы церковной жизни.

В 1925 году Патриарх Тихон умер. В конце 20-х годов начались массовые репрессии. Храмы и монастыри закрывались, а многие тысячи священников, епископов, монахов и ревностных мирян отправляли в тюрьмы, лагеря и ссылки под предлогом «борьбы с контрреволюцией».

В это время патриарший местоблюститель митрополит Сергий (Страгородский) выступил с официальным заявлением, отрицая наличие религиозных гонений в стране. То есть он, как и обновленцы, пошел по пути полного подчинения и сотрудничества с государством, гнавшим Церковь.

Ряд представителей епископата и духовенства не согласились с церковной политикой Сергия, отошли от него и составили оппозицию, образовав независимые группы. Большинство непокорных иерархов было арестовано, оставшиеся же на свободе перешли на нелегальное положе-

ние и тайно совершали богослужения в частных домах. В Московской области к «Катакомбной Церкви» принадлежали архимандрит Серафим (Батюгов), о. Петр Шипков (бывший секретарь Патриарха Тихона), иеромонах Иеракс (Бочаров), о. Дмитрий Крючков, отец Владимир Богданов и др. Большинство из них архиереем считало епископа Афанасия (Сахарова). К 1945 году «Катакомбная Церковь» фактически перестала существовать. С одной стороны, почти все ее духовенство было разыскано и арестовано, с другой — после Собора 1945 г., избравшего митрополита Сергия Патриархом, епископ Афанасий разослал верующим письмо, в котором призывал к воссоединению с Патриаршей Церковью. Обновленческая церковь была ликвидирована Сталиным.

Представители «Катакомбной Церкви» ставили целью сохранить в чистоте дух православия в годы церковной борьбы, распрей и компромиссов.

Среди них были выдающиеся служители Христовы, оказавшие огромное влияние на людей, искавших подлинно церковной жизни. Среди них был архимандрит Серафим (бывший духовником еп. Афанасия). О. Серафим (в миру Сергей Михайлович Батюгов) родился в 1880 году в Москве. С ранних лет он почувствовал призвание к церковному служению. Однако сан он принял в зрелые годы. Получив техническое образование, Сергей Михайлович работал на одном из столичных предприятий. В то же время он стал посещать Оптину пустынь, слушал лекции в Духовной Академии, изучал богословие и святоотеческую литературу. Это был человек разносторонне образованный, с широкими интересами, всецело преданный Церкви.

Рукоположен он был в самое тяжелое для русской Церкви время, в 1919 году, и несколько месяцев служил в храме Воскресения в Сокольниках. Перед тем отцу Сергию предложили настоятельство в церкви Вознесения у Консерватории. Но он пожалел молодого священника о. Дмитрия Делекторского*, который должен был ехать в село на верную гибель, и уступил ему место.

---

* Отец Дмитрий Делекторский служил в храме Вознесения до самого его закрытия. Оттуда он перешел в церковь Рождества Иоанна Предтечи (на Пресне), где и служил до самой смерти (1970). Будучи уже глубоким старцем, он с благодарностью вспоминал о.Сергия, ибо был уверен, что в селе, куда его назначили, он был бы арестован или убит.

В 1920 году о. Сергий был вызван Патриархом Тихоном и назначен в церковь святых мучеников Кира и Иоанна на Солянке. В 1922 году он принял монашество с именем Серафим, а в конце 1926 года был возведен в сан архимандрита. По слухам, его готовили к архиерейскому служению.

Вскоре о. Серафим был арестован по обвинению в укрытии церковных ценностей... Но впоследствии дело против отца Серафима было прекращено, т.к. выяснилось, что ценности увезли сербы (их подворье находилось в церкви Кира и Иоанна).

Декларация митрополита Сергия встретила со стороны архимандрита отрицательное отношение. В июле 1928 года он удалился из храма и перешел на нелегальное положение. По этому пути пошел и другой священник «солянской» церкви иеромонах Иеракс (в миру Иван Матвеевич Бочаров), который служил там с 1929-го по 1932 год. С этого времени все духовные лица, отказавшиеся принять линию митрополита Сергия, были арестованы (если не успели скрыться), а храмы их были заперты.

О. Серафим только чудом избежал ареста. Некоторое время он тайно жил в разных местах и в конце концов поселился в Сергиевом Посаде (переименованном в Загорск) у двух сестер, монахинь из Дивеева.

Там, в маленькой комнате, перед Иверской иконой Божией Матери был поставлен алтарь и служилась литургия. Здесь бывали и совершали богослужения многие духовные лица. В перерывах между арестами бывал и епископ Афанасий, в юрисдикции которого находился о. Серафим. Сюда, в неприметный дом на окраине города, стекались отовсюду многочисленные духовные дети за советом и утешением. Приходится лишь удивляться, как этот церковный очаг сохранился столь долго (до 1943 года) в обстановке доносов и непрерывных арестов.

В своей пастырской деятельности отец Серафим, как и отцы Мечевы, руководствовался советами оптинского старца Нектария*, который в то время уже уехал из разоренной пустыни.

---

* Нектарий — последний из Оптинских старцев (умер в 1928 году).

Кроме того, его наставником был старец Зосима (в схиме Захария), приехавший в Москву из закрытой Троице-Сергиевой Лавры.

О.Серафим был подлинным продолжателем традиций старчества. Его подход к людям был всегда глубоко индивидуальным. С каждым человеком он беседовал отдельно, и его советы относились только к данному человеку (он нередко даже запрещал передавать их другим). Главное свое призвание он видел в том, чтобы быть пастырем, кормчим душ, и «оберегать чистоту православия».

Подпольный старец

Архимандрит Серафим, ставший первым духовным наставником Елены Семеновны, Веры Яковлевны, а потом и маленького Алика, был сильный духом и верой человек и на всех троих произвел неизгладимое впечатление.

Вот как вспоминала о встречах с ним Вера Яковлевна:

«Помимо своих духовных занятий, старческого руководства, пастырских, богословских и литературных трудов, батюшка в своем уединении принимал активное участие в жизни Церкви, встречался со многими из своих единомышленников среди церковных деятелей и вел постоянную переписку. Вместе с тем не было, казалось, ни одного вопроса, которым бы он не интересовался. Он следил за текущими событиями и переживал все со всеми...

Ничто не казалось батюшке мелким или неважным. Он был воспитателем в самом высоком смысле этого слова: в смысле искусства, материалом которого является не мрамор, не краски, но тончайшие движения души, то стремление к божественному, которое вложил Господь в Свои разумные создания...

Батюшка большое внимание уделял вопросам воспитания и часто давал мне различные советы.

Я всегда сама гуляла с Аликом, уделяя на это почти все свое свободное время. Батюшка придавал этим прогулкам большое значение. «Не надо много говорить с ним. Если он будет задавать вопросы, надо отвечать, но если он тихо играет, лучше читайте Иисусову молитву, а если это будет трудно, то «Господи, помилуй». Тогда душа его будет укрепляться».

В качестве примера воспитательницы батюшка приводил няню Пушкина Арину Родионовну. Занятая своим вязаньем, она не оставляла молитвы, и он чувствовал это даже тогда, когда был уже взрослым и жил с ней в разлуке, что отразилось в его стихотворении «К няне»...»

«Однажды Леночка, — писала Вера Яковлевна, — попросила батюшку разрешить сводить сына в церковь, чтобы показать ему благолепие храма. Батюшка благословил, но Алик чувствовал там себя нехорошо. «Поедем лучше к дедушке или в Лосинку», — просил он. Когда об этом рассказали, батюшка сказал: «Если он чувствует это и разбирается, то и не надо водить его в церковь».

До пяти лет Алик причащался совершенно спокойно, но к этому возрасту он почему-то начал сильно волноваться перед причастием.

Тогда батюшка решил, что настало время систематически знакомить его с содержанием Священного Писания, так как он уже в состоянии отнестись ко всему сознательно».

19 февраля 1942 г. отец Серафим скончался. Его похоронили в подвале того дома, где он скрывался у дивеевских монахинь. Гроб закопали под тем местом, где находился престол, как это делали в катакомбах христиане первых веков.

Рассказ старой монахини

14 октября 1979 года, на Покров, дивеевская монахиня Параскева, уцелевшая во всех гонениях, рассказывала навестившему ее отцу Александру и автору этой повести о том, как тоже на Покров, через четыре года после смерти отца Серафима, арестовали монахиню Ксению, хозяйку дома, в котором жил отец Серафим, а после его смерти и отец Петр. При этом сотрудники госбезопасности выкопали гроб с телом архимандрита.

«Пришли и говорят: «Показывайте, где его закопали». — «Ну, раз сами знаете, то и ищите, я не полезу». Полезли они в погреб, выкопали, еле-еле вытащили, ни-

2*

как не хотел он выходить из дома. «Что это он у вас в воде лежал? Вы что, нарочно поливали, что ли?» — говорят. А гроб как нсвенький, хоть и мокрый, все доски свеженькие.

Ну, погрузили они гроб, увезли. Сколько-то дней проходит, бежит ко мне вечером Сима, сестра Синклитикия: «Сейчас гроб грязный на кладбище повезли, верно, отца Серафима».

Бегу я на кладбище, а там две могилы вырыты. И как раз телега с гробом стоит, и мужик при ней один лишь. Я его спрашиваю: «В какую могилу-то схоронишь?» А он говорит: «В какую надо, в такую и схороню. Не твоего ума дело. Но только я его в гробе хоронить не буду. Тес хороший, крепкий, мне веранду строить пойдет. А ты иди отсюда давай».

Я отошла. А потом он отъехал, я туда. Всего я его общупала, а он хоть и в воде лежал, а лицо белое, чистое, ну, как вчера помер. А сама думаю, сейчас люди с работы мимо пойдут, а я в могиле. Вылезла, домой пошла. Так они его и закопали без гроба. Потом на могиле крест поставили, только без всякой надписи.

А когда кладбище это закрыли, перенесли мы его к сродникам на новое кладбище. Приготовили хороший гроб, раскопали могилу, а он все такой же чистый, ничуть не поврежденный, лицо такое же белое. Теперь он на новом кладбище лежит, батюшка наш, отец Серафим, а рядом с ним матушка Мария».

Отец Петр Шипков

Незадолго до смерти, предчувствуя скорую кончину, отец Серафим передал духовное руководство своими чадами трем катакомбным священникам: отцу Петру, отцу Иераксу и отцу Владимиру. Елену Семеновну с детьми и ее двоюродную сестру он поручил отцу Петру. Отец Петр Шипков (1881—1959) был виднейшей фигурой среди единомышленников отца Серафима. Он был рукоположен Патриархом Тихоном в 1921 году и примерно в то же время, что и отец Серафим, ушел в «катакомбы». Отец Петр жил в то время в Загорске, работал на кустарной фабрике бухгалтером и одновременно продолжал деятельность священника в сравнительно узком кругу своих духовных детей.

«...Редкая цельность души, «простота сердца и ума»... вместе с горячей ревностью о Боге и славе Его составляли его сущность, — вспоминала Вера Яковлевна... — Он нашел свое место в Церкви и твердо верил в свое призвание. Церковь с ее человеческой (а не мистической) стороны он понимал как единую семью, в которой никто не может быть одинок. Идеалом Церкви для него было общество людей, единых по духу, которые могут с чистой душой сказать: «Христос посреди нас!»

В феврале 1943 года, через год после смерти отца Серафима, отец Петр повел сестер к схиигуменье Марии. «Посещать немногие открытые в то время храмы нам не было благословения. В этих храмах служили священники, которые шли на целый ряд компромиссов, нарушая устав и традиции Церкви. Отец Петр знал и чувствовал, что его, как и отца Иеракса, неминуемо ожидает арест, и хотел познакомить нас с матушкой и передать ее руководству... Отец Петр был арестован 14 октября 1943 года. В течение пяти лет мы ничего не знали об отце Петре. Но наконец удалось узнать его адрес, и я написала ему письмо».

Из ответного письма видно, что отец Петр и в ссылке не расстается в мыслях со своими чадами: «Я продолжаю их видеть, с ними беседовать, за них молиться. Радуюсь их радостями и благодарю за это Бога, печалюсь их печалями и горем, соскорблю им и соболезную».

«Все то тяжелое, что пришлось ему перенести, — пишет Вера Яковлевна, — нисколько не омрачило его дух. Любовь и радость духовная не покидают его ни при каких обстоятельствах... Он осуществил, быть может, высший подвиг в этом страшном мире, потому что он исполнил слова апостола: «Всегда радуйтесь!»

В письме 1950 года отец Петр рассказывает о том, как он, сторожа ночью колхозный сарай, отслужил Светлую Пасхальную заутреню, в то время как кругом была метель и пронизывающий ветер. Любовь отца Петра к людям со всеми их слабостями и немощами основывалась на его несомненной уверенности в милосердии и снисхождении Божием...

Вернулся из ссылки отец Петр больным. Еще в лагере он заболел тяжелой болезнью... Однако он захотел получить приход и был назначен настоятелем собора в г.Боровске Калужской епархии... Во время литургии он преображался. Старость, усталость, болезни словно отступали от него. Голос его становился бодрым и чистым. Он был полон силы и энергии и как бы летал по храму, восхищенный и счастливый. Прихожане говорили о нем: «Летающий батюшка!»... В общении с народом отец Петр был прост и сердечен. Его любили и ценили все... Отец Петр был всегда деятелен, бодр, быстр в движениях. Будучи тяжело больным, при смерти, рвался служить в собор. Скончался он 2 июля 1959 года...

Отпевание было очень торжественным: приехали девять священников, большинство из Калужской области, несколько человек из Москвы... Хоронить отца Петра вышел буквально весь город. Гроб несли на руках по главным улицам города, за гробом шел крестный ход с хором, а затем народ. Священники время от времени останавливали процессию и служили панихиду. Пение «Святый Боже» и «Помощник и Покровитель» не прекращалось на протяжении всего пути.

Погребен он на Покровском кладбище г.Боровска на высоком холме над рекой у самой часовенки... Говорят, отец Петр сам заранее избрал место для своей могилы».

Схиигуменья Мария

В Загорске на нелегальном положении жила еще одна «катакомбница» — монахиня Мария. Отец Петр глубоко уважал матушку. Незадолго до своего ареста он приехал к ней и со слезами просил ее принять его духовных детей, когда он будет далеко. «Уж моих-то вы примите», — говорил отец Петр.

О ней нам известно не много. Кое-что рассказывает ее духовный сын Сергей Иосифович Фудель в своей книге воспоминаний «У стен Церкви». Он пишет:

«Схиигуменья Мария пошла в монастырь лет 16-ти. Отец ее был богатый купец, а матери она не помнила. Была у нее добрая и верующая по-настоящему няня. И вот отец решил, что пора ее выдавать замуж. Был назначен день, когда придет сваха с женихом и будут «смотрины». В этот день она, печальная и о замужестве своем не думающая, должна была надеть какое-то особенное нарядное платье из красного атласа. В этом платье и сидела одна в большом двухсветном зале, ожидая гостей и жениха. Гости задержались, и она, положив руки на стол, а на руки голову, неожиданно заснула. И вот она видит, что открываются двустворчатые двери и в комнату входит высокая Госпожа в таком сияющем одеянии, что ей стало страшно. Госпожа прямо подошла к ней, взяла ее левую руку и трижды намотала на нее четки со словами: «Во имя Отца, и Сына, и Святого Духа».

Девушка проснулась и бросилась к няне с рассказом о видении. Няня сразу и твердо сказала: «Никаких женихов! Пойдем наверх к себе». Там она велела повязать щеку платком, а сама пошла к отцу и объявила, что «у девочки заболели зубы». Смотрины были отменены, а вскоре отец, устрашенный видением, сам отпустил ее в монастырь».

После ареста отца Петра духовной наставницей семьи Меней стала схиигуменья мать Мария. Мать Мария принадлежала к «Катакомбной Церкви» и тоже жила и действовала тайно. «Это был удивительно светлый, живой и веселый характер, — рассказывал о ней отец Александр. — Женщина простая, она обладала умом широким и свободным и была лишена малейших следов ханжества. Глубокая вера, подвижничество и напряженная духовная жизнь делали ее проницательный ум способным на непостижимые озарения». В частности, она предсказала, что Алику предстоит сыграть важную роль в судьбах Русской Православной Церкви. Она многим заменяла священника-духовника и вела свою паству с большой любовью, но твердо.

Узнав о том, что Алик (тогда еще школьник) сблизился с матушкой и проводит у нее каникулы, отец Петр писал из лагеря: «Я очень рад, что Алик познакомился с матушкой. Где бы он ни был, знакомство с человеком такого высокого устроения будет полезно ему на всю жизнь. Таких людей становится все меньше, а может быть, больше и совсем не будет». Находясь в ссылке, он все время переписывался с матушкой, прося ее поберечь себя и дожить до его возвращения. Матушка Мария оставалась духовной наставницей семьи Меней до самой своей кончины.

Далее обильные выписки из воспоминаний Елены Семеновны Мень и Веры Яковлевны Василевской прекращаются, и наконец-то главным рассказчиком становится сам отец Александр. Правда, рассказы его о себе и о своей жизни записаны по памяти и изложены вольно, и я заранее прошу прощения за возможные погрешности, неизбежные повторы, а также и за то, что сама вмешиваюсь в ход повествования.

ГЛАВА ВТОРАЯ
ДОШКОЛЬНОЕ ДЕТСТВО

Первые впечатления

Первые отчетливые воспоминания Алика относятся к возрасту до полутора лет. Он прекрасно запомнил свою прабабушку, бабушку Елены Семеновны и Веры Яковлевны, ту самую, чью глубокую веру отметил когда-то отец Иоанн Кронштадтский. Семья Меней жила тогда вместе с Верочкой в четырехкомнатной квартире ее родителей в Коптельском переулке. Дом располагался за полукруглыми зданиями больницы Склифасовского. Окна выходили в глубокий колодец двора, и Алик навсегда запомнил серую бездну, разверзавшуюся под окнами. Из глубины двора иногда взлетали вверх огромные темные голуби.

Его окружал мир живых вещей. Шкафы, дома, деревья вели таинственную жизнь, и решительно все вокруг было одухотворено. Иногда это было весело, иногда жутко, но неизменно интересно. Мир был полон заманчивых тайн, как бы призывавших мальчика разгадать их.

Четырехлетний Алик часами рассматривал «Жизнь животных» Брэма, где были гравюры с изображениями животных. Они вызывали в нем мистическое чувство: животные не только бегали, прыгали, ползали, летали, плавали, но более того, они о чем-то размышляли, погружены были в неведомый мир каких-то своих особых мыслей, тайного знания вещей, недоступного людям. Любовь к животным поглотила мальчика. Когда ему подарили зоологическое лото с рисунками Ватагина, он был абсолютно счастлив. С этим лото он не расставался долгие годы, и когда половина карточек была растеряна, он все равно мог без конца рассматривать их и раскладывать из них «пасьянсы».

Любовь и жгучий интерес к животным шли через все детство. Алик знал все изображения животных на улицах Москвы. Двух львов на Пятницкой, одного сидячего, другого полулежащего, львов на Кировской, у музея Революции. Он жадно читал про них все, что только мог раздобыть. Но самым большим праздником, приводившим Алика в неописуемый восторг, были посещения Зоопарка. Уже ворота его с пятью ватагинскими скульптурами наверху и рельефами зверей по бокам наполняли сердце его блаженством.

Алику было два года с небольшим, когда семья переехала в коммунальную квартиру на Серпуховке. Верочкин отец женился вторично, и жить там Меням да и Верочке было уже невозможно.

Вскоре Алика определили во французскую группу. Содержала ее немка Надежда Карловна в своей квартире на улице Маркса-Энгельса. Мама отвела туда трехлетнего Алика. Навстречу вышел огромный пес-боксер, а за ним седая старушка в очках. Все это Алику не понравилось, он стал плакать и проситься домой. Но делать нечего, пришлось подчиниться. В группе было человек 6—8 детей. Их приводили утром и забирали вечером.

Надежда Карловна учила их французскому, что-то читала и рассказывала детям и каждый день водила их гулять на Гоголевский бульвар. Иногда она водила их в маленькую церковь, превращенную в музей. Там стояли разные макеты Дворца Советов с очередным Лениным наверху, а также изображения уже взорванного и несуществующего храма Христа Спасителя, на месте которого собирались воздвигать Дворец Советов.

Алик рос очень здоровым мальчиком. Его миновали детские болезни, и он никогда не простужался. Поэтому он с удивлением и интересом наблюдал у себя проявления простуды, заставшей его однажды у Надежды Карловны. Хотелось тянуться, лежать, гудела голова. Надежда Карловна не взяла его гулять, оставила дома со своей племянницей. Девочка принесла чудесную игру. Это была немецкая деревня из фарфора, тут были коровы, деревья, домики, крестьяне и маленькая кирха. Алик лукаво спросил девочку, указывая на церковку: «Что это такое?» Вопрос был провокационный, девочка замялась: «Не знаю...»

В 1937 году у Елены Семеновны открылся туберкулезный процесс. И тут она во второй раз забеременела. И врачи, и муж, и родные уговаривали ее сделать аборт ради здоровья. Но Елена Семеновна понимала это как убийство, как нарушение воли Божией. Она уже чувствовала себя слишком церковным человеком, чтобы решиться на такой шаг.

1 декабря 1938 года у нее родился второй сын, Павлик. Когда младенца привезли домой, Алик долго его разглядывал и наконец спросил: «А мысли у него есть?» — вспоминала Елена Семеновна.

Года в четыре Алик стал учиться читать и писать. Выучился, видимо, быстро и тогда же написал первую фразу. Это были слова апостола Павла: «Не будь побежден злом, но побеждай зло добром». В шесть лет читал уже большие книги — «Остров сокровищ», «Жизнь животных», Евангелие — и написал свою первую книжку.

Мария Витальевна Тепнина (подруга Елены Семеновны и Веры Яковлевны), мама или Верочка читали Алику книги, рассказывали ему Священную историю. Никаких особых религиозных впечатлений в ту пору в жизни Алика не было. В церковь «катакомбники» не ходили. Правда, как-то летом Мени жили на даче в Лосиноостровской, и Алик присутствовал на богослужениях отца Иеракса в тайной церкви на втором этаже дома Ивана Алексеевича Корнеева, брата «Ежика», рыженькой веселой Верочки Корнеевой.

Когда отец уходил на службу, мать становилась на молитву. Она имела обыкновение читать утреннее правило вслух. Алик лежал в постели, то просыпался, то засыпал опять, и слова молитв входили в его сознание. Так незаметно для себя он выучил с голоса матери все утренние молитвы.

Верочка вложила много сил и любви в воспитание мальчика. Она читала ему книги, учила рисовать и лепить, поощряла всякое творчество. Вместе с ней и под ее руководством он изготовил свои первые книжки: рисовал серию картинок и делал к ним подписи.

У мамы и тети были подруги. В солженицынском романе «В круге первом» есть образ девушки-христианки Агнии. Многим он кажется надуманным. На деле в предвоенной Москве было много таких самоотверженных девушек. В числе маминых подруг были сестры Каменевы — Катя, Тоня и Наташа, художница Наташа Середа из Ленинграда, Ася Иговская. Девушки были взрослые, лет двадцати пяти — тридцати, но с Аликом у них была сердечная дружба.

Алик запоем читал. Елена Семеновна говорила, что он был так умен и серьезен, что она часто советовалась с маленьким сыном по самым сложным вопросам. Привычка эта сохранилась у нее на всю жизнь, и в старости мать была в полном послушании у сына, который легко и естественно стал ее духовником.

Алику пытались дарить игрушечные машины и всякие железные «конструкторы». Эти игрушки вызывали у него настоящее отвращение. Мир техники его совершенно не интересовал. Мало способен оказался он и к счету, и впоследствии математика давалась ему в школе с трудом. Он никогда ничего не мастерил, зато много лепил, рисовал, а главное — писал.

Алику едва исполнилось шесть лет, когда арестовали отца. Этот первый из многих обысков, свидетелем которых ему придется быть, запомнился на всю жизнь. Мать осталась с двумя маленькими детьми без средств к существованию. Но энергичная, жизнерадостная Елена Семеновна не стала унывать и сидеть сложа руки. Сначала она устроились надомницей и вышивала для заработка портьеры, потом нашла работу чертежницы, и семья кое-как сводила концы с концами.

Война

В июне 1941 года приехал из Бобруйска в отпуск дядя Володя, брат Елены Семеновны. Он только что закончил военное училище и рассказывал, что на границе беспокойно. Через день или два в комнату вошла соседка Мария Николаевна, сложила ладошки и сказала: «Война!»

В эту же первую ночь с 22-го на 23 июня на Москву был налет немецкой авиации. На Серпуховке снесло много домов. Убежища не были подготовлены. Сначала хотели отправить в подвал под соседним клубом одних детей, но какая-то маленькая девочка подняла вой, кричала, что без мамы не пойдет. Тогда решили укрыть в подвале детей с матерями. Алик взял с собой книги и во время налета читал.

Война вызвала любопытство и интерес: предстояли перемены в жизни. На второй день войны отец Серафим передал Елене Семеновне, чтобы она немедленно ехала с детьми в Загорск. Собрались так поспешно, что даже не навесили на дверь комнаты замка. И хотя отсутствовали более двух лет, все в комнате осталось в сохранности. Да, впрочем, в квартире оставались соседи.

Поздно вечером того же дня были уже в Загорске.

Сняли комнату в деревне Глинкино в пяти верстах от Загорска. В деревне Алику не понравилось: он был городским мальчиком, и в грязной избе ему было неуютно. За низкой дощатой перегородкой дрались хозяйка с невесткой, Алик слышал вопли: «Сын, сын, она мне рожу раскарябала!» С деревенскими мальчишками ему, при всей его общительности, было не так легко сойтись. На улице ему было скучно, и он целыми днями читал книги, которые привозила из Москвы Голя. Жили голодно, приходилось есть лебеду и всякие эрзацы. Алик охотно с этим мирился, но котлет из картофельных очистков напрочь не переносил.

В этой избе он стал писать книгу «О происхождении животных». Это был очерк по эволюции с описанием доисторических ископаемых животных и с собственноручно изготовленными их изображениями.

В качестве пособия в Глинкине у шестилетнего Алика был только учебник зоологии, но он уже многое читал раньше и хорошо знал эту тему. Маруся, она же Мария Витальевна, до войны училась в стоматологическом училище и часто брала туда с собой Алика на лекции. В училище был кабинет зоологии со множеством учебных пособий. Ко всеобщему удовольствию студентов и преподавателей, Алик называл всех ископаемых чудовищ. Он без конца рисовал их и лепил.

Теперь он писал и иллюстрировал книгу, используя накопленные раньше знания.

Кстати сказать, в этой первой книжке уже сказалось присущее ему видение книги как единого сплава слова и зрительного образа. Ко всем своим произведениям он сам будет тщательно подбирать иллюстрации.

А через деревню шли бесконечные вереницы беженцев. Гнали коров, и плелись грязные, изможденные, больные люди. В деревне их не принимали: боялись вшей, тифа, да и кормить было нечем, сами голодали. Алик помнит, как его подозвал ослабевший больной старик. «Не ходи! — сказали ему. — Он весь во вшах, заразишься».

Осенью немцы были в Александрове — до Загорска рукой подать, в окрестностях встречались немецкие парашютисты.

Решили спрятать имущество и податься в леса. Хозяйка избы и мама закопали вещи во дворе, но бежать в леса не пришлось: немцев разгромили под Москвой и отогнали.

В Глинкине прожили девять месяцев и весной 1942 года перебрались в Загорск. Приехали в дом, где для Елены Семеновны с детьми сняли комнату, а хозяин успел умереть и лежал на столе. Перед тем скончалась его жена, и в доме осталась одна маленькая девочка, осиротевшая дочка хозяев. Она подозвала Алика и откинула простыню, закрывавшую лицо отца. Алик впервые в жизни в упор разглядывал покойника. Ни отвращения, ни ужаса он не испытывал. Лицо было спокойно и торжественно, и в этой сцене смерти было что-то возвышавшее душу.

В доме этом Алику очень понравилось, особенно приятно поразило его зоологическое лото, точь-в-точь такое же, какое было у него в Москве. Шкаф был полон заманчивых книг, на стенах висели картины. Но жить здесь теперь было нельзя, и они тут же перебрались в другой дом. Там тоже что-то не заладилось, они переехали еще раз и, наконец, оказались в доме у тети Нюши, где прожили целый год. Много лет спустя, уже диаконом, Алик забрел в эти места с другом. Он отлично помнил дом у пруда, второй с краю. Обратился к первой встречной старушке: «Вот в том доме когда-то жила тетя Нюша, не знаете ли, что с ней?» — «Это я», — услышал он вдруг в ответ. Тетя Нюша вспомнила Алика, Павлика, Елену Семеновну...

Как ни крутилась мать, продавая вещи, семья голодала. Ходили собирать хворост в лес — в то самое место, где впоследствии будет стоять дом родителей Наташи Григоренко, будущей жены отца Александра. Более того, этому дому суждено будет стать его домом. Там он напишет многие свои книги. Там, у калитки, и умрет, истекая кровью от смертельного удара топором...

Мальчики оставались целыми днями одни, пока мать с великим трудом раздобывала пропитание.

Однажды темным зимним вечером в тишине раздался страшный грохот, как от взрыва. Перепуганные мальчики выскочили на улицу. Ничего нельзя было понять. Потом выяснилось, что ветер сорвал чугунную крышку с трубы и она грохнулась о железную крышу дома.

Еще ужасные минуты пережил Алик, когда, тоже ночью, вдруг услышал громкие душераздирающие, как бы детские, вопли. Ему показалось, что воет сатанинская рать, что черти окружили дом и скачут вокруг. Лишь на следующий день он увидел мартовских котов и понял, в чем дело.

Надо сказать, что детства Алик не любил. Он был жизнерадостным, веселым мальчиком, но много думал, и ему не нравилось иррациональное начало в детстве. Он досадовал, что не понимает себя, причин своих поступков, своих желаний. Его тяготила неуправляемая стихия детства. Он легко терпел его ограничения, знал, что они кончатся, но ему хотелось поскорее преодолеть эту стихийность, выйти к ясности, к цели, к пониманию, к владению собой и управлению событиями. В нем зрел сильный, ясный ум и восставал против подсознательных непродуманных элементов детской психики.

Алику было 7 лет, когда его впервые повели в кино. До того времени отец Серафим запрещал это. О, как ошеломил мальчика фильм «Доктор Айболит»! Как взволновали волшебные движущиеся картинки, рассказывающие стремительную повесть о необыкновенных приключениях в далеких странах, вводящие в судьбы незнакомых людей. Алик испытал восторг и удивление, и в его жизнь навсегда вошла любовь к кинематографу.

Уже став дедом, он будет по-прежнему любить самые неправдоподобные красочные вестерны с погонями, перестрелками и мелодраматическими сюжетами. Кино всю жизнь будет давать ничем не заменимую разрядку в его сверхнапряженной деятельности священника, духовника, ученого и писателя. А кроме того, он увлеченно будет сам делать отличные религиозные слайд-фильмы. Сам будет собирать для них подсобный материал, писать сценарии, монтировать и озвучивать. Отец Александр собственноручно изготовит около полутора десятков таких фильмов для своей паствы.

Живые святые

Большим событием в загорской жизни Алика была первая исповедь у отца Серафима. Все эти годы он ни разу не видел его. Отца Серафима выслеживали, ему приходилось прятаться, менять место жительства, общение с ним было смертельно опасным. Но вот настал торжественный день. Алика привели в дом Фуделей, где в то время скрывался отец Серафим.

Алик увидел невысокого старичка в белом подряснике с белой головой и белой бородой. Он был похож на святого Серафима Саровского, весь лучился любовью, и Алик понял, что находится в присутствии живого святого. Отец Серафим тщательно исповедовал мальчика и потом долго беседовал с ним.

Позже Алик не мог вспомнить, дважды ли он был у отца Серафима или это в тот же день человек двенадцать сидели за большим столом и тихо беседовали со старцем.

Отец Серафим, видимо, знал, что скоро умрет, и поэтому поспешил исповедовать Алика, которому еще не исполнилось семи лет.

Как рассказывает Вера Яковлевна, 19 февраля 1942 года мама собралась идти к батюшке, Алик плакал и просил ее не уходить. Этого никогда прежде не бывало.

Придя в дом матушки Ксении, Елена Семеновна узнала, что отец Серафим скончался. Когда, вернувшись, мать рассказала об этом детям, Алик сказал: «Я так и знал. Только совсем не страшно, он ушел в Царство Небесное».

В течение нескольких дней Алик отказывался от всяких игр и развлечений.

Святых Алик знал не столько по книгам, сколько из жизни. Еще в детстве, лет шести, он прочитал «Четьи Минеи». Он искал в них образцы для подражания и не находил. Слишком много было в этих жизнеописаниях стандартных и искусственных приемов там, где недоставало достоверных сведений, этим картонным елейным изображениям как-то не верилось.

А вот отец Петр Шипков живо напоминал гонимых подвижников раннехристианской эпохи, тех, кого Алик так горячо полюбил, читая и перечитывая «Камо грядеши» Сенкевича.

Он на всю жизнь запомнил высокого худого старца с длинной белоснежной бородой. Отец Петр носил темную фетровую шляпу, ходил, постукивая палкой, и глядел острым проницательным взглядом поверх очков. От него исходила бесконечная любовь, свет, неисчерпаемая доброта и мужество перед лицом испытаний, которыми было наполнено его подпольное служение.

Это был человек неиссякаемой жизнерадостности и какого-то духовного света, и впоследствии годы тяжких испытаний (он провел в узах в общей сложности около 30 лет) не наложили на него печати горечи и ожесточения. Ему суждено было надолго пережить отца Серафима.

ГЛАВА ТРЕТЬЯ
ШКОЛЬНЫЕ ГОДЫ

Школа

Осенью 1943 года Елена Семеновна с детьми вернулась в Москву на Серпуховку. Но милиция отказывала в прописке, как это нередко случалось с людьми, возвращавшимися из эвакуации. Нашелся такой выход: поступить учиться. Елена Семеновна зачислилась на филфак педагогического института и в возрасте 35 лет стала студенткой. А восьмилетний Алик пошел в школу. Подобно тому, как сын и мать одновременно крестились, так и к учебе они приступили вместе. Началась новая полоса жизни.

Это была голодная военная Москва. На многих улицах зияли развалины разбомбленных домов, в квартире было холодно, на ночь тщательно маскировали окна, чтобы и лучик света не пробился на улицу. Транспорт работал с перебоями, в магазинах было пусто, а если давали что-нибудь по карточкам, выстраивались тысячные хвосты. Становились в них нередко с ночи, и какой-нибудь энтузиаст писал чернильным карандашом на ладони номер очереди. Жизненным центром Москвы стали гигантские толкучки — Тишинская, Преображенская, где голодные москвичи продавали рухлядь, военные — американские консервы, а ловкачи — даже какие-то пирожки с подозрительной начинкой.

Школа сразу показалась Алику чем-то отвратительным: от грязного, холодного кирпичного здания веяло унылым казарменным духом. Школа была мужская — раздельное обучение сохранялось до окончания Аликом десятилетки. Учителя были голодные, озлобленные и невежественные. Но главное, было нестерпимо скучно. В школе учили азбуке, а Алик увлеченно слушал с мамой лекции в ее институте или читал запоем в институтской библиотеке. В первом классе он прочитал «Фауста» и «Божественную комедию». Обе книги стали любимыми — «Фауст» на многие годы, а Данте — на всю жизнь. Он без конца перечитывал их, размышлял над ними, доставал всевозможные переводы, в том числе прозаический, ради того чтобы глубже проникнуть в их смысл. Хотел выучить итальянский, чтобы читать Данте, помешала только нехватка времени.

На школьных уроках он отключался. Подымет руку во время опроса и задумается. А потом этой поднятой рукой чертит издали что-то на потолке. Учительница не раз выгоняла его за это из класса. Учился он плохо — школа была мукой.

В младших классах школы он раздобыл книжку «Изречения Конфуция» и изучал их, запоминая многое наизусть. Только позже он узнал, что это был сильно переработанный Конфуций, от которого не так много осталось в книжке.

Он уже привык ценить время и напряженно трудиться: читать серьезные книги, писать научно-популярные очерки, общаться с образованными взрослыми людьми...

Сверстники казались ему сборищем питекантропов: район был трущобный, и несчастные дети несли на себе следы дикости и развращенности среды.

Ничто в жизни он никогда потом так не ненавидел, как школу. Тем не менее он неплохо адаптировался, в классе у него были со всеми хорошие отношения, и скоро его сделали старостой. В четвертом классе стало чуть веселее: начали изучать более интересные предметы, географию, например. А главное — появилась хорошая учительница: Анна Николаевна З. Она была образованна, в отличие от других учителей любила детей и общалась с ними помимо школы. Алик стал получать пятерки и сделался отличником. Когда пришла пора вступать в пионеры, ко всеобщему удивлению, отличник и староста класса уперся: «Не хочу», да и только. «Мне это не надо», — твердил он в ответ на все уговоры и настояния и каким-то чудом отбился. Сошло с рук, и даже старостой его оставили. Дома у Анны Николаевны было нечто вроде клуба, и уже старшеклассниками толклись у нее бывшие ученики.

Алику было 12 лет, когда он пригласил Анну Николаевну в церковь. И она пошла с ним и стала ходить регулярно. Это кажется невероятным, но то были первые послевоенные годы, когда к Церкви сохранялось еще сталинское отношение: в годы войны, ища у Церкви опору в патриотической войне, Сталин открыл тысячи храмов и вернул к служению из лагерей тысячи же епископов и священников. Поэтому в те годы на посещение церкви смотрели сквозь пальцы. Когда Сталин умер и Хрущев начал новое гонение на Церковь, Анна Николаевна с грустью сказала Алику: «Я больше не хожу». Он принял это безмолвно и с пониманием, как печальный факт.

Церковь в детстве

Многие годы семья посещала только «катакомбную» церковь. В Лосиноостровской в доме рыженькой веселой Верочки Корнеевой на втором этаже был устроен тайный храм, где служили то отец Петр, то отец Иеракс.

Снова рассказывает Вера Яковлевна:

«После ареста отца Петра и отца Иеракса нам некуда было пойти исповедоваться и причаститься...

Шел 1945 год. Однажды, вернувшись с работы домой, я застала Алика очень взволнованным. «Приходила Надежда Николаевна, — сказал он, — она говорит, что получено письмо из Сибири, подписали его епископ Афанасий, отец Петр и отец Иеракс. Нам можно теперь ходить в церковь и причащаться. Она просила, чтобы вы зашли к ней на работу, и она вам сама все расскажет». После разговора с Н.Н. мы решили пойти в церковь. Чтобы не обращать на себя внимания, сестра пошла в одну церковь с Аликом как старшим, а я в другую с младшим братом. Алик был поражен, увидев полный храм народу и услышав общее пение Символа веры. Ничего подобного он раньше не видел и не слышал...

В московских храмах началось оживление — появились хорошие проповедники, в некоторых церквах проводились целые циклы бесед на определенные темы —

в одной даже велись специальные беседы с детьми. Беседы сопровождались диапозитивами, иллюстрирующими тексты Ветхого и Нового Заветов».

Ему было 11 лет, когда он впервые переступил порог официальной церкви. Надо сказать, что в храме ему не очень понравилось. Смесь стилей, безвкусица поздних живописных икон, аляповатая пышность украшений и облачений никак не соответствовали излюбленному образу раннехристианской церкви да и даже скудной суровой обстановке тайного храма в Лосинке.

Вся эта мишурная претенциозность оскорбляла и религиозное и эстетическое чувство мальчика. Прошло несколько лет, пока он перестал, стоя на службе, представлять себе, как он все тут переделает...

Несмотря на все видимые недостатки, церковь была для Алика Божиим домом, святилищем, а огненное таинство Евхаристии опаляло его душу невещественным пламенем. Мир небесный открывался мальчику с несомненной реальностью и достоверностью, он знал, что принадлежит ему, а тут, на земле, должен выполнить задачу, указанную ему Христом. В храме он бывал почти каждый день: выходил с ранцем пораньше и забегал до школы помолиться к Ивану-Воину. Там он особенно любил большое резное распятие из темно-коричневого дерева. Он стоял перед ним и разговаривал с Христом, открывая Ему одному свое сердце.

Что происходило между ними? Ясно одно: Господь укреплял в Алике чувство предназначения, волю следовать за Ним и служить Ему всею своею жизнью.

Часто Алик приходил в храм с маленьким Павликом, который был очень привязан к старшему брату и, где мог, следовал за ним.

Допрос мамы и Веры Яковлевны

В 1946 году на «катакомбников» обрушилась кара. Забирали всех подряд. В доме дивеевских монахинь, где укрывался покойный отец Серафим, устроили обыск и нашли зарытый в подвале гроб. Вскоре монахинь забрали. Были арестованы все знакомые «катакомбники»: Фудели, Мария Витальевна, Вера Корнеева и многие другие.

А через несколько месяцев забрали Елену Семеновну и Веру Яковлевну. Горе одиннадцатилетнего Алика не поддается описанию. Мать и тетка были не только самыми родными, но и самыми духовно близкими людьми, единственными на всем свете, с кем он делился своими мыслями, переживаниями, планами и мечтами.

Всю ночь напролет Алик молился. Павлик тоже плакал и молился, но уставал и засыпал, а Алик не смыкал глаз. И произошло настоящее чудо: на другой день мама и Верочка вернулись с Лубянки.

Верочке попался какой-то очень человечный следователь. Он допрашивал ее о церковных знакомствах. Отец Серафим действительно никогда не знакомил между собой своих духовных детей, и у сестер были основания отказаться и никого не называть. Верочкин следователь проникся к ней симпатией и на прощание сказал:

— Жаль, что вы впутались в эту историю.

— В какую историю? — не поняла Верочка.

— В эту нелегальную церковь.

Следователь Елены Семеновны был посуровее, но тоже, вопреки лубянским нравам той поры, отпустил ее с миром.

Алик верил, что это возвращение было совершено по горячим, неотступным молитвам всех знавших об аресте.

Коммуналка на Серпуховке

Алик не любил Серпуховки. Это был трущобный район с вечными пьяными скандалами, драками, поножовщиной. Квартира 14 дома 38 по Большой Серпуховской была многолюдной, скандальной и пьяной. На кухне вечный чад и перебранка хозяек, в единственной сырой уборной мерзко пахло. Он спешил пройти поскорее через людную кухню и, сбросив пальто в крохотном коридорчике, распахивал настежь дверь довольно большой комнаты. Два окна ее выходили на тесный двор, к правому окну примыкала высокая стена другого дома, и в комнате было темновато. В ней они жили впятером: мама, отец, Павлик и Алик. Пятой была Голя. У нее имелась собственная каморка неподалеку, из окна Меней видно было окно Верочкиной комнатушки, а в окне лампа с голубым абажуром, но она там только ночевала, и то не всегда, а фактически была членом семьи.

Алик страдал от невозможности уединиться, от постоянной жизни на виду, от того, что сосредоточиться на работе мешали домашние. Он пытался выгородить уголки себе и Павлику. Но Павлика тянуло в общество. Только Алик устроит его за ширмой, глянь, он уже сидит за общим обеденным столом со своими уроками.

Новые знакомства

Когда Алику было одиннадцать лет, у него начались нелады с легкими, реакция Манту была положительной. Голя тревожилась за него и забила тревогу. Она определила Алика в санаторную группу при научно-исследовательском институте дефектологии, где она работала. После школы дети приходили туда, получали усиленное питание, гуляли, делали уроки и шли домой. В конце войны еда была трудной проблемой, на Серпуховке питались плохо, и Алик с удовольствием ходил в эту группу. Тем более что рядом на Якиманке была церковь Ивана-воина, куда он заходил ежедневно.

В этом детском санатории работала воспитательницей подруга Голи по философскому факультету Татьяна Ивановна Куприянова, бывшая прихожанка отца Алексея Мечева. Эта замечательная женщина вела у себя дома религиозный семинар, и Алик стал его посещать.

Татьяна Ивановна регулярно собирала у себя молодежь и проводила с ними занятия по Символу веры, по Священной истории. Беседы часто принимали богословско-философский характер, переходили в общее обсуждение, споры. Живой и смелый ум этой женщины делал еженедельные занятия прекрасной школой и давал пищу уму Алика. Он был намного моложе остальных участников кружка, но принимал в нем участие наравне со всеми. И еще это был урок смелости: в страшные сталинские времена одинокая женщина безбоязненно годами делала свое дело, тогда как достаточно было кому-либо из участников обмолвиться неосторожным словом, и последовала бы неминуемая кара.

В этом кружке Алик познакомился с небольшим кругом верующих. Часть из них были дети духовенства. Но, как ни странно, друзей среди них Алик не приобрел. Это был очень замкнутый мирок. Люди верили, молились, постились, ходили в церковь, но жили, как моллюски в створках: с гибнущим в неверии миром они не вступали в контакт.

Тогда же он познакомился с Борисом Александровичем Васильевым. Это был ученый-палеонтолог, он читал лекции по своему предмету в университете. Мир доисторических ископаемых рептилий и млекопитающих от «младых ногтей» манил к себе Алика, а к встрече с Борисом Александровичем он был уже заядлым палеонтологом, и общий интерес сразу сблизил маленького школьника и университетского преподавателя. Завязалась дружба, длившаяся с перерывами до самой смерти Бориса Александровича в 1977 году. Не одна палеонтология сближала их: Борис Александрович был глубоко верующим человеком и тайным священником «Катакомбной Церкви». Позднее он станет духовником отца Александра.

Снедаемая тревогой за здоровье Алика, Вера Яковлевна устроила его на два зимних месяца в детский неврологический санаторий в Сокольниках.

Послушаем, как об этом рассказывает сам Алик, и внимательней присмотримся к этому характеру в отрочестве.

МОИ ВОСПОМИНАНИЯ О САНАТОРИИ

ГЛАВА I. Веселые ребята

Мы сошли с трамвая. Кругом стояли гордые сосны. Между ними была трамвайная линия, а издали выглядывали домики, занесенные снегом. Мы немножко смутились, потому что не знали, где находится санаторий. Голя спросила у одной женщины: «Где здесь дом №21?» Она указала на большой двухэтажный дом с красным плакатом. Г. сказала: «Вот и санаторий». Он оказался как раз напротив трамвайной остановки. Мы стали подходить к нему по узенькой тропинке. На доме не было написано, что это санаторий, но по его виду было заметно, что здесь находится детское учреждение. Только обойдя вокруг всего дома, мы увидели небольшую доску, на которой была сделана надпись: «Санаторий для нервных детей».

Мы открыли дверь. Оттуда повеяло теплом. Мы вошли. На скамейке сидел большой мальчик со своей мамой. Мы сели рядом с ними. На стене напротив висел большой портрет Максима Горького среди пионеров. Г. спросила меня: «Хочешь есть?» Я кивнул головой и принялся уплетать сухари и баранки. Я ел до тех пор, пока осталось только три сухаря и маленький кусочек баранки.

Потом пришла сестра и повела нас в кабинет. Сестра проверила и записала все, что со мной было, записала даже, какого цвета моя одежда. Потом няня позвала меня в комнату, где стояли в ряд три фарфоровых ванны. Я разделся, и меня окатили водой с головы до ног. Мне дали другой костюм, я одел ботинки и стал на пол. Няня взяла меня за руку и повела. Мы пошли по широкому коридору. Няня привела меня в комнату, которая напоминала застекленную веранду. Вокруг стояли столики, стулья, шкапы. За столом сидело много маленьких ребят. Няня сказала: «Ребята, вот вам новенький». Я оглянулся и увидел большого игрушечного медведя и собаку. Я сел на стул между двумя мальчиками.

Надо вам сказать, что в то время, когда я был в передней, ребята собирались на прогулку, а я сидел и рисовал. Ребята видели, как я рисую, и стали просить меня нарисовать им — кто слона, а кто лошадку. Ко мне подошел один мальчик и попросил у меня рисунок слона. Г. спросила: «Как тебя зовут, мальчик?» — «Толя Новиков», — сказал он. Толя попросил нарисовать ему птичку и много разных зверей. В группе все ребята выстроились в очередь, и я рисовал каждому из них. Когда дошла очередь до маленького мальчика с волосами черными, как уголь (его звали Витя Голубев), он сел рядом и сказал: «Ну, а теперь займись со мной!» Он попросил меня нарисовать машины, броненосцы и что-то еще.

Потом открылась дверь, няня внесла тарелки, и ребята сели за стол. Я остался стоять. Вдруг какой-то голосок сказал мне: «Алик, Алик, сядь со мной». — «Садись здесь, — сказала няня, — тебя Леша зовет». Мы поужинали, нам прочитали две сказки, и мы пошли спать.

Когда мы вошли в спальню, Гаррик (так звали мальчика) бросился к своей кроватке и, взявшись за обе ручки, начал вертеться, как мельничное колесо, и кувыркаться через голову. Я засмеялся в подушку. Гаррик шепнул: «Витя, смотри-ка, Алик смеется». «Ему можно», — ответил Витя. Так кончился мой первый вечер в санатории.

ГЛАВА II. Встреча

Я проснулся. В спальне было темно. Дверь в зал была открыта. Оттуда шел яркий свет, и я мог свободно рассмотреть все помещение. Это была небольшая комната, в которой стояли два шкапа. На одном из них можно было видеть двух бурых медведей, на другом — белого медведя и собаку. В углу стоял стол, за которым дети ели и занимались, а над столом висел портрет Ленина в трехлетнем возрасте. В другом углу на стене висела картина, которая сразу бросалась в глаза. На ней был изображен мальчик в майке, который кормил гусей. Я взглянул на окно. Сквозь закрытую занавеску можно было видеть рассвет. Я повернулся на правый бок, стал думать о том, как мне провести день, и незаметно заснул. Когда я проснулся, было уже совсем светло. Гаррик уже не спал и кувыркался на постели. Ребята шептались. Слышно было, как часы пробили восемь. В спальню вошла Е.М. Я ее сразу узнал. Она нисколько не изменилась, только немного похудела. «Вставайте, ребята! А тебя как зовут?» — обратилась она ко мне. «Вы ведь меня знаете!» — сказал я. «Да я тебя в первый раз вижу!» — сказала Е.М. «Я ведь у вас по ритмике занимался», — напомнил я. «Да это ты, Алик? Ну, одевайся скорей». Я поднялся раньше всех и убрал свою постель. Мы построились на умывание. Гаррик бросился к умывальнику и начал брызгаться. После умывания мы оделись и пошли завтракать.

ГЛАВА III. Наши педагоги

На смену Е.М. пришла А.Н. Ребята ее ужасно боялись, так как она была чересчур строгой. «Вот и все наши педагоги?» — спросил я у Вити. Витя хотел ответить, но Вова перебил его: «Еще Е.С. есть, вот мировецкая! Она всегда прощает». Прошло немного времени, и пришла Е.С. Она оказалась лучше всех педагогов. Ребята любили ее за то, что она многое позволяла и никогда не злилась. Для ребят было вопросом жизни, кто из педагогов завтра дежурит. Вечером ребята спрашивали друг друга: «Кто завтра дежурит?» — «А.Н.» — ребята печалились. «Кто завтра дежурит?» — «Е.М.» — ребята радовались. «Кто завтра дежурит?» — «Е.С.» — ребята приходили в восторг и прыгали как сумасшедшие.

ГЛАВА IV. Помещение

Из нашей группы дверь открывалась в спальню мальчиков и в спальню девочек. В спальне девочек стоял шкап, куда няня складывала белье и ночные халатики. Кроватки мальчиков были короткие с высокими спинками. К.М. дал нам красивые картинки, мы расставили их на спинках скамеек. Помещение санатория показалось мне не совсем обычным для детского учреждения, и я долго не мог к нему привыкнуть.

ГЛАВА V. Наши ребята

ТОЛЯ. Толя — маленький мальчик с немного кривыми ножками. Ходит он в маленьких рваных валенках. Походка у Толи как у танцующего пьяного. Мне кажется, он делает ее такой нарочно. У Толи широкий лоб, выпуклый, как у козленка, глаза узенькие и косые, нос торчит кверху, губы надуты. Он всегда смеется, но уж когда обидится, то будет плакать до тех пор, пока не сделают так, как ему хочется. Его любимая игра: кружиться, взявшись с кем-нибудь за руки. Однажды мы кружились с ним изо всех сил. В конце концов я сел в какую-то лужу, а Толя стал надо мной смеяться. При этом поза его была ужасно уморительной: он закидывал голову, тыкал в меня пальцем, а другой рукой хлопал себя по груди, притоптывал ногой и хохотал. Когда Толю спрашивают: «Как тебя зовут?» — он никогда не скажет просто «Толя», но — «Толя Новиков».

ГАРРИК. Мать Гаррика — цирковая актриса, и Гаррик умеет делать все упражнения, какие делают в цирке. Ни один акробат не может с ним сравниться. Он становится на руках на спинку кровати, подымает ноги вверх и может оставаться в таком положении сколько угодно. Когда он хорошо настроен, язык ворочается у него во рту, а глаза делаются косыми от удовольствия. Он очень долго живет в санатории. Мать не может держать его дома, так как она день и ночь в цирке. Она очень боится, чтобы его к ней не отослали, и старается делать для санатория все, что может. Гаррик никогда не ходит прямо, но всегда кривляясь и подпрыгивая. На голове у него хохолок, как у петушка.

ВИТЯ. У Вити черные брови и черные волосы. Кожа темная, загорелая, шоколадного цвета, как будто он только что вернулся из Крыма. Шея у него вытянута, нос длинный и сплюснутый. Он ходит прихрамывающей походкой. При разговоре он подбирает самые сложные слова на свете. Он может вести себя хорошо, но иногда так разыграется, что с ним трудно бывает справиться.

ЭДИК и ЛЕША. Оба они немножко ненормальные. Они всегда держатся вдвоем, отделяясь от всех остальных ребят, и о чем-то беседуют. Трудно даже сказать что-либо о них, они просто больные дети.

МИША. Миша моложе всех, ему только шесть лет. Речь у него неясная, когда он говорит, он шепелявит. Когда он поет, голосок его звучит, как у молодого петушка. Миша очень слабенький мальчик.

ВОВА. Вова самый сильный и крепкий и в то же время самый плаксивый из всех ребят. Голова его неправильной формы, скорее треугольная, чем круглая. За обедом и завтраком с ним всегда бывают скандалы. Он часто уклоняется от занятий для того, чтобы его в наказание лишили прогулки. Вова очень не любит гулять.

ИГОРЬ «Лукьянчик» косоглазый, толстый и маленький. Мне кажется, я встречал его раньше, до войны, в детском парке.

ШУРИК Ноздрин немножко похож на Толю, только у него нет такого широкого улыбающегося рта, и он не похож на заморенного цыпленка. Глаза у Шурика очень большие. Ходит он быстро. Когда я пришел в первый раз и сел за стол, Шурик извивался, как змея, и делал какие-то жуткие гримасы.

ШУРИК Усышкин. У него громадная голова и маленькое тельце. Одна нога у него сломана, и ее лечат кварцем. Весь он какой-то пустой, ничего в нем нет интересного.

БОРЯ — худощавый длинноносый мальчик. Он чересчур подвижен и потому плохо поправляется.

НАТАША. Толстая-претолстая и очень капризная девочка.

ВАЛЯ. Худощавая, как голодный волк, с длинным и острым носом. Валя ничем не интересуется, за уроком она играет в куклы, а за столом вертит в руках какое-то вышивание.

НИНА — более спокойная и более живая, чем другие, девочка.

Вот как будто и все ребята, которых я застал в санатории в день своего приезда. Потом из изолятора пришла другая Нина, которая оказалась лучше всех мальчиков и всех девочек.

ГЛАВА VI. Прогулка

«Одевайтесь поскорей и стройтесь на прогулку», — сказала А.Н. Мы вышли в переднюю и начали одеваться. Витя и Лена оделись последними. Мы выбежали в сад. Повеяло свежим морозным воздухом. Позади дома стояли большие широкие сани. Все мы взобрались на них, их подтолкнули, и сани покатились с горы. Вдруг сани ударились о столб. Все ребята, как горох, рассыпались в разные стороны. Я почувствовал, что озяб, и попросил разрешения уйти домой.

ГЛАВА VII. Ночью

Перед сном нам читали главу из книги «Ребята и зверята». В спальне погасили свет, и все заснули. Вдруг я вспомнил, что вечером я чересчур смеялся и мне могли поставить черную отметку за поведение. Меня охватил ужас. Тихонько я встал с постели и прокрался к листу с отметками. Убедившись, что против моего имени стояла красная отметка, я вернулся обратно в спальню. Неслышно ступая лапками, за мной пролез в спальню кот. Он медленно перебирался от одной кроватки к другой и, наконец, исчез в темноте. В это время скрипнула дверь. Не успев добраться до своей постели, я бросился на постель Гаррика. Он перевернулся во сне и заворчал. Шагов не было слышно. Я перешел на свою кровать и, когда вошла няня, был уже под одеялом.

ГЛАВА VIII. Беглец

Однажды во время прогулки я увидел мальчика из старшей группы, который быстро шел, направляясь к ограде. Я катался на санках и не обратил на него особенного внимания. Вдруг Нина вскрикнула и побежала в раздевальню. Оттуда тотчас же выбежала тетя Маруся. Она бросилась к воротам и нагнала беглеца в тот момент, когда он собирался уже садиться в трамвай. Он сопротивлялся. Тетя Маруся сказала: «Пойдем со мной, ты наденешь пальто и тогда можешь ехать». В это время подоспел Коля, самый старший мальчик в санатории, который был помощником педагогов. Он взял беглеца за руку и повел к дому. Тетя Маруся шла рядом. Когда мальчика проводили мимо нас, ребята закричали: «Фрица ведут!» Мальчик рассмеялся.

ГЛАВА IX. Концерт

Мы рисовали. Вдруг Толя отнял у меня карандаш. «Нельзя, отдай», — сказала А.Н. Толя надул губы и что-то пробормотал. Когда карандаш был у него отобран, Толя нам задал концерт, который не прекратился и во время обеда. Вошла Софья Захаровна. Она очень любила Толю и, увидев его в таком состоянии, засмеялась. Толя продолжал плакать и бил ногою об стол. «У него на ноге нарыв будет», — пошутила С.З. А.Н. ушла на конференцию. Толя не унимался и продолжал плакать весь мертвый час. Много раз устраивал он нам такие сцены, и все над ним смеялись.

ГЛАВА X. Гостинцы

Мы сели за стол. Один из мальчиков поглядел сквозь стеклянную дверь и сказал: «М.С. гостинцы несет». М.С. внесла на подносе свертки и тарелочки с гостинцами. По столу покатились пряники, конфеты, баранки. Я прицелился и бросил через весь стол пряник. На столе он столкнулся с куском торта, который бросил другой мальчик. Перестрелка продолжалась до тех пор, пока все гостинцы не были съедены. Мы поиграли, поужинали и легли спать.

ГЛАВА XI. Выборы

Когда я встал после мертвого часа, я увидел новую девочку. «Из изолятора», — сказал Толя. Ребята забрались на Витину постель и начали перешептываться. Девочку звали Нина. Она только что переболела свинкой и пробыла много дней в изоляторе.

Как-то раз Е.М. сказала: «Завтра мы выберем старосту, санитара и ответственных по спальням». Но дни шли, и никаких выборов не было. Наконец вечером начали выбирать. Ребята предлагали, кого они хотели бы выбрать. Потом Е.М. спрашивала: «Кто хочет, чтобы Алик был старостой?» Желающие поднимали руки. Е.М. подсчитывала. Когда выборы окончились, я оказался выбранным в старосты, а Нина в санитары. Ответственными по спальням были Нина Т. у девочек и Вова у мальчиков.

ГЛАВА XII. Жестокое наказание

Шел мертвый час. Гаррик, как всегда, кувыркался. Ребята ерзали и скрипели кроватями, сначала перешептываясь, а потом начали кричать и бегать по спальне. В спальне девочек была тишина. Пробило четыре часа. А.Н. сказала: «Девочки, вставайте, а вы, мальчики, будете продолжать лежать... Или нет, — вдруг передумала А.Н., — вы сейчас встанете, но тотчас же после ужина пойдете спать». Мы отправились ужинать. Но А.Н., желая придумать более жестокое наказание, опять передумала: «Вы не пойдете спать и останетесь сидеть за столом», — сказала она. Девочки пошли спать, а мы остались сидеть. Сидя за столом, я уснул. Проснулся я оттого, что Толя дернул меня за ухо. «Вставай, Алик, — сказал он, — А.Н. позволяет идти спать». Я пошел в спальню и уснул крепким сном.

ГЛАВА XIII. Смешинка

Когда мы садились за обед, Гаррик все время на что-то дул. Это была пушинка, которая носилась в воздухе. Я беседовал в это время со своим соседом по столу, и пушинка, за которой охотился Гаррик, влетела мне в рот. «Смешинка в рот попала», — сказал кто-то. После обеда ребята начали готовиться к вечеру самодеятельности. Руководила всем Нина Козлова. Она очень суетилась и нервничала. «Не лезьте ко мне, когда я распсихуюсь, — кричала она, — а то никакого вечера не будет». «Подумаешь, какой псих», — сказал Вова. «Если нам петрушку не покажут, то не нужно никакого вечера», — вставил Толя. Я неожиданно рассмеялся. Нина схватила меня и увела в спальню. Вскоре туда же был отправлен и Юра Спасенов. Он начал баловаться и кувыркаться. «Все Е.С. скажу», — грозила Нина. А я сидел и посмеивался. Нина увела меня в темный угол и посадила на скамейку. Я подлез под скамейку. Но Нина была тут как тут и продолжала сердиться. «И сердиться-то толком не умеют, а берутся», — подумал я. Мне пришла в голову блестящая мысль: попугать наших артистов. Я пробрался в комнату, где они переодевались, и залез под стол, который был накрыт длинной скатертью. Вдруг одна девочка заметила меня и испугалась, так как я пропищал, как петрушка. Не могу вам передать, как мне было весело! «Все расскажу Е.С.», — опять сказала Нина, но меня уже не было. Я выбежал из-под стола, уронив два стульчика. Много других потешных историй произошло в этот вечер. Я не могу всех их описать здесь. Виной всему была маленькая смешинка, которая случайно залетела мне в рот во время обеда.

ГЛАВА XIV. Елка

Однажды во время прогулки мы заметили, как какой-то человек внес в дом большую елку с обрубленной верхушкой. Я должен был идти на процедуру, а когда вернулся, то все ребята были уже дома. Толя бегал по залу и нечаянно опрокинул елку. Все засуетились, окружили елку, с большим трудом ее подняли, и Толя едва из-под нее выпутался. А.Н. сказала: «Не бегай здесь больше!» Мы готовили спектакль «Спящая красавица» и почти каждый день устраивали репетиции. Наконец настал день генеральной репетиции. Костюмы мне ужасно понравились. Когда репетиция окончилась, мне захотелось, чтобы ее повторили еще раз, но мне сказали, что второй генеральной репетиции не бывает.

ГЛАВА XV. «Спящая красавица»

Нас повели в читальню и начали надевать нам костюмы. Особенно хороши были боярышни с косичками, бантиками и бусами. Нам, гномам, подвязали громадные белые бороды, сделали широкие воротники, сложенные, как гармошка. Мы были в белых чулках и костюмах из желтой, красной и зеленой марли. Мы вышли и встали в хор. Посреди сцены поставили трон царицы. Возле нее села царевна. Директор К.М. произнес речь. «Сейчас наши ребята покажут вам свое искусство», — сказал он. Подняли занавес. Хор запел. Царица на троне сидела и смотрела в зеркальце. Спектакль прошел очень хорошо. Когда окончилось 3-е действие, все карлики в своих костюмах стали за пианино. Мне дали в руки мешок с подарками. Е.М. поставила меня на стол и отошла. Королевич повел всех вокруг елки. Каждый, кто проходил мимо меня, получал подарок. Среди гостей оказалась и моя мама. И маме я дал подарок. После раздачи подарков мы долго плясали вокруг елки. Так прошел наш веселый праздник.

ГЛАВА XVI. Бой танков

В санатории была настольная игра «Бой танков». Игра была разрозненная, многие части потерялись. Мне удалось восстановить эту игру, и мы часто играли в нее с Юрой. Но вот к нам поступил мальчик, которого звали Валей. Валя ходил в белой шубке, и за это его прозвали «Белым Мишкой». «Белый Мишка» очень любил военные игры. Мы пробовали играть с ним в «Бой танков», Валя был очень ловок в этом деле, но и я не отставал. Так мы и кончали всегда игру вничью, не победив друг друга.

ГЛАВА XVII. Ванна

Перед уроками нам дали 10 минут свободы. В то время как все ребята бегали, кричали и кувыркались, вошла Ф.А. Ее ребята очень любили и тотчас же повисли на ней. «Когда меня возьмете? Будете мне сегодня ванну делать?» — спрашивали ребята наперебой. «А меня когда вызовете?» — закричала одна девочка. «Тебе, деточка, К.М. еще ванны не выписал, — ласково ответила Ф.А., — когда К.М. напишет, я тебе буду ванну делать». Вдруг вызвали меня. Я пошел в ванную комнату, разделся и лег в ванну. Ванны — это одно из лучших воспоминаний моих о санатории. До того приятно лежать в теплой ванне! Вначале мне казалось неудобно лежать, я упирался руками, стараясь как-нибудь удержаться, но потом я привык и лежал без поддержки. Когда мне становилось скучновато лежать, я придумывал разные игры. Из своей руки я делал зверей, указательные палец изображал морду с длинной шеей, а средний и большой пальцы были передними ногами. Зверь карабкался по краю ванны, как по крутому склону горы. Потом зверь как будто нырял, и в этот момент он был очень похож на купающегося морского льва. Я шлепал пальцами по воде, вокруг шли брызги и летели пузыри. Время от времени я смотрел на песочные часы. Когда весь песок пересыпался, я спросил: «Пора вставать?» Ф.А. сказала: «Ты хорошо лежал, полежи еще». Я немного полежал, вышел из ванны, вытерся и весь раскрасневшийся побежал в группу.

ГЛАВА XVIII. Цирк

К нам приехали цирковые артисты, чтобы показать нам свои номера. Гаррик спросил: «А моя мама здесь?» — «Да, да, — ответила баба Дуня, — здесь». Нас усадили на ковер, а старшие сели сзади на стульях. Вышел незнакомый человек и громко сказал: «Здравствуйте, ребята, мы хотим показать вам несколько наших цирковых номеров». Сыграли марш. Потом вошел Рыжий. Он показал ряд смешных сценок. После этого незнакомый человек объявил: «Наташа Рамазина пропляшет цыганский танец». Рамазин — была фамилия Гаррика. Баба Дуня не зря сказала, что она здесь. Я пробрался через ряды ребят и дернул Гаррика за рукав. «Твоя мама?» — спросил я. «Угу», — не глядя, пробурчал Гаррик. Цирковые выступления, в общем, мне не очень понравились, хотя акробаты ловко проделывали разные фокусы и очень уж забавен был Рыжий.

ГЛАВА XIX. Отметки

Мне очень понравилось, как старшая группа организовала у себя запись отметок: сон, стол, поведение. Я предложил Е.М. завести такой же лист для нашей группы. Мне удалось сделать только одну графу: поведение. Е.М. дала мне большой лист бумаги и разграфила его. Сверху я написал большими буквами: «Поведение младшей школьной группы». Затем я нарисовал несколько цветочков и записал фамилии всех ребят в таком порядке: Писарев Вова, Божедомова Нина, Адрианова Лена, Новиков Толя, Репин Юра, Мень Алик, Спасенов Юра и др. Мы повесили лист над маленьким столиком и каждый день отмечали поведение всех ребят цветными карандашами. До сих пор у меня всегда была красная отметка.

ГЛАВА XX. Секрет

За несколько дней до елки Е.М. вызвала меня к себе и сказала: «На елке ты будешь в костюме карлика раздавать гостям подарки. Только никто не должен знать об этом заранее». Мне стало не по себе. Я боялся, что у меня ничего не получится. Накануне вечера А.Н. позвала меня наверх, и я вдвоем с одним мальчиком стал рисовать картинки в подарок педагогам. Ребята то и дело заглядывали в комнату, стараясь разузнать, в чем дело. «Нельзя, нельзя, это секрет», — говорила А.Н. «А мы знаем», — дразнили ребята. «Ну, знаете, так и молчите», — отвечала А.Н. Софья Захаровна позвала меня на полдник. «Тебя ждут две шоколадные конфеты и два мандарина», — сказала она. Я заканчивал рисование, и когда окончил, то спустился вниз и вбежал в группу с такой быстротой, что Е.М. спросила: «Что с тобой, Алик?» На столе лежали 2 мандарина и 2 шоколадные конфетки величиной с горошину.

ГЛАВА XXI. Гости

Мы ждали гостей — ребят из Дома художественного воспитания. В назначенный час гости не явились. Послали их разыскивать. Что же оказалось? Вместо нашего санатория они по ошибке попали в соседний санаторий для детей с костным туберкулезом. Когда гости пришли, Е.М. построила нас всех в ряд и сказала строго: «Ведите себя тихо, если что — сразу вниз!» Но мы знали, что она только делает вид, будто сердится, чтобы запугать ребят.

Наверху собрался весь санаторий: и педагоги, и дети, и нянечки. Ребята из Дома художественного воспитания пели хором, потом девочки танцевали балетные танцы — польку с мячом и т.п. Мне их выступления понравились гораздо больше, чем цирк. Когда мы вернулись в группу, Е.М. продолжила чтение книги о Ленине: «В Париже есть выставка, на которой стоит бюст Ленина из бронзы». В это время В.Л. подошла и что-то шепнула Е.М. Я разобрал свою и Ленину фамилии, В.Л. говорила о том, что меня и Лену хотят взять домой. Сердце у меня запрыгало, как овечий хвостик. Я вышел. Е.М. с кем-то спорила. «Ну тогда я не знаю, делайте как хотите», — закончила она.

ГЛАВА XXII. Домой

Меня отвели к маме. Мама разговаривала с В.Л. о хлебной карточке. Я улучил минутку и побежал обратно в группу. Е.М. сказала: «Уезжаешь, Алик? Что ж ты у нас так мало пожил?» Я попрощался и, как стрела, побежал к маме. Мы вышли из дверей санатория. Я проходил мимо тех мест, где мы только вчера гуляли. Я думал о том, что, может быть, не скоро их увижу. По дороге я обдумывал, как я буду писать книгу о санатории и что у меня получится.

«Хорошо тебе здесь было?» — спросила мама. «В гостях хорошо, а дома лучше», — ответил я.

Трамвайный вагон показался мне каким-то странным, ведь я не ездил в трамвае больше 2-х месяцев! Когда мы доехали, мама сказала: «Вот и наша остановка!» Мы вышли из трамвая и пошли домой.

Так окончилось мое пребывание в санатории.

Пионерлагерь

Голе дважды удавалось устроить Алика (после пятого и после шестого классов) в институтский пионерский лагерь на одну смену. Алик отлично там себя чувствовал, хорошо адаптировался, как и всюду, заводил множество приятелей.

Ходили купаться на речку, в лес по грибы, в дальние походы. Жизнь на природе в новой обстановке была приятна Алику, он активно участвовал во всех развлечениях и забавах. Иногда только скучал по своим занятиям, по книгам. В лагере жили дети сотрудников института и глухонемые.

Алик мгновенно выучился азбуке глухонемых и разговаривал с ними руками.

В этом лагере были неплохие воспитатели. Одна из них отлично рассказывала сказки. Вечером после отбоя она приходила в их палату, где спало с десяток мальчиков, и рассказывала жуткие истории про вампиров. Дети любят слушать страшные рассказы, и Алику они тоже нравились. Среди лагерных благ было питание: кормили гораздо сытнее, чем дома, где в те суровые послевоенные годы жили впроголодь.

Но в лагере он проводил только месяц, а потом гостил в «Правде», в доме у «Марэн», крестной его будущей духовной дочери Елены Владимировны, где нашел католическую литературу и стал ее с увлечением читать. И самое для него бесценное — подобные книги оказались в Загорске у схиигуменьи Марии, духовной наставницы мамы и тети, и многих, многих других.

Года через три он пришел в Московский костел. Как ни странно, он сразу почувствовал себя дома. Храм воспринимался как нечто цельное, проникнутое единым замыслом. Все здесь сосредоточивало мысль на Боге, устремляло дух ввысь, дышало присутствием незримых сил...

Ни баптистский молитвенный дом, ни синагога, куда мальчика повел однажды отец, не шли ни в какое сравнение с католическим храмом.

В это же время он начал интересоваться оккультизмом и в доме матушки Марии поглощал книги православных писателей на эту тему. Ему очень хотелось стать свидетелем оккультных явлений: чтобы на его глазах произошло что-нибудь необыкновенное — ну, например, кто-нибудь, левитируя, поднялся бы в воздух вот в этой самой комнате. Духовным его наставникам не пришлось бороться с этим увлечением: природное здравомыслие взяло вверх, а приобретенные по этому вопросу знания, которые он при случае пополнял, помогали ему впоследствии понимать и обращать оккультистов, теософов, антропософов и йогов.

Маленький мыслитель

Алик решил для себя: художественную литературу буду читать на пенсии. Сейчас надо изучать биологию, историю, философию, богословие. Правда, при его гигантской способности к усвоению, он успевал читать и уйму прозы и поэзии, но это как-бы мимоходом, для разрядки.

Первое время главенствовала биология.

Сохранилась школьная тетрадка в клеточку из 50 страниц, озаглавленная так: «Из жизни природы» (очерки). 1947 г. Москва».

Вот ее оглавление:

Вступление. 1. Самозащита и окраска. 2. Колонии и общества животных. 3. Переселение. 4. Взаимопомощь. 5. Великая любовь. 6. Превращение. 7. Ночная жизнь природы. 8. Четвероногие летуны. 9. Птица в воде и рыба на суше. 10. Отважные путешественники. 11. Гнезда и логовища. 12. Птицы-мухи. 13. Как растения сеют. 14. Как растения поедают насекомых. 15. Заключение.

Недописанным остался последний раздел и заключение.

Все поражает в этой тетрадке: и научная эрудиция двенадцатилетнего мальчика, и философский подход к явлениям природы, и живая любовь к ней, и наблюдательность, и прозрачный слог. Это готовая прекрасная книжка о природе для детей, она именно задумана как целое и композиционно уравновешена и гармонична. Живые картинки из жизни животных перемежаются раздумьями о ее законах и обобщениями. Вот как начинается эта тетрадка:

«Нас окружает прекрасный и интересный мир. Он незаметен для глаза городского жителя, привыкшего видеть все в ярком и крупном виде. Многое остается скрытым от внимания человека. Но стоит пристальней присмотреться и глубже вникнуть в жизнь природы, как перед нами откроется таинственный мир во всей его красоте. Вы увидите маленьких паучков, которые неподвижно висят целыми гроздьями, крепко сцепившись друг с другом. Мельчайших микробов в капле росы, дрожащей на зеленом листе. Майских жуков, которые с тихим жужжанием проносятся темным вечером над полями и рощами, потонувшими в серо-фиолетовой мгле... Много животных представляют для нас загадку. Но вдумайся хорошенько, и ты начнешь постепенно понимать тайну этих загадочных существ».

Так мальчик приглашает нас в увлекательное путешествие в мир, где он чувствует себя своим и отлично справляется с обязанностями гида.

Но вот проходит всего год, Алику уже тринадцать. Резко меняется почерк — из детски округлого он становится почерком взрослого человека. И характер тетрадок меняется. В жизнь прочно входит интерес к истории, особенно к истории Древнего Востока. Да это и понятно. С 12 лет Алик по совету матери Марии ежедневно читает Библию. Он стремится как можно глубже проникнуть в ее смысл и понимает, что без увязки библейских событий с данными науки и, в частности, истории не обойтись.

Вот новая тетрадь, датированная 1948 годом. Называется она «Дни творения». Приведем ее первые страницы. Эпиграф из Байрона:

> Блажен, кто дивные страницы пробегая
> Священной книги, дух и смысл их разумел,
> Молитву чистую пред нею повторяя,
> Безмолвствуя, пред ней в слезах благоговел.

И вот маленький мыслитель совершенно самостоятельно обнаруживает и выявляет связь между библейским рассказом о сотворении мира и данными науки о его эволюционном развитии. Он пишет:

Какой же мы можем сделать вывод из Библии и научных исследований?

1) Первоисточником миробытия является высшая разумная Сила, то есть Бог.

2) Мир возник не сразу, а в течение определенного времени.

О втором свидетельствует как сама Библия, так и исследования геологических пластов, которые даже дают приблизительное представление о тех промежутках времени, которые составили дни творения.

И далее он рассматривает библейский «день» за «днем». Ссылаясь на блаженного Августина и других богословов, он объясняет, что под небом и землей, сотворенными Богом в День Первый, подразумеваются «неведомый духовный мир» и «первобытная материя».

Он знаком с теорией Канта—Лапласа, с отзывом Энгельса о ней и гипотезой Джинса, с современными космогониями и кончает эту главу изумленной восторженной хвалой Творцу.

Далее следует День Второй и Третий (азойская эра), и Алик красочно и динамично описывает происхождение и формирование Земли из массы расплавленного и газообразного вещества, связывая данные науки с Писанием.

Рассказывая о Дне Четвертом (протерозойская эра), он повествует о том, как «в первых океанах, освещенных лучами солнца, образовались сложные вещества, близкие к белкам. И прошло очень много времени, пока из них — сложных органических веществ — не возникли простейшие организмы». По его глубокому убеждению, «Сложный процесс перехода от минеральных веществ к органическим и переход от органических веществ к организмам не мог произойти без участия Мирового Духа, держащего в Своих руках все законы природы».

И он разбирает историю теории самозарождения жизни, начиная с Аристотеля.

Первый кризис

В 14 лет пришла трудная пора — Алик решал свое будущее. Надо было выбрать путь. Он твердо знал одно: он посвятит свою жизнь служению Богу. Но каким именно образом?

Перед ним лежало слишком много возможностей: наука, т.е. любимая биология с ее неисчерпаемыми возможностями — зоологией, палеонтологией, теорией эволюции; история Церкви, библеистика, история Древнего Востока, история религий — все это влекло и звало к себе мальчика. Вместе с тем он чувствовал в себе призвание священника, его притягивало и настойчиво манило служение Церкви. Он ясно ощущал в себе также и призвание к писательству. К этому времени он успел написать множество стихов, большую поэму об апостоле Павле, фантастический роман, пьесу из жизни ранних христиан, очерки по истории Церкви и Древнего Востока, рассказы из жизни природы. У него был уже восьмилетний опыт непрерывной писательской работы. Искусство тоже манило к себе его артистическую натуру — так хотелось рисовать и лепить, выжигать по дереву, писать иконы! Правда, Алик скоро нашел, что в искусстве он только свойский гость, но и наука, и писательство, и Церковь были равно родной стихией, где он плавал, как рыба в воде.

Кризис длился месяца полтора. За это время Алик осмыслил и выбрал дорогу. Он соединит в своей жизни все три пути и сольет их в один. Он должен тщательно продумать, что именно будет писать, и наметить план своих будущих работ. Когда все было решено, смута кончилась и пришла ясность. Задача была грандиозная, и человеку невозможная. Но Алик знал, что, если он будет делать то, что в его силах, в остальном, то есть в том, что вне его возможностей, будет помогать Бог. Разлившиеся воды устремились в намеченное русло. Теперь нельзя было терять даром ни минуты. И раньше Алик ценил время и много и жадно работал. Теперь предстояло уплотнить до предела каждый час дня.

Пришлось вести аскетическую жизнь. Вечером ребята звали его в компанию, под окнами звучали песни, смех, гитара, Алика влекло к товарищам. Хотелось погулять и посмеяться с девочками, но он принуждал себя сидеть над книгами, заставлял сосредоточиваться над историческими текстами и работать, работать без устали, покрывая тетрадь за тетрадью мелким неразборчивым почерком.

Пятнадцать лет

В пятнадцать лет пришло новое увлечение: философия. Скоро оно превратилось в страсть. Любая философская книга вызывала жадный интерес. Алик читал все подряд — и Платона, и Спинозу, и Декарта, и Гегеля, и Канта, и философов нового времени, — грыз том за томом. Он с наслаждением упражнял свой ум в сложных построениях отвлеченной мысли, но, вместе с тем, его жизненный инстинкт искал более всего мудрости, приложимой к жизни, и самыми любимыми мыслителями стали не абстрагирующие философы, а мудрецы-стоики: Сократ, Спиноза, Декарт. В эти годы он основательно познакомился со всеми сколько-нибудь значительными философами. Не изучал только Ницше, ибо считал его не философом, а скорее поэтом.

В эти годы Алик часто ходил в Консерваторию — покупал абонементы и с увлечением слушал музыку. Однажды он пришел с только что купленной книгой о Гегеле. Он не утерпел и весь антракт читал ее в фойе. Когда началось второе отделение, он сел на свое место в зале, но продолжал читать книгу, не в силах от нее оторваться.

Соседи с недоумением смотрели на него: как можно читать на концерте! А он читал запоем и одновременно с полным вниманием слушал музыку. У него вообще стала развиваться способность заниматься несколькими видами деятельности одновременно. В дальнейшем, в частности, он будет слушать пластинки или радиопередачи, работая над своими книгами.

С раннего детства Алик жадно читал отцов Церкви. Совсем маленьким мальчиком управлялся с огромными фолиантами Иоанна Златоуста. Читая «Жития святых», быстро перестал искать там живые примеры для подражания.

Главным героем его был Христос, и любимейшей, центральной книгой жизни — Евангелие. Он хотел осуществлять его на практике, но подражать самому Христу ему и в голову не приходило. Это было бы безумной дерзостью.

«Для многих людей этот возраст (15 лет), — писал впоследствии отец Александр, — оказывается моментом, когда они заново открывают то, о чем узнали от родных и учителей. Вещи, которые раньше принимались на веру как отвлеченная теория, через живой личный опыт становятся реальностью. Этот перелом охватывает огромный круг вопросов, и особенно важен он для веры. Станет ли она личным опытом, откроет ли человек ее заново для себя — вот что является главным. До тех пор пока это не произойдет, пока душа не встретит Бога на своем пути и не потянется к Нему, религия остается для нее системой взглядов, принимаемой в силу безотчетного доверия к авторитетам».

В пятнадцать лет Алик стал прислуживать в церкви Иоанна Предтечи на Красной Пресне и делал это на протяжении восьми лет.

Алика увлекали биографии великих людей, особенно ученых. Он стал собирать дореволюционную «павленковскую» серию «Жизнь замечательных людей» и собрал бо́льшую часть из вышедших двухсот выпусков.

Вообще книги были его главной страстью, и про детство впоследствии он будет вспоминать так: в таком-то году я читал то-то и то-то, а в таком-то — то-то и то-то. А еще он будет вспоминать о разных годах своей жизни так: в таком-то году я написал такую-то или даже такие-то книги...

И еще он начал собирать библиотеку. В те годы можно было дешево купить в букинистических магазинах что угодно. Например, Алик приобрел полное собрание сочинений Владимира Соловьева за 300, после реформы — 30 рублей.

Книги восполняли отсутствие собеседников с достаточно широким кругом интересов и должной начитанностью. Собеседниками, союзниками или противниками Алика становились лучшие умы человечества всех времен.

Но было бы неверно представлять себе Алика-школьника этаким книжным червем, желтеющим над мудрыми фолиантами. Как-то в Москву из Новосибирска приехал мамин брат дядя Володя и в несколько уроков научил мальчика аккомпанировать себе на гитаре.

Алик с самого младенчества вечно что-нибудь пел. Он был музыкален и, когда вошел в возраст, стал обладателем звучного приятного баритона. В церкви, где он прислуживал, он часто становился на клирос с певчими и быстро запоминал гласы. А теперь у него была гитара, и, когда он встречался с друзьями, он с ней не расставался. Репертуар его быстро рос, и он безотказно пел для товарищей. Так и шли они обычно куда-нибудь, в Парк культуры, например, а в центре мальчишеской группы шагал кудрявый темноволосый подросток с веселыми озорными глазами и с гитарой за спиной.

Вообще жил Алик в эти годы настолько многогранно, таким широким фронтом, что трудно изобразить это в целостной картине. Каждый день недели был расписан. В воскресенье — литургия в церкви Иоанна Предтечи, где он прислуживал в алтаре, пел, читал. По пятницам рисование с Ватагиным в Зоологическом музее, по вторникам занятия с П.П.Смолиным в биологическом кружке при том самом педагогическом институте, где училась мама. Иногда он пропускал в воскресенье церковь и шел в увлекательные загородные походы с Петром Петровичем. Еженедельно занимался в богословском кружке. Непрерывно читал книги по философии, богословию, биологии, по истории, кроме того, постоянно писал и еще часто посещал Консерваторию. К тому же Алик был общительным и компанейским парнем, и немало времени уходило на друзей.

Жить было страшно интересно, все его увлекало, интересовало, вызывало творческий отклик, желание осмысливать, работать, создавать. Если бы не школа, бездарно отнимавшая драгоценное время! Алик уплотнял дни до предела, дорожил каждой минутой, а тут такая бесплодная трата возможностей, убиение жизни!

Летние каникулы

Владимир Григорьевич был главным инженером большого предприятия. Ему отвели участок под дачу на станции Отдых по Казанской железной дороге и помогли построить дом. До войны Мени жили там летом. Затем была война, эвакуация... На даче поселили соседа, с тем чтобы он за ней присматривал. А он что-то там отремонтировал, переделал и объявил, что дача принадлежит ему.

Лишь к 1950 году Мени восстановились в правах. Алик очень любил просторный деревянный дом со множеством укромных закутков и большой заросший сад. Какая отрада была после тесной, перенаселенной комнаты на Серпуховке оказаться в Отдыхе. Жили там весело и дружно, очень гостеприимно. Елена Семеновна умела обогреть и обласкать каждого и неутомимо хлопотала за чайным столом, кормя голодные оравы молодежи. Но Алику в школьные годы мало пришлось там жить. После восьмого класса он отправился на заработки в Воронежский заповедник, а после девятого — в Крымский.

На книги нужны были деньги. Оба эти лета он жил на подножном корму, не тратя ни копейки из жалованья.

По окончании работ в Крыму ему пришла мысль навестить харьковскую родню — дядю Лео и своих двоюродных братьев и сестер. Он не стал расходоваться на поезд и добирался, голосуя, на попутках. Все деньги шли на духовную и философскую литературу, которой тогда были полны букинистические магазины.

Приокско-террасный заповедник

Наряду с Гоголевским бульваром этот заповедник был родиной Алика. Нигде он так не любил землю, не чувствовал ее своей и себя на ней своим, как в этих двух местах. Он ездил туда начиная с пятнадцати лет при первой возможности: на каникулы, на Майские или Ноябрьские праздники, просто на воскресенье — работал с животными и жил с природой.

Он бывал там в 1950, 1951, 1952, 1954, 1955 годах.

Наедине с первозданной жизнью земли и с Богом приходили ему самые важные, решающие идеи. Там впервые представился ему план многотомного капитального труда по истории мировых религий, того самого, которому он посвятит около двадцати лет и завершит на сорок пятом году своей жизни.

В заповеднике он набросает план всего шеститомника, запишет основные его идеи в кратком пока очерке.

Там он двадцатидвухлетним взрослым парнем гулял с 16-летней Л. и пробивал в ней стену предрассудков. Несмотря на ее упорство, он видел в ней тягу к духовному и насколько мог вспахал почву и бросил туда семена. Всходы поднялись через 20 лет. Она разыскала священника Александра Меня в Новой Деревне и попросила крестить ее.

Теософы

Как-то так случилось, что с самого детства Алик близко сталкивался с теософами. Верочка училась в университете с Валентиной Сергеевной Ежовой. В детстве она болела костным туберкулезом и на этом основании получила право работать дома. По специальности она была дефектологом. Это был почти гениальный человек. Она вела занятия с умственно отсталыми детьми, с дебилами, идиотами, с такими, которые не вступали ни в какой контакт с внешним миром, были в умственном отношении ниже животных. И достигала поразительных результатов. Воспитанники ее становились социально приемлемыми людьми, могли работать, учиться, были такие, кто кончал впоследствии университет!

Как жаль, что она не оставила записей и никто не изучал ее методов. Впрочем, возможно, это был случай уникальной одаренности, которой никого научить невозможно.

Валентина Сергеевна была теософкой. Алик часто навещал ее в школьные годы, и иногда между ними завязывались такие жаркие споры о вере, что только перья летели. В дебатах с умной, образованной женщиной Алик оттачивал аргументацию, изучал психологию теософов, искал средства убеждать...

Любовь к животным привела его еще к одному теософу. Зоологический музей при Московском университете был Меккой для Алика. Переступив его порог, он оказывался как бы в храме, где все говорило ему о величии и премудрости Творца. Он без конца мог рассматривать скелеты и чучела птиц, пресмыкающихся, рыб, мамонтов, обезьян, и они говорили ему о Боге столько же, сколько иконы в церкви. В музее было множество ватагинских работ. Мальчик понимал, что в ватагинском видении животных есть какая-то объединяющая их тайна, что он тоже, как и Алик, видит их мистически, при всем при том, что знает как ученый их строение, образ жизни, повадки...

У Ватагина в музее была своя комната, где он рисовал и лепил зверей. И вот настал день, когда они познакомились. Прославленный анималист оказался маленьким старичком с монгольским лицом и жидкой серой бородкой. Ходил он в неизменной тюбетейке, прикрывая ею широкую плешь. Алик был допущен в «святилище» — в ватагинскую комнату, и ему было разрешено рисовать животных вместе с мэтром.

Так началась странная дружба маститого старца с пятнадцатилетним подростком. Ватагин оказался теософом. На этот раз повзрослевший Алик не лез в спор, он слушал рассказы художника с увлечением. Главной была не разность вер, а то, что их объединяло: чувство присутствия и действия Бога в мире. Остальное было не так важно — в атеистическом, бездуховном мире Алик нашел человека, постигшего главное.

Школа рисования

Алик рисовал с самого детства. Рисовал все, что интересовало. Рисовал сцены из Священной истории, Страсти Христовы, распятие, отцов Церкви и, конечно, всевозможных животных. Полтора года занятий с Ватагиным дали ему почти профессиональные навыки. Обычно он делал наброски животных в Зоопарке, а потом отрабатывал детали в Зоологическом музее. В Музее палеонтологии рисовал скелеты доископаемых чудовищ и учился методам реконструкции.

Затем еще год он занимался рисунком у известного анималиста Трофимова. Пристрастился он и к акварели. Когда летом 1951 года ездил в Воронежский заповедник, где производил учет бобров и летучих мышей, он не расставался с альбомом.

После девятого класса Алик работал в Крымском заповеднике. Здесь он впервые стал пробовать писать акварелью пейзажи, но они выходили не такими уверенными и выразительными, как звери.

В то лето он впервые увидел море. Тогда оно ему не понравилось: зачем-то очень много воды, непонятно и скучно.

Лишь позднее он понял и полюбил море. И все же оставалось какое-то недоверчивое отношение к нему, оно представлялось олицетворением хаоса, бездны, родиной и вместилищем Левиафана...

Поэтому море Алик почти не рисовал.

Еще он любил делать наброски с живых людей. Сначала — школьных товарищей, потом — институтских друзей. В Иркутске рисовал бурятов, якутов, староверов, охотников, ссыльных, отсидевших срок преступников.

Когда Алик учился в десятом классе, в одном из московских Домов культуры состоялась выставка его работ.

И, конечно же, он стал учиться иконописи. Он овладел ею настолько, что в Иркутске занимался реставрацией больших храмовых икон. В одной из иркутских церквей он должен был реставрировать образ Николая Угодника. Это была плохая икона конца XVIII — начала XIX века.

Большую часть доски занимали пышные одеяния и огромная митра. Лицо было незначительное и худенькое, а малюсенькие глазки под густыми бровями и вовсе было трудно рассмотреть.

Алик смотрел-смотрел на образ и вдруг взялся за кисти. Быстро и решительно он переписал всю икону.

А через несколько лет приехал к нему человек из Иркутска и вдруг стал рассказывать: «Знаете, в храме в Иркутске есть образ Николая Чудотворца. И вот, стоя перед ним, я понял, каким должен быть христианин — воином Христовым, борцом». Это был тот самый святитель Мирликийский, которого написал Алик поверх старой иконы.

И все же Алик всегда знал, что художником не будет. Еще в 14 лет он твердо решил изучать биологию, но стать священником и писать книги по истории Церкви и сделать все, что нужно будет для дела Христова.

Однако привычка рисовать сохранилась на всю жизнь. Разговаривая с людьми, если он знал, что черканье карандашом их не обидит, он быстро делал всевозможные наброски, покрывал ими целые листы за несколько минут...

Чтение и литературные занятия в школьные годы

Интенсивность интеллектуальной жизни школьника феноменальна, почти неправдоподобна. Вчитаемся в составленный отцом Александром перечень:

1947—1948
Очерки о природе. Пьеса о Франциске Ассизском (читаю его древнее житие). Читаю: Брема и проч. зоологию, Дарвина, Достоевского (без успеха). Конфуция (в переложении Буланже, толстовца) и массу толстовских брошюр, к которым подхожу резко полемично. Ренан, «Жизнь Иисуса». Но раньше прочел критику на него арх.Варлаама Ряшенцова (впоследствии епископа-исповедника, 1908, книга у меня до сих пор). Изучаю историю Древнего Востока по книге Струве, а потом Тураева. Очень много дала четырехтомная история Древнего Востока З.Рагозиной (дореволюционная). Семинар Н.Ю.Фио-

летовой по раннехристианской литературе у Б.А.Васильева. Семинар по Чехову у Л.Е.Случевской, первой жены мужа Елены Александровны, — не понравилось. Начинаю Библейскую историю, поскольку прочитанная у м.Марии огромная книга Лопухина (3 тома, конец века) устарела. Читаю о католических святых (Бернадетта, Доминик), узнаю о св.Терезе. Книга о преподобном Сергии Радонежском всегда сопровождает.

1949

Изучаю богословие по курсу П.Светлова, протоирея. Книга очень насыщенная идеями, литературой, критикой, полемикой. Дала много. Обильный антисемитский материал книги пропустил мимо ушей. Изучаю жизнь отцов Церкви по Фаррару. Читаю Григория Богослова и Златоуста.

1950

Собираю биографическую библиотеку Павленкова. Это мой университет. Особенно ценные книги о философах. Увлекаюсь Спинозой и Декартом, прихожу к выводу, что рациональное не всегда плохо. Всякий грех иррационален в корнях. Спинозу начал с богословско-политического трактата, который поколебал во мне теорию авторства Моисея (взял ее из Толковой Библии, т.1). В философию ввел меня в 50-м году Лопатин (его книга философских и критических очерков).

Первое посещение Киева. Владимирский собор впечатлил, но чем-то и разочаровал (пестрота?), думал, он лучше (по репродукциям росписей).

Тогда же изучал «Золотую ветвь» Фрэзера, которая много помогла в «Магизме».

1951

Потом в Воронежском заповеднике изучал «Этику» Спинозы и письма. Потом пошел Лейбниц и Платон. Платон был менее созвучен. К этому времени уже был сделан первый набросок синтетического труда (о науке и вере, о Библии, Ветхий и Новый Завет, Евангельская история, Церковь). Читаю Добротолюбие. Большое погружение, но уже ощущение двойственности (что-то соответствует, а что-то оторвано от нашей жизни). Посещаю костел, баптистов, синагогу. Понравилось только в костеле.

Первая (неудачная) попытка читать Якова Беме. Экхарт. Первое чтение Блока и символистов. Купил Соловьева, начал изучать. Пока отдельные тома. Множество книг по истории

Церкви и ветхозаветная история Ренана и Киттеля. Пишу заново Библейскую историю (уже исследую с большим материалом). Постоянно изучаю антропологию и происхождение человека...

1953

Отцы, отцы, отцы. Подвижники и классические. Перевожу (увы, наугад, с русского подстрочника) стихи Григория Богослова. Иногда интуитивно угадываю размер (как выяснил потом). Последние стихи.

Ценил Гарнака, хотя и не разделял его взглядов. Прочел его «Историю догматов» в 53-м году. Достоевского по-настоящему оценил в 53-м году в 10-м классе. Прочел всего, залпом. Но «достоевщины» как психологической атмосферы был всегда чужд (больше всего ценил главы о Зосиме). В юности впечатлялся Нестеровым, хотя потом понял, что не то.

Знал досконально Музей изобразительных искусств, очень часто там бывал.

ГЛАВА ЧЕТВЕРТАЯ
В ПУШНО-МЕХОВОМ ИНСТИТУТЕ

Поступление в институт

И вот ненавистная школа уже позади. Мама Виктора Андреева, друга Александра, преподавала в Пушно-меховом институте. Виктор кончил школу годом раньше и поступил в этот институт. Он нарадоваться не мог своими занятиями и обстановкой в институте. У Александра была мысль поступить на биофак педагогического института, который сравнительно недавно окончила мама. Но Виктор усиленно уговаривал его: «Только к нам, больше никуда!» По ряду причин пединститут отпал, и выбора не было. Так Александр стал студентом охотоведческого факультета Пушно-мехового института.

В те годы в этом институте был сильный преподавательский состав. По традиции преподаватели не только общались со студентами в свободное время, но по-настоящему дружили с ними. Сближало и то, что институт размещался за городом и многие студенты и преподаватели там и жили, и летняя практика в заповедниках. Нередко преподаватели ходили со студентами на охоту. Да и вообще специфика охотоведческого факультета отбирала народ особого склада. Здесь было немало людей из дальних таежных урочищ, из глухих заповедных мест, где высоко ценится товарищество, чувство локтя, взаимная выручка.

Как впоследствии первые четыре года священства в Алабине, так первые два курса охотоведческого факультета Пушно-мехового института были самыми счастливыми для Александра.

Институт располагался в Балашихе, в бывшем имении. Это был огромный старинный парк, хотя отчасти изувеченный рубкой и постройками, но сохранивший свою прелесть. В нем стояли развалины дворцов и служб, выстроенных по проекту Баженова. Отчасти они были реконструированы под служебные корпуса института и общежитие, отчасти же в парке построили для этой цели уродливые здания. За парком было поле с лесом вдали. На это поле из леса забредали лоси и расхаживали там безбоязненно. Отстрел их был запрещен, и за годы войны в Подмосковье их развелось великое множество.

Стояла золотая осень, любимое время года Александра. Кончилась жизнь в тесной, людной и смрадной Серпуховке, кончилась бессмысленная школа, где ему приходилось тартить время на не интересовавшую его программу.

Москвичам не давали мест в общежитиях, многие из них поселились в ближайшей деревне. Хозяйки сдавали студентам комнатушки на двоих. Эти два балашихинских года Александр жил с кем-нибудь из студентов в таких комнатках с двумя койками — так было дешевле. Сожители ему не мешали. Какое-то время его напарником был рабочий. Пил он в меру и не безобразничал, и они настолько сжились, что, когда по какой-то причине надо было съезжать с квартиры, так вдвоем и переселились в новое жилье.

Наконец-то он был независим и мог без помех заниматься делом. Маленькая каморка содержалась очень опрятно, но стремительно заполнялась книгами. Александр с головой ушел в любимую биологию и вместе с тем втайне от всех с той же интенсивностью изучал отцов Церкви...

Итак, были возможности для уединения. Александр начинал день с того, что вставал пораньше и читал стоя правило — на Серпуховке он не мог делать это открыто: мешало обилие чужих глаз и шедшая своим ходом тут же в комнате жизнь семьи.

Здесь он мог работать в тишине. Ему давно хотелось написать «Историю Церкви», и тут решил: пора!

С увлечением занимался он и институтской программой. Большинство предметов были ему крайне интересны, ибо охотоведы тщательно изучали разные отрасли биологии, не говоря уж о зоологии, в которой Александр чувствовал себя как рыба в воде. Трудновата была физика. Его интересовали философские проблемы физики, ее общие законы, но иметь дело с формулами он не любил. И донимала химия. Она была на всех курсах, каждый год иная: неорганическая, органическая, биохимия, алкалоидная химия, еще какая-то.

Новый друг

В первые дни занятий ехал как-то Александр в поезде в Москву. Ездили студенты обычно вместе, занимали сразу несколько скамей подряд. Рядом с Аликом дулись в карты. Он то участвовал в болтовне, то читал книгу по истории папства. Какой-то рыжий студент со второго курса, сидевший рядом, заглянул в книгу зоркими серыми глазами: «Что читаешь?»

Александр показал. Рыжий мгновенно ухватил суть дела и спросил: «Слушай, а у тебя ничего нет по восточным религиям?» Надо представить себе время: осень 1953 года, только что умер Сталин, создавший неслыханно разветвленную сеть секретных осведомителей. Людей, интересовавшихся подобной литературой, было очень мало, и они таились. А этот сразу сориентировался в столь невинной с виду книжке, озаглавленной совсем нейтрально. Поэтому Александр ответил осторожно: «Почему же нет? Есть. История Древнего Востока». — «Нет, я не о том спрашиваю». Так Александр Мень познакомился с Глебом Якуниным.

Глеб оказался теософом и историком теософской литературы, дал ему «Сверхсознание» Лодыженского. От этой книги Александр не мог оторваться, читал ее всюду, в самых разных местах и ситуациях. Раз шел по дороге и вынужден был остановиться и приткнуться где-то. Он читал и перечитывал ее, конспектировал.

Александру читать было любопытно, но сама теософия (с которой он был знаком с детства из разговоров с Валентиной Сергеевной и Ватагиным) его не привлекала. Он понимал, что оккультисты зачастую действительно имеют дело с потусторонними явлениями, но явления эти принадлежат низшему, астральному слою иного бытия, а Александру было открыто несравненно большее. Он жил в постоянном общении с Богом живым, вел с Ним диалог, ощущал Его действие в мире и в больших и малых событиях своей жизни, и тот черный вход, через который теософия пытается проникнуть в запредельное, был ему не нужен. Но он читал теософские книги ради Глеба — ему надо было понять, чем он живет и дышит, и разговаривать с ним на его языке. Он так поднаторел в этом, что в дальнейшем, когда впервые сталкивался с каким-нибудь теософом, тот поначалу принимал его за одного из своих. Но вскоре убеждался, что собеседник, владеющий всей теософской терминологией и понятиями, гнет совсем в другую сторону.

Группа, в которой учился Александр, быстро сдружилась. Он легко сходился с людьми. Состав группы оказался весьма пестрым, здесь были буряты, якуты, казахи, украинцы, евреи, русские. Александр, с его открытой расположенностью к людям, дружил со всеми, особенно теплые отношения у него были с «нацменами», т.е. представителями национальных меньшинств.

На первом курсе с согласия заведующего кафедрой зоологии Александр прочитал цикл лекций о происхождении человека. В институтских кладовых он разыскал груду наглядных пособий, а главное — аппарат, позволявший показывать в увеличенном виде на экране любые иллюстрации и тексты из книги. Народу набилась полная аудитория. Александр быстро овладел вниманием слушателей. Он старался вести свой двухчасовой рассказ остро и динамично и, не дожидаясь, когда восприятие утомится, заставлял студентов смеяться, чтобы вызвать разрядку. Он сразу размежевал научную и религиозную постановку вопроса и придерживался строго биологического подхода. На лекциях Александра присутствовал заведующий кафедрой зоологии. На второй лекции он навострил уши. Александр говорил о том, что пятипалая конечность свойственна более примитивным видам животных, что «специализация» конечностей завела соответствующие виды в тупик эволюции. «Э, батенька, это вы что-то не туда гнете», — стал возражать зоолог. На счастье Александра, мимо открытой двери аудитории проходил заведующий кафедрой общей биологии и заглянул в переполненную комнату. «Скажите, ведь пятипалая конечность примитивней копыта?» — окликнул его Александр. «Конечно, примитивней, что за вопрос?» — пришел спасительный ответ. К чести зоолога, потерпевшего публичное поражение в споре, он не только дал Александру дочитать цикл, состоявший из трех лекций, но и вообще исключительно хорошо относился к нему все годы учебы. «Из тебя выйдет настоящий ученый», — не раз говорил он Александру, не догадываясь о его настоящем призвании.

В институте много пили. Декан устраивал неожиданные обходы общежития в поисках спиртного, но его виртуозно прятали. Например, сливали водку из бутылок в ведро для воды, прикрывали фанеркой — никому и в голову не приходило, что в ведре не вода.

В основном пили для веселья, для компании, в атмосфере братства. Охотоведы были народ крепкий, и эксцессы случались редко. Никаким развратом это не пахло, а все происходило довольно чисто и невинно. Александр, хотя никаким спортом никогда не занимался, был от природы вынослив, здоров и крепок. Неутомим был в работе, в ходьбе и мог очень много выпить безо всяких последствий. Он совсем не пьянел, только исчезал постоянный контроль самосознания и выходила наружу его веселая ласковость, доверчивость, нежность. Он как бы давал волю почти постоянно владевшему им чувству любви к жизни и людям.

Как всегда, много читал. В этот год он открыл для себя Флоренского, Булгакова, Бердяева. Он просто упивался ими и читал запоем. Но находилось время для всего, и жизнь была полна. Каждое воскресенье он ездил в церковь Иоанна Предтечи, прислуживал в алтаре, читал, пел.

Там у него была своя компания. Сережа Хохлов, Володя Рожков, Ситников, Кирилл (будущий ректор Московской Духовной Академии Филарет, затем митрополит, экзарх Западной и Восточной Европы). После службы шли к кому-нибудь в гости, часто к Хохловым. Мама Сергея была старообрядка, а отец, по профессии дворник, был своего рода начетчиком и очень любил порассуждать о божественном. Ребята с удовольствием, но не без тайной иронии слушали его речи.

Отец Кирилла был преинтереснейшим человеком, музыковедом, довольно известным в своей области специалистом. Он был представителем старой культурной интеллигенции. Мать, из купеческого звания, была женщиной очень религиозной, сумевшей воспитать сына в твердой вере. Дружеские отношения с Кириллом не прекратились, когда он стал Филаретом. Несмотря на то что он быстро продвигался по иерархической лестнице, он сохранил симпатию к отцу Александру и кое в чем помогал. Прежде всего, в бытность его ректором для отца Александра была открыта богатейшая академическая библиотека и он мог брать книги домой, а это было весьма ценным вкладом в работу. Иногда Филарет привозил богословские книги из-за границы и давал подзаработать переводами нуждающимся из паствы отца Александра. В бытность экзархом устроил публикацию ряда статей в журнале «Die Stimme der Orthodoxie».

Он понимал и ценил направление мыслей и деятельность приходского священника, но сам шел другим путем — путем церковной карьеры, и это определило некоторую его двойственность: в какие-то периоды он прекращал личное общение с отцом Александром и сообщался через посредников.

Зимой этого года Александр заприметил Наташу Григоренко, а ранней весной 1954 года познакомился с ней. Жизнь, в которую теперь вошла и любовь, была столь счастливой, что он тогда уже отдавал себе отчет в том, что когда-нибудь будет вспоминать это время как какой-то особый идеальный период полноты. Успех сопутствовал ему во всем: в науке, богословии, творчестве, дружбе, любви, в церковной жизни. Казалось, ему делалась раз и навсегда прививка от всякого чувства неполноценности и ущербности. Он на опыте узнавал, что человек может жить чисто, безгрешно и счастливо на этой земле. И еще он как бы набирал в легкие воздуху для предстоящего погружения в пастырские труды, в которых его ждали немыслимые по сложности задачи, а порой и провалы...

Он не помнил, откуда взялась формула, которой выражено его настроение балашихинского периода: не будет цветов, не будет и плодов. Это была пора созидательного цветения.

Любовь

Александр оказался невлюбчивым. Девушки в основном нужны были для того, чтобы провести с компанией праздник или погулять в парке. Но в шестнадцать лет он влюбился. Девочка эта посещала тот же кружок по биологии под руководством Петра Петровича Смолина, куда уже несколько лет ходил и Алик. Она была маленькая, стройненькая, очень нежная и милая. Весной между Аликом и М. завязалась дружба. Летом было решено ехать вместе в Воронежский заповедник. Вместе — значило втроем: М., Алик и его друг Виктор Андреев. С замиранием сердца ждал Алик этой поездки, когда они с М. будут так часто и близко вместе. Но увы! Между М. и Виктором начал стремительно развиваться роман.

Всем троим поручили учет бобров и летучих мышей. Работа была ночная. Брали лодку и беззвучно плыли по реке среди темного леса. На корме целовались М. и Виктор, а Алик молча греб, преодолевая почти физическую боль в сердце. Опыт первой любви оказался мучительным. Алик извлек из него горький урок на всю жизнь. Много лет спустя он рассказал о своих переживаниях Виктору Андрееву. «Что же ты мне не сказал! — воскликнул с досадой Виктор. — Я бы все переиграл!»

Затем была, тоже в школьные годы, девица, которая преследовала его по пятам. Алик нарочно, чтобы отвязаться, сворачивал к кому-нибудь из друзей, кто жил поближе. Забежит, например, к Сереже Хохлову, с которым вместе прислуживал у Иоанна Предтечи, пройдет время, Алик выглянет в окно, а она тут как тут, торчит у подъезда.

И наконец, в 10-м классе возник уже серьезный роман с Т. И эта девочка, как и две предыдущие, была знакома по биологическому кружку, и тоже старше Алика. Они постоянно встречались. Т-го отца арестовали, и Алик, как мог, поддерживал девочку. Вместе с Т. они и поступили в Пушной институт. Но в Балашихе быстро наступила «дивергенция» интересов. Александр «на полную катушку» занимался биологией и тайно от всех также «на полную катушку» изучал отцов Церкви. Живую и честолюбивую Т. влекло другое. Она играла в драмкружке, пела, ей хотелось успеха среди тех людей, которые мало интересовали Александра.

Произошло объяснение. Когда Александр сказал, что встречаться им больше не следует, Т. приняла это почти спокойно. Однако знакомство с Александром оставило след на всю жизнь: Т. пережила обращение. Они встретились через несколько лет. Александр был священником, женат, имел двоих детей, Т. тоже была замужем. «Хорошо, что мы с тобой не поженились, — сказал Александр. — У тебя была бы совсем другая жизнь».

Вскоре Александр заметил издали худенькую девочку с товароведческого. У нее был вздернутый нос, странные, цвета крыжовника глаза под темной челкой, коротко остриженные волосы и независимая осанка. Он решил непременно с нею познакомиться, однако форсировать события не стал.

Но как-то его обступили плотным кольцом девчата. «Почему у тебя нет девушки?» — допытывались они. Александр пытался отшутиться, но намерения у девочек были самые серьезные. «Мы решили разыграть тебя. Кому достанешься, та и будет твоя девушка», — приставали непоседы. «А может, у меня другие намерения? Дайте три дня сроку», — отбивался Александр. На трех днях поладили. Приходилось действовать, да побыстрее.

В тот же день после занятий Александр заметил, что прелестная товароведка вышла «голосовать» на дорогу. Он стремительно отбежал в другую сторону, перехватил попутку и через две минуты оказался в одной машине с Наташей. Догадалась ли она, что в этом случайном грузовике встретилась со своей судьбой?

Казалось, их разделяло многое: воспитание, интересы, среда, жизненные цели, убеждения (Наташа была тогда, как и все ее подруги, неверующая). Но родилась любовь, и она все превозмогла. С третьего курса охотоведов перевели в Сельскохозяйственный институт в Иркутске, а товароведы остались в Балашихе. И чувства, связавшие их, выдержали трехлетнюю разлуку. Алик писал своим мелким корявым почерком длинные письма. В них он настойчиво и исподволь раскрывал Наташе свое христианское мировоззрение, готовил ее к мысли, что она будет женой священника. Он не спешил, знал, что изредка встречаются натуры, которые, пережив обращение, глубоко перестраиваются и решительно идут по открывшемуся новому пути. Но чаще нужно время, чтобы новые идеи просочились в глубину души, чтобы она освоилась с ними и приняла их безвозвратно.

Что до остальных несходств, то Александр полагал так. Есть мужчины, которым в жене нужна мать, — это те, кто недополучил материнства в детстве. Им хочется, чтобы о них заботилась, опекала их жена, они ищут в ней опору. А у Александра была мама, которая всю жизнь была ему другом. Пожалуй, она и Вера Яковлевна были единственными людьми, с которыми он отчасти делился своими замыслами. При всей своей общительности, компанейскости он привык в одиночку справляться с проблемами творчества, служения, поисков, ни с кем не делился размышлениями о глубинных вопросах бытия — и в жизни ему нужно было другое: женщина, которой он сам стал бы опорой, жена, мать его детей, домоправительница. Наташа обладала острым природным умом, житейской хваткой, трудолюбием, стойкостью, верностью.

Однажды Наташа не пришла на занятия. Почувствовав неладное, Александр помчался в Семхоз, где она жила с отцом и матерью. У Наташи оказался аппендицит, и она лежала в больнице. Тут Александр впервые предстал перед Наташиными родителями. Это случилось во дворе того самого дома, которому впоследствии предстояло стать его жилищем на многие годы. Моложавые, энергичные, спокойные и доброжелательные «старики» ему понравились. Отец Наташи был агрономом в совхозе «Конкурсный».

Со школьной юности у Александра всегда кто-то был, он был «занят». То это была его подруга, в которую он влюбился в 10-м классе, затем, когда ему исполнилось 19 лет, появилась Наташа, ставшая его женой.

Это была вполне осознанная линия поведения. Он признавал только любовь, причем любовь чистую.

В его жизни в этом смысле не было исключений, почти не приходилось преодолевать искушения. С четырнадцати лет он знал, что будет священником и миссионером, знал, что в Церкви преобладают женщины.

Он наблюдал, как тянет женщин к священникам — представителям иной, высшей жизни. Они не только предстают перед ними в ореоле церковной романтики, в величественных позах и богатых ризах, совершая священнодействия, но им открывают душу и сердце и находят внимание, отклик, сочувствие. Духовник — это руководитель жизни, тот, кто знает и может больше любого мужчины в жизни женщины.

Он видел, какая волна любви и вожделения идет от женщин к священникам, как те и другие нередко падают. Но если падения и не произойдет, то может случиться подмена адресата, религиозность сменяется душевно-чувственной стихией, душа будет украдена у Христа.

Хотя у Александра было немало приятельниц, особенно «маросеевок», родных детей духовных чад отцов Мечевых, но от него всегда веяло холодком. Да и любовь не поглощала его целиком. Ей отводилось важное, но ограниченное место в его многогранной жизни, устремленной всегда к единой Цели.

Быть может, еще и потому ограниченное, что он не искал в женщине ни идола для поклонения, ни матери, ни соратницы в духовных и научных трудах. Мог даже обходиться без особого понимания и интереса к его интеллектуальной, творческой, глубинной жизни. Собственно, ему гораздо более свойственно было давать, чем брать, и любовь для него выражалась в этом. Не искал он и внешней красоты. Те немногие девушки, которыми он увлекался, были милы, но не обладали особой красотой.

ГЛАВА ПЯТАЯ
СИБИРИАДА

Переезд в Иркутск

В 1955 году произошла реорганизация Пушно-мехового института. Охотоведческий факультет перевели в Иркутский сельскохозяйственный институт. Кое-кто откололся. Олег перевелся в Саратовский университет на биофак. Лютов, с которым Алик жил в одной комнате в Балашихе, вернулся в родной Ленинград, но основная масса студентов переехала в Сибирь.

В жаркий летний день пьяных после прощальных пирушек охотоведов погрузили в вагон стоявшего на Ярославском вокзале состава, и началось шестидневное «переселение народов» по Северной железной дороге, той самой, с которой будет так тесно связана жизнь Александра в дальнейшем. Студентов набилось в вагоны как сельдей в бочку. Ехали сидя, стоя, лежа на багажных полках. Хотя в Москве оставалась Наташа, но молодой интерес к новым местам, к переменам в жизни брал верх. Александр то приникал к окну, то участвовал в бесконечных дорожных разговорах, то читал или дремал. Он вез с собой множество книг, ибо работал над своей «Историей Церкви».

Сибирь ему не понравилась. Аура ее была тяжелой и мрачной, однообразие бесконечной тайги угнетало.

Первое впечатление от Иркутска было самое удручающее. Дощатые тротуары, глухие дощатые заборы, приземистые деревянные дома, покрытые копотью от заводских труб, висевшей над улицами. Над могучей, почти неправдоподобно широкой Ангарой, там, где уместен был бы Бруклинский мост, висел утлый, гиблый, совершенно ненадежный на вид мостик.

Александр заранее отказался от общежития под предлогом своих научных занятий — на деле главной причиной была потребность в уединении. Решено было жить с Глебом вдвоем. У знакомого верующего нашлись друзья в Иркутске, с ними списались с просьбой подыскать комнату для Александра с Глебом в какой-нибудь верующей семье.

Поэтому с вокзала отправились к духовной дочери отца Сергия Орлова (того самого, под началом которого Александр будет служить диаконом в Акулове). Их встретила семидесятилетняя женщина с молодым гибким телом. Оказалось, она занимается йогой по дореволюционным еще книгам. Она отвела их в ту рабочую семью, где для них сняли комнату.

Это была замечательная семья. Родители и трое взрослых детей (одна дочь была уже замужем) — все были православными церковными людьми. Вера пронизывала их быт и отношения. В доме царила любовь. Духовным центром его была мать, человек большой врожденной культуры, ума, такта, хотя и малограмотная. Александр с Глебом вскоре почувствовали себя там как дома.

На окраине России

С переездом в Иркутск изменилось привычное восприятие географических масштабов. Далекая Москва, казавшаяся прежде целым государством, превратилась в маленькую точку, затерявшуюся в диких просторах. Уже два года Александр жил бок о бок с грузинами, казахами, бурятами и якутами. Теперь он увидел вплотную почти не зависимые от государственного центра племена и народы.

Охотоведам часто приходилось бывать в тайге, тут они сразу попадали в каменный век. Александру надо было как-то оштрафовать одного охотника за браконьерство. Местные доброжелатели предупредили его: «Не ходи к нему. Ведь если ему понадобится спичка, он тут же ради нее убьет человека». У бурят явно существовали две прослойки. Были среди них культурные, легко адаптировавшиеся люди. Они говорили по-русски без акцента (в отличие от якутов, как правило, не овладевавших русским с таким совершенством), много читали, знали. Религиозная жизнь буддистов подвергалась там такому разгрому, с которым нельзя и сравнивать гонения на православную веру в Центральной России. Из 50 буддистских монастырей-дацанов осталось два, да и то они были восстановлены совсем недавно.

В Сибири сохранилось немало староверов. Там их называли «семейскими», не признавали за русских, а считали какой-то особой народностью. Говорили они на малопонятном старинном наречии, ходили в национальных костюмах, вывезенных из центральных губерний России более 200 лет назад.

Теперь он видел огромные пространства страны без тонкой культурной пленки, которая делала жизнь в Москве более приглядной.

Недалеко от дома, в котором жил Александр, находился большой лагерь для заключенных. Все как положено: колючая проволока, вышка с вооруженными солдатами, прожекторы по ночам. Дважды в день на работу и с работы проходили серые колонны заключенных под охраной. Бо́льшую часть населения Иркутска составляли ссыльные или бывшие ссыльные. Город жил страшными лагерными рассказами. Без счета наслушался их и Александр. Он содрогался, слушая о том, как грузили вагоны детскими трупами. Это были дети раскулаченных: их отбирали у родителей, помещали в детские колонии, и там без ухода они мерли от эпидемий и плохого питания. «Революции не бывает без жертв» — такими словами успокаивали свою совесть организаторы этих зверств... Все это прочно откладывалось в сознании Александра, и в нем крепло решение служить пробуждению и воспитанию христианской совести, формировать у людей такое сознание, при котором ничто подобное для них не будет возможно. Он еще глубже понимал гражданскую миссию религии.

В нем зрела готовность вступить в действие в качестве некой социальной силы. Он знал, что для изменения сознания людей нужно не только распространение веры, но и возрождение ее на ином уровне, более близком к евангельскому идеалу, чем тот, который сохранила традиционная православная жизнь. Он понимал, что настоящая вера делает человека изнутри свободным, защищает его от темных стихий, действующих не только внутри его, но и извне, что она в состоянии выковать иное гражданское самосознание, чем он видел на этой дикой окраине страны.

Его стала интересовать политика, он слушал радио, следил за международными и внутренними событиями. Он чувствовал себя силой, которая скоро включится в их ход. И он верил, что с помощью Божией и один в поле воин. Ведь нам не дано знать, как широко расходятся высказанные в разговорах или книгах мысли, какой резонанс они имеют. Но он готовился приложить всю свою энергию, веру и знания к тому, чтобы начался рассвет в этом мраке, чтобы в новых условиях продолжить дело своих старших собратьев — Соловьева, Флоренского, Булгакова и других русских религиозных мыслителей.

Сибирь была необходимым этапом в этой подготовке. Он смотрел, слушал, впитывал новую информацию, осмысливал ее, а пока ходил в институт, жадно читал том за томом Владимира Соловьева и писал историю средневековой Церкви.

Решения XX съезда, заставшие Александра и его друзей в Иркутске, были встречены взрывом ликования. Распадались или, во всяком случае, ослабевали узы зла, лжи и несвободы, опутавшие страну.

В иркутские годы, приезжая на каникулы домой, он тут же шел в церковь Иоанна Предтечи и, испросив благословения отца Василия, надевал стихарь... В один из таких приездов в 1957 году Александр и Наталья обвенчались в храме Иоанна Предтечи. Венчал настоятель отец Дмитрий в присутствии будущего экзарха Филарета, Рожкова и Бориса Александровича.

Однажды уборщица иркутской церкви отвела Александра на колокольню, там валялись полурастерзанные старые книги. Как всякий книжник, Александр с жадным и благоговейным интересом стал их рассматривать. Уборщица разрешила взять ему, что он захочет, из этого никому не нужного хлама — все равно мыши съедят. Александр нашел здесь разрозненные экземпляры журналов «Паломник» и «Странник», выходившие в начале века. Полных комплектов не получилось, но он собрал, что мог, отдал переплести, и они многие годы служили ему, их с удовольствием читали его прихожане.

Но главной находкой оказалось «Руководство к благочестивой жизни». Это был маленький томик из толстой тряпичной бумаги, в нем недоставало листа. Книга пожелтела, на титуле стоял 1819 год, ей было почти 140 лет, она вышла, когда Пушкину было двадцать. Он прочел ее, и содержание книги, несмотря на архаичный плохой перевод, так его поразило, что он обещал ее автору, св.Франциску Сальскому, разыскать оригинал, заново перевести и дать книге новую жизнь в России.

И действительно, когда Александр был уже в Москве, кто-то принес ему изящный французский томик в кожаном переплете. Вера Яковлевна прекрасно перевела книгу, перевод перепечатали на машинке, экземпляры переплели, и отец Александр стал давать эту книгу и новоначальным в вере, и тем, кто уже имел немалый опыт. А со св.Франциском Сальским установился молитвенный контакт, и Александр обращался к нему за помощью в делах духовного просвещения.

В 1965 году перевод Веры Яковлевны попал за границу и был опубликован в издательстве «Жизнь с Богом». Так св.Франциск помог студенту-охотоведу с превышением выполнить данное ему обещание.

Студенты считали Александра «своим в доску парнем». Он, казалось, жил одной с ними жизнью. Как и большинство охотоведов, он с увлечением изучал зоологию и смежные дисциплины, вместе с ними съел пуд соли и выпил цистерну водки, жил пять лет среди них в Балашихе и Иркутске, разделял все их радости и тревоги, участвовал в их развлечениях, в походах в лес, в охоте, жил с ними в тайге. Правда, они знали, что он чем-то там еще интересуется, что-то изучает и пишет на духовные темы, но не очень вникали, потому что это не отделяло Александра от них.

А на деле он жил совсем другой жизнью, и в центре его мыслей, желаний, трудов стояло нечто иное. В этом главном и основном он был одинок. Только с Глебом у них со временем стал возникать действительно общий язык.

О чем думал студент Мень

В юности от старших я часто слышал, что достаточно одной живой веры, чтобы привлечь людей. Частично я с ними соглашался, тем не менее хорошо понимал особенности нашего времени. Во времена апостолов большинство их аудитории было в той или иной мере религиозным. Теперь веру заменило безверие, украшенное секулярными мифами. Нужно было сначала разбить лед, найти новый язык для «керигмы», проповеди, увязать ее с вопросами, которые волнуют людей сегодня.

Наставниками моими (кроме родителей) были люди, связанные с Оптиной пустынью и «маросейской» общиной отцов Мечевых. С самого начала в этой традиции меня привлекла открытость к миру и его проблемам. Замкнутая в себе церковность, напротив — казалась ущерблением истины, которая призвана охватывать все. Когда в 17—18 лет я интенсивно готовился к церковному служению и много изучал патристику, у меня сложилась довольно ясная картина задачи, стоящей передо мной. Я видел, что к вере начинают тянуться люди, преимущественно образованные, то есть те, кто имеет возможность независимо мыслить. Следовательно, священник должен быть во всеоружии. Я не видел в этом ничего от «тактики» или «пропаганды». Пример св. отцов был достаточно красноречив. Усвоение культуры нужно не просто для того, чтобы найти общий язык с определенным кругом людей, а потому что само христианство есть действенная творческая сила. Конфликт отцов с харизматиками-эсхатологистами, отрицавшими культуру и «мирские» проблемы, имел прямое отношение к этой теме. Когда изучал раннехристианскую историю и писал о ней (в 19—20 лет), я убедился, что в моих мыслях нет никакого надуманного реформаторства, а они следуют по пути, проложенному традицией. Традициям святоотеческой христианской культуры противостоял апокалиптический нигилизм, вырождавшийся в секты, бытовой, обрядоверческий консерватизм, который питался языческими корнями, и, наконец, лжегуманизм, пытающийся осуществлять призвание человека вне веры. Под знаком этого противоборства я и пытался понять (и описать) историю Церкви. Когда я познакомился с «новым религиозным сознанием» начала XX века в России, стало ясно, что «новизна» его относительна, что оно уходит корнями в ранние времена и в само Евангелие. Хотя Новый Завет прямо не касался вопросов культуры (ибо по своей природе он глубже ее), но в его духе содержалось все, что должно было породить линию, ведущую через ап.Павла к св.Юстину, Клименту и далее к классическим отцам.

О Католической Церкви в то время я больше всего получал сведений из антирелигиозной литературы, но как только стали доступны более объективные источники, я увидел, что в ней, если говорить о послепатристических веках, творческая и открытая к миру тенденция получила широкое развитие (при этом слепая идеализация католичества была мне всегда чужда). Это «открытие» послужило исходной точкой для моих экуменических убеждений. Правда, я не предполагал тогда, что события начнут развиваться в этом направлении столь быстро. Вся окружавшая меня церковная среда резко осуждала мои настроения. Когда же с понтификатом Иоанна XXIII начался неожиданный поворот, я торжествовал. Ведь раскол наносил огромный ущерб и диалог воспринимался как оплодотворяющая сила.

В самый разгар изучения католичества (в 21—22 года) я в свободное от занятий в институте время работал в Епархиальном управлении (истопником) и близко соприкоснулся с разложением околоархиерейского быта, которое очень меня тяготило. Но соблазн счесть нашу Церковь мертвой меня, слава Богу, миновал. Хватило здравого смысла понять, что церковный маразм есть порождение уродливых условий, а с другой стороны, я уже слишком хорошо знал (изучая Средние века) теневые стороны жизни и истории западных христиан. Как бы в подтверждение этому мне была послана удивительная «случайная» встреча. Я познакомился в Сибири с молодым священником, который только что приехал с Запада и учился в Ватикане (был католиком). Его рассказы и книги открыли мне много замечательного и интересного, но сам он, мягко выражаясь, не мог вдохновить. Не буду писать о нем. Он много бедствовал и еще служит где-то в провинции. Одним словом, я понял, что маразм есть категория интерконфессиональная, а не свойство какого-то одного исповедания.

Отношение мое к протестантам (и в частности, к баптистам) было сложнее. Я очень ценил евангелический, профетический, нравственный дух, присущий протестантизму. Приехав в 1955 году в Иркутск, я в один день посетил собор и баптистское собрание. Контраст был разительный. Полупустой храм, безвкусно расписанный, унылые старушки, архиерей, рычащий на иподьяконов, проповедь которого (очень короткая) напоминала политинформацию (что-то о Китае...), а с другой стороны набитый молитвенный дом, много молодежи (заводской), живые, прочувствованные проповеди, дух общинности; особые дни молодежных собраний, куда меня приглашали. Старухи у нас — гонят, а тут меня приняли прекрасно, хотя я сказал, что — православный. У других протестантов (либеральных) я нашел сочетание веры и библейской критики, в котором так нуждался (к слову сказать, за последнее время это сочетание упрочилось в католичестве и у наиболее просвещенных представителей православных). Я не был согласен с основными установками «Истории догматов» Гарнака, которую тогда изучал, но находил в ней много ценного. Сегодня католики сделали уже очень много для преодоления стены между ними и протестантами (у нас в этом отношении дела обстоят хуже, хотя Бердяев и проложил первые пути). При всем том я, безусловно, не мог примириться с тем, что протестанты оторвались от единства Церкви. Ведь иерархический строй (не говоря уж о таинствах) необходим, ибо создает возможность для Церкви быть реальной силой в мире.

Усвоение русской религиозной мысли нового времени столкнулось неожиданно с определенной трудностью. Прот. Г.Флоровский, труд которого я прочел в конце студенческого периода, называл все это течение «декадентским». Он предлагал ориентироваться на митроп.Филарета (Дроздова), считал его чуть ли ни новым отцом Церкви. Но его аргументы в конце концов меня не убедили. Я прочел убийственную характеристику Филарета у историка С.Соловьева, а к тому же сам факт, что митрополит защищал в своем катехизисе крепостное право, телесные наказания и т.п., решил для меня спор.

В жизнеописании доктора Гааза я прочел следующий эпизод. Этот поистине святой человек вступился за невинно осужденных, на что митроп.Филарет заметил: «Невинно осужденных не бывает, раз осуждены, значит, виновны». Доктор Гааз тут же нашелся. «Владыко, — сказал он, — вы Христа забыли». Филарет потом признал свою неправоту, но его высказывание характерно... Едва ли такие идеи мог бы высказать Вл.Соловьев или Бердяев. А ведь дерево познается по плоду. Книга Лескова «Соборяне» дает страшную картину положения «филаретовского духовенства», к которой добавить нечего.

Этот частный вопрос характерен для всей темы: церковность истинная и церковность, обремененная социальными грехами. Скажут: социальное для Церкви — второстепенно. Но на самом деле Судия будет спрашивать нас не о теоретических убеждениях или мистических видениях, а о том, что мы сделали для Его «меньших братьев». А это неотделимо от «социально-го». Здесь различие между Вл.Соловьевым и его противниками (в споре о средневековом миросозерцании); архим. Феодором Бухаревым и его гонителями (архим.Феодор настаивал на том, что православие призвано сказать свое слово в общественной жизни; за это его лишили должности, звания доктора богословия и хотели заточить в монастырь; в знак протеста архим.Феодор снял с себя сан).

Одним словом, конфронтация внутри самих рамок Церкви была для меня не менее важна, чем конфликт веры с атеизмом. Последний был закономерен и предсказан Спасителем. Церкви надлежит быть в утеснении. Впрочем, предсказана и борьба внутри (ср. слова Христовы о волках в овечьих шкурах, слова ап.Павла о «лжебратиях» и т.д.). В сущности, обличение Господом фарисеев было «внутрицерковной» борьбой, ибо они находились на почетном месте в ветхозаветной Церкви, к которой Христос обращал Свое слово.

В связи с этим вопросом и готовя материалы к истории Церкви нового времени, я стал собирать материалы по обновленчеству. С детства мне рассказывали о нем одни ужасы. Но меня интересовало: есть ли в этом какое-то ценное зерно. В Сибири нашел письма епископов, относящиеся к периоду раскола, прочел книгу Введенского «Церковь и государство». Все это подтвердило худшие предположения. «Обновления» на грош: одно властолюбие, политиканство, приспособленчество. Но потом во время каникул в Москве встретился с А.Э.Левитиным, и он рассказал много интересного о Введенском. Я понял его не только как зловещую, но и как трагическую фигуру, которая в другое время принесла бы Церкви много пользы. Что же касается его «приспособленчества», то оно уже не могло удивить после того, на что я насмотрелся в наших собственных патриархийных стенах. Здесь все отрицательное — от Введенского, но ничего положительного, что было ему свойственно. Как труды митроп.Филарета не утратили интереса из-за его политических «грехов», так и стенограммы проповедей и диспутов Введенского не должны быть забыты. В них есть немало ценного.

Когда в 1957 году я занялся книгой о Библии, я отодвинул тему новейшей церковной истории на задний план и впоследствии передал собранные материалы тем, кто этой темой занимался вплотную. Кажется, часть их попала потом в руки Л.Регельсона.

Отход от церковно-исторических вопросов (я остановился в своей рукописи на XV веке) был обусловлен тем, что я отчетливо услышал призыв перейти к делам, имеющим прямое отношение к проповеди веры, к уяснению людям смысла Библии и Евангелия. В те годы Св.Писание стало все чаще попадать в руки людей (в иркутском соборе лежали на прилавке и довольно медленно расходились экземпляры Библии издания 1956 года; потом их все скупили баптисты). И я видел, насколько велики препятствия к пониманию Библии для рядового читателя, даже образованного, не говоря уж о прочих.

В результате получился том (400 машинописных страниц) под названием: «О чем говорит и чему учит Библия». Книга вышла весьма несовершенная, но она стала черновым прототипом и планом для шеститомника «В поисках Пути» и в первую (по времени) очередь для «Сына Человеческого».

Зимой 1957—1958 года я впервые ясно увидел, что такое «христианский гуманизм» и «христианский Ренессанс», которые противостояли Ренессансу языческому. Это напряжение началось с эпохи Франциска и Данте и завершилось св.Григорием Паламой, Кватрочевто, Рублевым, преп.Сергием. В отличие от «темных веков» Средневековья (X—XI вв.), оно заговорило о ценности человека и мира как творений Божиих. Но этот гуманизм не получил внешнего преобладания, а остался полускрытым ручьем под горой языческого гуманизма, создавшего светскую идеологию нового времени. Тем не менее ручей этот никогда не иссякал. И сегодня, я убежден, христиане должны стремиться к развитию его линии. Не повторению, а развитию, как обстоит дело и с патристикой. Собственно, патристика была первым выражением христианского гуманизма. Слова этого я не боюсь. Если «Бог отдал Сына Своего» ради человека, то сама Благая Весть возносит человека на недосягаемую высоту, то есть является гуманистической в самом лучшем смысле этого слова.

О соотношении национального и религиозного я задумывался мало и осознал его внезапно, беседуя однажды со старообрядческим начетчиком в глухой забайкальской деревне. Он сказал мне, что «за Удой лучше поют и служба лучше» (то есть в православной церкви). Я спросил: «Что же вы туда не ходите?» — «Нет, — сказал он, — в какой вере родился, в такой и умри». — «Ну, а что было бы, — спросил я его, — если бы князь Владимир, крестивший Русь, рассуждал бы так? Вы бы и до сих пор поклонялись Перуну».

Собственно, в этом риторическом вопросе содержался ответ на все случаи. Греки, сирийцы, эфиопы, римляне, египтяне, русские, болгары и все другие народы, — если бы они ставили национальную традицию выше веры, то они бы никогда не приняли христианства, а язычники Востока до сих пор поклонялись бы вместо единого Бога ислама — своим идолам. Все это, впрочем, никак не может быть аргументом против национальной оболочки и стиля той или иной религиозной общины и Церкви. Нация — это характер, индивидуальное лицо этнического коллектива. Вне ее невозможна ни культура, ни Церковь — как они не существуют для «человека» вообще. Основа всего — диалектика ап.Павла: с одной стороны, он иудей и сознает себя причастным своему народу, а с другой, говорит, что во Христе нет ни эллина, ни иудея. Более того, он говорит, что нет ни мужского пола, ни женского. Значит ли это, что он отрицает существование полов? Он просто указывает на иерархию в духовной жизни. В проявлениях, в земном, во внешнем, в «природном» есть и эллин и иудей, есть и мужчина и женщина. Но в глубине (как теперь говорят, в сфере экзистенциального), во встрече со Христом все это отступает на задний план. Аналогия — искусство. Оно, как правило, есть проявление национальной культуры, но на своих высотах доступно всем векам и народам. Наименее национальна наука, потому что она безлична, как бы «внечеловечна».

Я отвлекся на все эти рассуждения лишь потому, что подобные мысли занимали меня все то время и не потеряли актуальности и сейчас. Я жил ими всецело, но это не мешало мне оставаться в гуще жизни, работать, учиться, интенсивно общаться с людьми, с которыми меня связывали общие дела, интересы (научные и бытовые), я совсем не выглядел отчужденным. И пожалуй, считал бы такую «позу» ложью, доказательством тому, что христианство «не имеет отношения к жизни».

Сибирские похождения

В сентябре и октябре студентов посылали на полтора месяца в колхозы «на картошку». В их обязанности входило выкапывать картофель и грузить его. Деревянных лопат не было, им давали железные острые мотыги, и половина картофеля превращалась в рубленое месиво. Жили в избе. Вечерами пели песни, играли на гитаре, пытались ловить самодельным радиоприемником русские передачи из Америки, рассказывали анекдоты. В этом гвалте Александр работал при свете керосиновой лампы.

Ребята отводили ему один квадратный метр за столом, он раскладывал книги, привезенные в чемоданчике, и писал очередные главы второго тома «Исторических путей христианства». Ребята с уважением относились к богословским занятиям Александра, спрашивали, о чем он сейчас пишет. Он объяснял так, чтоб им было понятно. Свои карты Александр раскрывал постепенно и осторожно. На первом курсе окружающие знали только, что он читает какую-то «философию», не входящую в программу, быть может, идеалистическую, во всяком случае, какую-то «не такую». Когда к этому привыкли, Александр рискнул показать кое-кому богословские книги... На третьем курсе, уже в Иркутске, он вел с друзьями разговоры на темы, которые могли пробудить в них интерес к духовным проблемам и подготовить к их пониманию. На четвертом курсе стал давать кое-кому религиозные книги, а на пятом в группе уже знали, что он готовится стать священником.

Александр не стремился никого обращать. Он лишь исподволь приучал их к мысли, что есть другие воззрения, кроме казенных. Он знал, что большинство разъедется по глухим местам и, едва переступив порог веры, окажется совершенно беспомощным и в полном одиночестве. И от своих отстанут, и к Церкви не пристанут. Слишком велика была ответственность за души этих людей. Час его еще не пробил...

Как-то с двумя приятелями-бурятами Александр решил съездить на воскресенье в Иркутск. Дожидались на полустанке поезда дальнего следования, но неумолимая проводница захлопнула дверь перед носом безбилетников. Ребята ринулись вслед за уходящим составом. Догнали, уцепились за поручни и так и ехали, вися на подножке. А путь неблизкий, километров двести. Руки стали неметь. Тогда на полном ходу залезли на крышу вагона. Дул резкий, пронизывающий ветер. Окоченели. По счастью, в одном из вагонов ехали солдаты и под конец путешествия впустили к себе посиневших от холода студентов.

Когда добрались до Иркутска, Александр тут же отправился за пятнадцать километров пешком к Глебу, который копал картошку в другом совхозе. Радость встречи искупила все трудности пути. Им было о чем говорить.

Только с Глебом, Олегом и Виктором мог делиться Александр своими мыслями об исторических судьбах Церкви и о ее будущем, которому он собирался посвятить всю свою жизнь. А в Глебе под воздействием целеустремленного, кипящего энергией и идеями друга зрело решение посвятить себя делу Христову и стать священником.

Преддипломная практика охотоведов состояла в учете оленей в Забайкалье. Вдвоем с напарником Александр исходил сотни километров по глухим теажным местам. Центральное лесничество находилось в Улан-Удэ. Туда возвращались после многодневных походов.

Стояла зима, и морозы нередко превышали 50 градусов. Всю эту стужу Александр вынес в сапогах — не признавал он валенок, да и только! Как-то пришлось проехать в такой мороз 200 километров в открытом грузовике — все сошло с рук.

В тайге он встречался с разным людом. Преобладали бывшие заключенные, ссыльные. Это были большей частью охотники. Среди них встречались и староверы, с которыми он охотно вступал в беседу. Он с двадцати лет носил бороду, и поэтому «семейские» считали его своим. Молодежь отрекалась от обычаев отцов, брилась, а на нем был «образ Божий», как раскольники называли бороду. Высоченный черноволосый старообрядец без единого седого волоса на голове пригласил его в свою избу. В ней не было перегородок, и вся она состояла из одной огромной комнаты. По углам жили четверо его женатых детей с семьями, а в центре находилась резиденция отца, откуда он самовластно управлял большим семейством. И в самом деле «семейские».

В Улан-Удэ он встретил священника, вернувшегося из Китая, где тот жил в эмиграции. Он много чего порассказал печального об эмигрантских нравах.

Там же Александр познакомился с ламой. Лама оказался образованным и умным человеком. Буддизм в Бурят-Монголии был совершенно разгромлен. Когда возникло некоторое оживление в дальневосточном буддизме, он пробовал опираться на русскую интеллигенцию, искал в ней себе адептов — буряты и якуты были слишком подавлены и забиты. Но в начале 70-х годов начались обыски и аресты среди буддистов, и попытки как-то возродиться ни к чему не привели.

При приближении дипломников в поселках прятали собак. Впереди студентов шел слух о том, что они ловят бродячих псов. Собственно, все собаки, лайки в основном, были там бродячими. Кстати, на собаках Александр ездил на рыбную ловлю. На реке пробивали во льду лунки, сыпали в воду мелких рачков, и на приманку со дна подымались целыми стаями окуни. Оставалось опускать намотанную на руку леску с голым крючком без наживы и выдергивать рыбу. Не успел Александр опомниться, как около его лунки уже лежал целый пуд окуней. При скудном студенческом бюджете «подножный корм» был очень кстати.

Однажды студенты получили разрешение на отстрел двух оленей. Когда на лесную поляну в нескольких шагах от Александра вышел лось, он замер в восхищении перед его грацией и так и не поднял ружья. Ели оленину, добытую напарником.

Как-то Александр решил принять участие в охоте на медведя. Отправились в тайгу с местными охотниками. Они поставили юрту в распадке. По каким-то обстоятельствам на исходе дня Александр шел в тайге один. Снег был глубок, около метра толщиной, и продвигаться можно было только на широких камасовых лыжах. Делались они из коровьей или оленьей шкуры, чтобы легко было спускаться с сопок и не скользить вниз при подъеме. И вот, находясь километрах в пятнадцати от юрты, при спуске с крутой сопки Александр потерял равновесие и кубарем покатился вниз среди деревьев.

Лыжные крепления разорвались, и он с трудом отыскал камасы в глубоком снегу. Попытался починить их, но ничего не выходило. Нерпичьи краги оледенели на пятидесятиградусном морозе, и их пришлось бросить. Надо было прежде всего согреться. Но в тайге без топора не так-то легко зимой найти топливо. Подлеска там нет, стоят огромные голые стволы, как колонны в зале. Все-таки Александр набрал каких-то веточек, пустил на растопку письма и развел огонь. Согрелся, поел сырой мороженой лососины с солью, достал писания Николая Кузанского, средневекового богослова и мистика, почитал, чтобы собраться с духом. Затем, оставив часть поклажи на снегу, связал между собой лыжи, лег на них, как на лодку, и стал грести руками по снегу. Это был единственный способ передвигаться.

Надвигалась ночь. Александр упорно полз. Стало совсем темно. Он боялся потерять направление в темноте. Правда, с ним был карабин и можно было выстрелами попросить о помощи. Но Александр не считал свое положение достаточно серьезным для этого. На исходе пятого часа этого мучительного передвижения по таежным сопкам на животе он увидел наконец огонь. Юрта топилась по-черному, и из ее открытого верха светилось пламя.

Охотники встретили его равнодушно: «А, пришел? А то собирались тебя искать». Заснул Александр как убитый около очага, сложенного из камней, а ночью проснулся от ожога. Оказывается, от искр начала тлеть телогрейка. Огонь пробрался в вату и, наконец, добрался до тела. Сбросив телогрейку на землю, он затоптал огонь и лег опять. Утром починил лыжи и пошел собирать пожитки, которые побросал ночью в пути.

Охота на медведя вызвала у него отвращение. Если б мог, то запретил бы ее. Происходит она в тех местах так. Разыскивается берлога спящего почти в анабиозе зверя. Четверо-пятеро охотников окружают ее с заряженными карабинами наготове, кто-нибудь тычет лыжей в медведя. Тот спросонья, ничего не понимая, выскакивает, объятый страхом, и его встречают дула ружей, из которых палят по нему в упор. Александр был просто счастлив, что берлога оказалась пустой. Видимо, спящий медведь почуял выслеживавшего его охотника и ушел. Убивать полезных, умных, красивых зверей — их и так мало осталось — и еще таким варварским способом! Не охота, а бойня.

Под обличьем охотоведа жил зоолог, внутри зоолога скрывался христианин, заключивший в свое сердце все живое, а в самой глубине — мистик, в твари узнававший Творца.

Близилось время, когда тайный центр его существования выйдет наружу и подчинит себе всю его внешнюю жизнь. Всего пять месяцев отделяло этого охотоведа, ползущего на сломанных лыжах по снегу в тайге и с карабином в руках ожидающего появления медведя из берлоги, от рукоположения во диакона. Но он и сам еще не знал, что его время уже близко.

Километрах в пятидесяти от Иркутска, на берегу Байкала, в глухом месте стояла деревянная церковь дивной красоты. Когда на Ангаре строили плотину, церковь должны были затопить. Однако в Иркутске нашлось несколько деятельных, образованных верующих, они стали хлопотать и добились выделения девяноста тысяч рублей на ее перенос в другое место. Попутно произвели перестройку, и церковь даже выиграла. Много лет спустя отец Александр увидит ее в фильме о декабристах. В этом храме служил хороший священник, отличный проповедник, человек глубокой веры, умный и образованный. Он знал языки и преподавал их. Но его дарования пропадали без пользы. Церковь его никто не посещал, и он служил литургии обычно в полном одиночестве.

Александр и Глеб иногда ходили к нему пешком. И одинокому священнику, и обоим охотоведам эти встречи приносили много радости и обоюдной пользы.

На пятом курсе Александр устроился истопником в епархиальное управление. Его работа состояла в том, чтобы ночами топить печи. Он приносил с собой книги, подкладывал в огонь дрова и ночи напролет читал, думал, молился. Ему нравилась его работа, да и нужны были деньги на покупку книг. А еще он писал Наташе длинные письма, которые озаряли отблески огня из топки.

На военных сборах

В Иркутске перед выпускным курсом проходили шестинедельные военные сборы. Однажды во время учебного боя наступавшее отделение, в котором действовал с полной тридцатидвухкилограммовой выкладкой курсант Мень, заскочило в лесок. Там солдаты рассеялись в чаще, и Александр потерял их из виду. Выскочил из леса — никого. Вбежал обратно, поискал товарищей — никого. Выскочил на опушку опять и вдалеке увидел цепь солдат, идущую в атаку. Что делать? Надо догонять. И с полной выкладкой, с тяжелым автоматом в руке он побежал вдогонку.

Как потом оказалось, сзади шел «газик» с начальством и офицеры держали пари: догонит ли цепь курсант или махнет рукой и отстанет. Александр догнал на полном издыхании. В числе офицеров, ставивших на него, был начальник военной кафедры Сельскохозяйственного института подполковник Каменецкий. Именно от него потребовали впоследствии срезать Меня на госэкзамене по военному делу.

У Александра был от природы короткий размах руки. Обычно ему никогда не удавалось кинуть далеко камень. Как-то на занятиях пришлось бросать гранаты. Дошел черед до Александра. «Бросить-то я брошу, но вы лучше ложитесь», — честно предупредил он. Ребята залегли, но офицер остался стоять. Александр швырнул, как мог, гранату и тут же кинулся на землю. Храбрый офицер еле устоял на ногах и с головы до ног был засыпан землей. Служилось Александру легко, он без труда переносил тяготы дисциплины, армейский быт и непрестанные учения. Это ведь тоже был жизненный опыт...

Второй кризис

Во второй раз Александр пережил кризис на последнем курсе института. Незадолго до выпуска он сидел с ребятами из своей группы в актовом зале.

Со сцены на них смотрел гигантский портрет Ильича.

Была весна, приближались государственные экзамены и конец пятилетней совместной жизни. Уже долгие годы были ребята оторваны от дома, и всю их семью составляли институтские друзья. Пять лет жили неразлучно. Разговор шел о близком будущем, каждый рассказывал о своих планах. Разъезжались по заповедникам и заказникам в дальние концы страны. И вдруг сердце у Александра сжалось. Правильно ли он делает, собираясь в семинарию? Не поставит ли священство барьер между ним и его друзьями? Сейчас он один из них, они доверяют ему, говорят на одном с ним языке. Сможет ли он делать дело Божие с тем же успехом, если оторвется от них? Сейчас они знают, что он христианин, и видят в нем друга, тем самым он выполняет для них роль проповедника Благой Вести.

Но если он от них оторвется, станет «служителем культа», будут ли они понимать друг друга? Кризис длился минут сорок и сменился внезапным миром и покоем, которые всегда приносило ему предавание себя в волю Божию.

Конец иркутской эпопеи

Первым государственным экзаменом для охотоведов Сельскохозяйственного института в группе, где учился Александр, было военное дело.

Перед экзаменом в аудиторию проследовало институтское начальство. Александр сразу понял, что речь пойдет о нем. Как выяснилось позже, от преподавателя потребовали завалить неугодного студента. Однако мужественный преподаватель (вероятно, подполковник Каменецкий был старым фронтовым офицером), вопреки нравам того времени, ответил: «Студент Мень добросовестно проходил военную подготовку. Я видел, как он вел себя на военных сборах, это наш человек. Все бы студенты были такими солдатами». К возмущению начальства, он вывел в матрикуле заслуженную четверку.

Немедленно был созван учебный совет. Головы ломали недолго. Наскребли четыре пропуска занятий за весь учебный год, и Александр был отчислен за непосещения лекций!

Что ж, тем самым ему расчищали путь для давно задуманного. Образование получено, о годах учебы в институте он не жалел — биология была его глубоким увлечением, и он был благодарен за полученные знания. А диплом охотоведа? На что он нужен священнику?

Но с непостижимой быстротой на другой день после исключения из института пришла повестка из военкомата. Она предписывала военнообязанному Меню А.В. явиться в военкомат. Итак, военная служба!

Это было ударом. Его забреют, он останется без диплома, священство отодвигается в неопределенное будущее, а неустроенная Наташа окажется с ребенком на руках без средств к существованию, без помощи, без мужа...

Почва зашаталась под ногами. Александр горячо молился в своей студенческой каморке, просил Бога о помощи, а утром пошел в военкомат.

Войдя, он сразу сказал молчаливому усталому офицеру за письменным столом: «Я православный. Позавчера меня отчислили за веру из института с последнего курса. Вчера я получил призывную повестку. В Москве у меня жена и грудной ребенок. Я прошу отсрочки до осени».

Военком внимательно смотрел на Александра и молчал. Наконец сказал: «У меня сейчас нет призыва, можете идти».

На улице Александру хотелось петь от радости и от благодарности за посланную помощь. Но испытания на этом не кончились. На другой день пришла новая повестка из военкомата.

Когда Александр показал повестку военкому, тот ничего не ответил, взял телефонную трубку и сухо сказал кому-то несколько коротких фраз. Главная из них, насыщенная спасительным смыслом, была давнишняя: «У меня нет призыва».

«Вы свободны, — обратился он к Александру. — Можете ехать к жене».

Несколько дней спустя по улицам Иркутска к вокзалу двигалось странное шествие. Ватага из семидесяти шумных студентов почти исключительно мужского пола (в обеих охотоведческих группах старшего курса было всего две девушки) торжественно несла тринадцать тяжелых чемоданов с книгами, провожая чернобородого худого юношу в его неизменном военном кителе, галифе и сапогах.

Что ж, через несколько дней все равно предстояло разъезжаться. Охотоведы, ставшие за годы жизни в Иркутске сплоченной семьей, первым провожали Александра. На перроне его подхватили под мышки и за ноги и, как он ни отбивался, несколько раз подбросили в воздух.

Чтение и литературные занятия в студенческие годы

1953

Изучаю Флоренского. Глубоко потрясен им. Лодыженский «Сверхсознание». Знакомлюсь с йогой и теософской литературой. Еще стихи живут.

1954

Первый том «Исторических путей христианства» написан (Древняя Церковь). Антропогенез. Новый толчок дала лекция Я.Рогинского в Политехническом музее. Много хожу на концерты. Складывается концепция шеститомника (в Приокском заповеднике, где бывал раз семь).

1955

Иркутск. Начинаю второй том «Исторических путей». Пишу брошюру против баптистов (вполне ортодоксально и мирно). Нахожу Франциска Сальского. Привлекает больше, чем восточные авторы на эту тему (ближе к реальной жизни). Решаюсь найти всю книгу (были две последние части). Потом нашел...

1956

Продолжаю второй том. Собираю материал по шеститомнику. Читаю Вл.Соловьева, Лопатина, Лосского, массу художественной литературы (Мережковский и пр.). Изучаю теософию. Учусь у одной женщины йоговским упражнениям.

1957

Заканчиваю второй том, довожу до XV в. Начинаю книгу «О чем говорит и чему учит Библия». Изучаю библейскую критику. Веллгаузен. Читаю много из русской религиозной философии. Особенно поражает Трубецкой «Умозрение в красках» об иконах. Киприан. «Палама».

1958

Изучаю Соловьева, «Историю Католической Церкви» (автора не помню, по-моему, поляк. По-русски). Работаю в епархиальном управлении. Изнанка. Знакомлюсь с бывшим католическим священником. Тоже не сахар. Резкое отталкивание. Но благодаря предыдущим работам уже прочно стою на экуменической позиции. К.Даусон «Прогресс и религия».

ГЛАВА ШЕСТАЯ
МОЛОДОЙ ДИАКОН

Рукоположение во диакона

Итак, с институтом было покончено. Александру выдали вместо диплома справку о том, что он прослушал пятилетний курс и отчислен в марте 1958 года. С этой справкой и со своими тринадцатью чемоданами книг Александр вернулся в Москву.

Рукоположение устроил Анатолий Васильевич Ведерников, редактор «Журнала Московской Патриархии» (в просторечии ЖМП). С ним Александру довелось знакомиться дважды. В первый раз, еще школьником, Алик пришел к нему как к инспектору Московской Духовной семинарии. Ему было 14 лет, он кончал седьмой класс и хотел узнать, можно ли туда поступить. А.В. предложил прийти, когда ему исполнится восемнадцать. Во второй раз он познакомился с ним в студенческие годы, когда Ведерников был уже редактором ЖМП. Глеб свел его с Катей Крашенинниковой (прототипом Симочки в романе Б.Л.Пастернака «Доктор Живаго»), работавшей в ЖМП. Через нее состоялось знакомство с Наташей Соболевой, сотрудницей Патриархии, а та привела Александра к Анатолию Васильевичу.

Теперь, узнав об исключении Меня из института перед самыми государственными экзаменами, Анатолий Васильевич пошел к митрополиту Крутицкому и Коломенскому Николаю и сказал ему, что есть один молодой человек, уже готовый священник: знает службу, потому что много лет прислуживал в храме, и имеет полное богословское образование.

Митрополит ответил, что полностью полагается на рекомендацию Анатолия Васильевича, и, даже не видя кандидата, дал распоряжение о рукоположении.

Уже после этого он принял Александра и был чрезвычайно любезен. Он спросил его, не знает ли он иврита, — Александр не знал. «Надо бы вам его выучить, — сказал Владыка, — это очень помогает пониманию Священного Писания. Я со студенческих лет запомнил, как нам объясняли в академии. Из русского перевода неясно, почему Господь, сотворив женщину, сказал: «Она будет называться женой, ибо взята от мужа». А если прочесть на иврите, все становится ясно: «муж — иш, жена — ишша».

Еще раньше через Катю Александр был представлен архиепископу Макарию (Даеву). Теперь Александр воспользовался этим знакомством и попросил владыку Макария рукоположить его.

— Удобно ли отнимать вас у государства? Ведь все-таки вы пять лет учились в институте.

— Государство само от меня отказалось, владыко. — И Александр показал свою справку.

1 июня 1958 года, через два с половиной месяца после отчисления из института, Александр был хиротонисан во диакона. Рукоположение состоялось в храме Ризоположения на Донской улице. Прошло оно очень торжественно, храм был полон знакомых и друзей.

Александр глубоко пережил его как мистическое событие, но никакого перелома в его жизни рукоположение не означало. Продолжался тот же путь. Уже на последнем курсе он выполнял в институте лишь необходимое — предметы изучались для него в основном совершенно неинтересные, вроде бухгалтерского учета.

Он уже тогда был целиком погружен в те же дела, которые продолжал диаконом и священником: изучал и писал книги, нужные людям, ищущим духовного просвещения, и работал с людьми. Исповедником он, собственно, стал еще со школьной скамьи. К нему всегда шли люди за советом, рассказывали о своих мыслях и стремлениях, поисках истины и сомнениях, внешних и внутренних трудностях, неурядицах, срывах. Он никогда не вызывал на откровенность — это получалось помимо его воли. Как-то сразу угадывалось, что он обладает знанием чего-то высшего, и это впечатление подкреплялось его многосторонними познаниями и быстро накопившимся опытом. Кроме того, ему присуща была некая врожденная мудрость: возвышенное и углубленное понимание вещей в сочетании с житейской трезвостью и практичностью.

Людей влекли его открытость, терпение, а главное — любовь к человеку. Тот, с кем он соприкасался в данный момент, был для него всем, альфой и омегой, он становился как бы центром его интересов, сердечной заинтересованности, внимания.

И он хотел и умел помочь. Как? Ответить на это однозначно нельзя, ибо с каждым возникали свои особые, неповторимые отношения, всегда это было творчество в самом высоком смысле слова, род самоотдачи без потери себя, с полным самообладанием — всегда настолько, насколько это было в интересах собеседника.

При этом Александр никогда не стремился «обращать». Он и слово это не любил. Он ценил внутреннюю свободу человека как его высшее достояние, как Божественный дар, и берег ее и лелеял. Важно было прежде всего помочь человеку в его нужде, какова бы она ни была.

Понятно, что к Александру шли люди, и с самого детства были такие, кого он брал под свою опеку, кому постоянно служил и помогал. То есть священнослужителем, слугой Христовым он ощутил себя очень рано, и все, чем он ни занимался, было этим единым и неустанным служением.

Итак, перелома не было, произошло нечто естественное и необходимое. Разве что внешних помех, казалось, стало меньше. Но вступление на путь церковного служения совпало с началом разнузданной хрущевской антирелигиозной кампании. С применением грубого насилия закрывались храмы, пресса ежедневно публиковала враждебные выпады против веры и Церкви. Антирелигиозную литературу выпускали миллионными тиражами.

Акулово

Ему предложили Акулово. Он съездил посмотреть. Все подходило: от Москвы 35 минут на электричке, храм недалеко от станции, но когда Александр увидел дом при храме в Акулове, где ему предстояло жить, он ужаснулся. Как везти в эту полуразрушенную запущенную хибару Наташу с дочкой? Что она скажет, увидев, в каких условиях им придется начинать семейную жизнь? Как тут жить с грудным ребенком?

На помощь пришел Володя Рожков. Вдвоем они принялись за ремонт. Александр был городским жителем, склонным к кабинетным занятиям, но тут молодому диакону пришлось плотничать, малярничать, вставлять стекла.

Скоро дом был неузнаваем. Конечно, он оставался очень тесным, сырым и полутемным, но жить там было можно. И тем не менее зимой стены покрывались толстой ледяной коркой, а в остальное время года сочились от сырости. Молодой диакон переехал в Акулово с женой и дочкой.

Когда известие о рукоположении исключенного выпускника дошло до института, разыгрался скандал. Получилось, что готового специалиста, которому предстояло по крайней мере три года отработать на государственной службе, толкнули в объятия Церкви.

Срочно вызвали в Иркутск Глеба, которого годом раньше завалили на госэкзаменах. Правда, Глеб действительно манкировал занятиями и знал мало, но других студентов, знавших не больше, на экзаменах вытягивали, а про Глеба было известно, что он верующий, и его оставили без диплома. Теперь Якунину предложили пересдать госэкзамены и вручили диплом.

Таинственным образом борьба с религией в стенах института шла только на пользу гонимым. Александр выиграл пять лет: три года обязательной работы по распределению молодых специалистов где-нибудь в глухом заповеднике и еще два года учебы в семинарии.

Глеб же получил диплом и мог осмотреться и обдумать будущее принятие сана, к которому, в отличие от Александра, он вовсе не готовился с отроческих лет.

В Иркутск до института дошли слухи, что Мень стал священником, купается в золоте, имеет свой дом и ездит на собственной машине.

На деле все было как раз наоборот. Жалованье диакону положили мизерное — 100 рублей. На эти деньги надо было содержать семью, покупать дрова и ремонтировать ветхий дом. Платить машинистке и вовсе было нечем. На помощь пришел Анатолий Васильевич, который дал возможность отцу Александру печататься в ЖМП. В конце 1958 года появилась его первая статья в журнале, затем последовали другие — всего за четыре года было напечатано около сорока статей.

Гонорары помогали сводить концы с концами. Настоятель жил «с кружки», то есть у него не было установленного жалованья, и большая часть церковных сборов попадала ему в руки. Получал он 800—900 рублей в месяц. Лишь изредка, заметив, что диакон совсем обносился, он подкидывал денег на покупку новых ботинок или брюк.

До отца Александра диаконом был милейший и интеллигентнейший старичок. Ему настоятель платил и вовсе 50 рублей. Жизнь впроголодь в сырой и холодной халупе доконала его, он тяжело заболел, не смог оправиться и умер.

С первых дней служения молодой диакон понял, что делами в церкви заправляет не столько настоятель, сколько его рыжеволосая пожилая сестрица, сущая мегера. Заметив, что диакон пользуется любовью прихожан и к нему постоянно приезжают почтенные гости из Москвы, она возревновала и возненавидела его. Тысячью способов стремилась она отравить диакону жизнь. Настоятель был у нее на поводу, и отношения складывались тяжелые.

Отец Сергий Орлов был высокочтимым протопопом. Высокий, благообразный, с орлиным носом и окладистой бородой, он держался очень внушительно. Когда-то он был учителем. Он считался великим знатоком Типикона и устраивал пятичасовые службы по монастырскому уставу (первые полгода у отца Александра каждый день болела голова, потом он втянулся). Ему поручалось составлять годовые служебные указания к церковному календарю. Дело, в общем, нехитрое — отец Александр тоже составил как-то эти указания для заработка, но многие смотрели на отца Сергия, как на оплот православия, видели в нем образцового пастыря. У него имелись связи среди иерархов, и в Акулове нередкими гостями были архипастыри. Приезжал владыка Антоний, впоследствии митрополит Ленинградский и ректор Ленинградской Духовной Академии. Владыка был высокий, черноволосый, носил золотые очки. Он собирал картины. Поговорив с диаконом, он достал только что вышедший альбом с репродукциями Нестерова и показал Александру картину «Философы».

— Кто это? — спросил он.

— Отец Павел Флоренский, — ответил диакон.

В те годы и о трудах-то Флоренского никто не слыхал, а не то чтоб узнать его по репродукции портрета. Знал Александр и остальных «философов». Все это произвело на архиерея такое впечатление, что он сказал отцу Сергию: «Этот будет вторым Флоренским».

Больше диакона не только не звали, когда приезжали именитые гости, но грубо и демонстративно показывали, что он persona non grata. Отец Сергий восстанавливал иерархов против отца Александра, закладывал основы для подозрительного и недоверчивого отношения к нему.

Обстановка в храме была настолько неприятная, что отец Александр всячески удерживал Наташу от посещения служб. Она только-только обратилась, делала первые шаги в церковной жизни, и не хватало, чтобы она насмотрелась всякой злобы у себя под носом. Да и особенно ходить в церковь ей было некогда с маленьким ребенком и нелегким хозяйством в деревенском доме безо всяких удобств.

Но молодой диакон не горевал. Он был молод, здоров, вынослив, жизнь била ключом. Он служил в церкви, помогал жене по дому, писал статьи и книги и принимал множество людей.

Акуловские будни

Осенью отец Александр поступил заочно на третий курс Ленинградской семинарии (в Московской в то время не было заочного отделения).

Жизнь его была заполнена службами, требами. Настоятель охотно перепоручал ему крестины, чтение проповедей и другие свои обязанности.

В ту пору много крестилось взрослых людей. Рядом было Одинцово — довольно крупный центр с фабриками и заводами. Крестились рабочие парни, фабричные девушки. Отец Сергий поручал молодому диакону готовить их к оглашению. После литургии он гулял с ними вокруг храма полчаса, час или два, как удавалось, и объяснял им необходимое. Затем шли в храм, и совершалось крещение. Так отрабатывались и обкатывались методы катехизации взрослых.

Но в общем акуловский храм был гнездом типиконщины и фарисейства. Отец Александр в солнечную погоду носил темные очки и даже служил в них панихиды на кладбище. В глазах местных старушек это чуть ли не потрясало основы православия. Отец Сергий, также живший на территории церкви, носил и дома подрясник и рясу. Отец Александр ходил в цветастой рубашке навыпуск. «Пусть привыкают», — отвечал он на придирки.

Хотя принятие сана не было переломом в жизни отца Александра, но пора для него была самая радужная, несмотря на мрачную обстановку в приходе (впрочем, и в этом не было для него ничего нового — он достаточно уже насмотрелся на обрядоверие и фарисейство и в московских храмах, и в монастырях, и в Иркутске).

Прежде всего глубокую радость приносила жизнь в храме, постоянное участие в литургии. Во-вторых, теперь можно было заниматься своим главным делом безраздельно, не теряя времени на те неинтересные предметы, которые изучались на последнем курсе. Алик много писал.

Первой акуловской осенью он закончил большую работу (400 машинописных листов) «О чем говорит и чему учит Библия». Эта книга явилась как бы эмбрионом, из которого в дальнейшем вышло шесть томов серии «В поисках Пути, Истины и Жизни». В ней содержалась значительная часть идей, получивших свое развитие в последующих книгах. Книгу читали Николай Евграфович Пестов и Анатолий Эммануилович Краснов-Левитин и оставили в ней свои пометки. Оба горячо одобрили эту работу.

Опыт катехизации и многократных устных пересказов Евангелия побудил отца Александра вслед за книгой «О чем говорит и чему учит Библия» тут же начать новый труд. Это был «Сын Человеческий», книга о Христе. Он давно уже готовился к ней, можно сказать, с пятилетнего возраста. С раннего детства он не расставался со Христом, ежедневно обращался к Нему, думал о Нем, размышлял на евангельские темы. Еще в 14 лет начал писать полухудожественную повесть о Христе, но прервал ее, потому что встретился с необходимостью многое уяснить и пополнить свои богословские и исторические знания.

В институте он задумал написать книгу о Христе, прибегнув к синтетическому методу. Он хотел соединить свое видение и понимание живого Христа, новейшие данные истории, археологии, библейской критики, литературного анализа, изложить в ней основы христианского вероучения.

И вот настал черед давно задуманной книги. Эти несколько месяцев в конце 1958 года, чем бы он ни занимался, он мысленно работал над ней. Это было огромное счастье, и отец Александр жил в состоянии особого подъема.

Гонорары за статьи в ЖМП дали возможность перепечатать «Сына Человеческого», и очень скоро книга получила распространение в самиздате.

Подобных книг в России не было, «Сын Человеческий» был написан живым современным языком, очень доходчиво, и вместе с тем простота изложения не умаляла глубины содержания. Христос-Человек в ней был осязаем и реален, и с такой же убедительностью была показана Его Божественность. Книгу читали в Иркутске, в Средней Азии, на Дальнем Востоке.

Теперь он работал над вводной книгой грандиозно задуманного цикла истории мировых религий. Этот том назывался «Истоки религии» и требовал широкого охвата сложнейших философско-богословских проблем. Отец Александр читал горы книг, размышлял, делал выписки.

Праздники

Но в этих напряженных трудовых буднях были и праздники. К Меням часто приезжали друзья по институту, друзья детства, новые знакомые. А главными праздниками были четверги у Анатолия Васильевича Ведерникова в Переделкине. Это были настоящие пиршества и для ума, и для сердца. Вокруг редактора «Журнала Московской Патриархии» собралось немало ярких, духовно одаренных людей. Здесь отца Александра познакомили с отцом Дмитрием Дудко, с Евгением Бобковым, будущим старообрядческим священником (благочинным). Сюда приезжали на целый день. Затевали оживленные диспуты на разные темы, высказывались откровенно по самым животрепещущим проблемам церковной и общественной жизни, обменивались мнениями, идеями, книгами. Слушали музыку. Сын Анатолия Васильевича Николай Анатольевич и его жена Нина Аркадьевна были консерваторцами, прекрасными пианистами, Николай Анатольевич, будущий отец Николай, великолепно знал церковную музыку и отлично пел. Он и сам сочинял музыку и виртуозно импровизировал на любую заданную тему.

Отец Александр публиковал в «Журнале Московской Патриархии» статьи по самым разным богословско-историческим проблемам. Кое-что извлекал из своих написанных книг и переделывал для публикации.

Редакция была родным домом для сотрудников журнала. За столом с кипящим самоваром происходили интересные встречи, завязывались знакомства, обсуждался широкий круг проблем.

Помещалась редакция в Новодевичьем, в башне, там, где потом находилась приемная митрополита Крутицкого и Коломенского. В большой редакционной комнате сотрудники и авторы гоняли чаи и вели увлекательные разговоры. Обсуждали животрепещущие богословские, церковные, общехристианские проблемы. Кипели мысли, разгорались споры. А в глубине башни в своем кабинетике сидел Анатолий Васильевич и поочередно принимал посетителей, которые шли к нему с самыми разными проблемами.

Однажды отец Александр встретился здесь с маленьким, живым и юрким человеком. Появившись в редакции, он тут же овладел всеобщим вниманием и стал увлеченно о чем-то рассказывать. Сразу стало интересно. Это оказался Анатолий Эммануилович Краснов-Левитин, религиозный писатель. Они вышли из Новодевичьего вместе и допоздна бродили вдвоем по улицам, не в силах прервать захватившего обоих разговора. Возникла дружес-

кая связь на всю жизнь. Анатолий Эммануилович увлеченно рассказывал свою эпопею, которую позже описал
в трехтомных «Очерках по истории церковной смуты».
Потом «Мануилыч» будет привозить отцу Александру свои
статьи, читать его книги, приезжать к нему домой чуть
ли не сразу после очередной отсидки, а когда уедет, наконец, из России, будет присылать толстенные письма,
исписанные огромными детскими буквами, о своем
швейцарском житье-бытье, горьких раздумьях и неодолимой тоске по родине.

Феликс

Однажды Глеб привез с собой в Акулово молодого
человека. Звали его Феликс, и был он лет на пять по-
старше отца диакона. Он сразу повел себя как свой человек. Все понимал, с лету схватывал мысли. Обладал умом,
склонным к упорядочиванию любых сведений в схемы,
так сказать, к схемосозиданию, и при разговоре быстро
возбуждался.

Оказалось, он жил в Иркутске в одно время с Александром, слышал о нем и стал его разыскивать, но тот
уже уехал в Москву. Отец Феликса получил юридическое
образование до революции, а потом работал юристом в
ЧК. Во время чистки его репрессировали и расстреляли.
Сам Феликс недавно вернулся из лагерей. Там он под-
набрался всякой всячины от солагерников. Кого там только не было — и всевозможных сектантов, и теософов, и
священников, и профессоров богословия... Феликс рассказал, что, сидя в одиночной камере, нарисовал на стене
шестиконечную звезду (Феликс — еврей с небольшой
примесью немецкой крови по матери, в лагере он выдавал себя за немца). Он часами глядел на эту звезду, и
ему стали открываться и смысл истории, и грядущие
судьбы мира. Он был уверен, что постиг тайны Книги
Даниила и Апокалипсиса. Он обнаружил связь их с исторической ситуацией того времени... Близится конец света. Он ожидал, что найдет в отце Александре склонную к
подобному мистицизму душу. А тот слушал-слушал Феликса и вдруг почувствовал к нему жалость. Он предста-
вил себе тягостное безделье энергичного и живого ума в

одиночной камере и напряженные усилия мыслить систематически без книг и бумаги, размышлять на сложные темы без должной подготовки.

Феликс уловил эту жалость и закрылся. Больше на эти темы он с отцом Александром не говорил.

Но Глеб им увлекся. Он познакомил Феликса с Наташей Соболевой, и та представила его Анатолию Васильевичу Ведерникову. И вскоре Феликс уже читал лекцию перед довольно обширной аудиторией у Анатолия Васильевича. Говорил он прекрасно — с неподвижным лицом, низким, монотонным, завораживающим голосом. Делал он доклад и у Бориса Александровича. Он увлекал, умы разгорячались. Среди всего этого возбуждения и эсхатологических разговоров один отец Александр хранил хладнокровие. Он тщательно и всесторонне изучал и Книгу Даниила, и Апокалипсис, понимал их, а кроме того, знал цену предсказаниям скорого конца света с их помощью. Не было такой эпохи, в которую не находились бы «пророки», истолковывающие современные им факты для подобных предсказаний. У него бабки в приходе толковали в этом роде: Ленин — это по Апокалипсису то, а Сталин — это то, значит, скоро конец света.

Феликс читал лекции по домам. У А.В.Ведерникова, у Бориса Александровича, у Наташи Соболевой (у последней он даже поселился с женой и тещей, но кончилось это тем, что Наташа его возненавидела и выгнала). Хотя центральной темой было толкование Книги Даниила и Апокалипсиса в духе близкого конца света, но диапазон его интересов и познаний был широк. Например, он сделал доклад о пушкинском «Медном всаднике», доказывая, что в этой поэме Пушкин выразил пророческое предвидение революции. Говорить он мог об очень многом. Людей он завораживал, пленял, но обычно вскоре они с ненавистью отворачивались. Они как бы подбрасывали его в восторге в воздух, но забывали подхватить, а потом растаптывали ногами...

Несмотря на схематический склад ума, натурой он был очень страстной. Он не был привержен какой-то одной идее — увлекался он поочередно самыми разными и противоречивыми вещами, — но предавался им всякий раз с неудержимым фанатизмом.

Однажды Феликс рассказал отцу Александру, что встретился с приятелем по лагерю Львом Кансоном и хочет привезти его в Акулово. В назначенный день Лев приехал без Феликса — они почему-то не смогли встретиться. Разговор вышел неожиданный.

— Вы знаете, что этот Феликс страшный человек? — спросил Кансон.

— Страшный? Почему страшный?

— Потому что он подсадная утка и погубил множество людей. Вы знаете, за что он сел?

— Да, в 1947 или 1948 году у них был религиозный кружок, и их взяли.

— Взяли, потому что Феликс был наводчиком. В конце войны он попал в армию, его зачислили в «СМЕРШ». Чтобы искупить грехи отца, он должен был работать агентом.

— Но ведь и он сидел.

— Сидел, чтобы делать то же дело. Он подбивал людей устраивать разные подпольные организации, и потом их расстреливали. Когда наконец поняли, его хотели убить. Он клялся, что он ни при чем. Тогда его решили испытать. Предложили убить, и не топором, а ножом, так труднее, другого провокатора, которого тогда же засекли. И он убил. Ему вкатили второй срок.

— Это бывает. Важно, что он такое сейчас.

Все это было странно. Не мог Феликс не понимать, как к нему относится Лев, и все-таки сам показал ему дорогу к отцу Александру и в других местах с ним появляется.

При ближайшей встрече отец Александр прямо спросил: «Ты знаешь, что о тебе Лев рассказывает?»

Феликс отпираться не стал.

— Не мог же я прийти к тебе и представиться: здрасьте, я то-то и то-то.

Александр чутьем чувствовал, что Феликс искренен и рвется стать священником без всяких дурных побуждений.

Из Иркутска Феликс привез молодую жену: она недавно окончила театральное училище и играла роли травести в иркутском ТЮЗе.

— Я должна была или отвергнуть его, или принять вместе со всеми его идеями и видениями, — говорила она отцу Александру. Она действительно приняла его таким, каков он есть...

Сначала Феликс работал монтером, потом, женившись и получив московскую прописку, устроился алтарником. А вскоре стал добиваться рукоположения. Он объехал семерых епископов в разных епархиях. Всюду происходило одно и то же. Сначала его принимали с распростертыми объятиями, а потом выставляли, иногда в весьма резкой форме. Собственно, один Глеб Якунин остался ему верен.

На какое-то время Феликс осел в Ташкенте, где вокруг архиепископа Гермогена собралась блестящая плеяда священников: отец Петр Рязанов, отец Павел Адельгейм и другие.

Затем вернулся в Москву. Позднее, когда отец Александр был рукоположен во священника и получил приход в Алабине, Феликс стал его духовным сыном. Отец Александр относился с трезвым холодком к мистическим схемам Феликса, но не это послужило причиной его ухода. Дело в том, что он оставил свою жену, решил жениться снова и привел свою новую избранницу к отцу Александру. Это была очень некрасивая женщина, старая дева. Когда Феликс спросил, понравилась ли она, отец Александр откровенно признался, что совсем не понравилась. Им жить, он ничего против не имел, но раз прямо спросили, надо отвечать. Феликс перестал к нему ходить.

На вопрос: здорова ли у Феликса психика? — отец Александр отвечал:

— Мы показывали Феликса Дмитрию Евгеньевичу Мелихову (профессору-психиатру). Он обследовал его и пришел к заключению, что болезни как таковой нет, но тип в высшей степени истерический и параноидальный.

Еще отец Александр сказал: «Наверное, нехорошо, что я вроде его осуждаю. Но для меня он теперь не живой человек, а как бы литературный персонаж».

Николай Эшлиман

В те же диаконские годы отец Александр подружился с «вольным художником» Николаем Эшлиманом. Предки этого крупного красивого человека были выходцами из Шотландии, из рода Эшли. Семья была дворянская, и Николай сохранил барские привычки. Эшлиман жил на

Дмитровке напротив Дома Союзов. Он был необыкновенно и многосторонне одарен. Никогда не учась, стал живописцем, расписывал храмы. Прекрасно играл на рояле, пел, обладал актерским даром имитации и, наконец, был наделен редким красноречием. Его полуартистический-полубогемный дом в самом центре Москвы с красавицей женой и красавцем ирландским сеттером привлекал множество самых разных людей. Говорили, что Николай Эшлиман второй в Москве повар-гурман. Он великолепно готовил изысканнейшие блюда, раздобывал отличное вино и жил на широкую ногу.

Что сблизило Александра с Николаем, почему подружились эти столь разные люди? Наверно, каждого влекла к другому яркая талантливость, незаурядность, сквозившая в каждом слове и жесте. Александр был еще студентом 4-го курса, когда они встретились у диакона Сергея Хохлова и затем у Володи Рожкова (студента Духовной Академии), в ту пору Коля пел в церкви и расписывал храмы. Сблизила их культура, и отрадно было встретить на общей церковной почве нахватанного в мистической литературе, одаренного человека. Он всюду видел знаки, знамения. Правда, был склонен и к мистификациям, как-то устроил розыгрыш с «самовозгорающейся» лампадой.

Скоро они стали единомышленниками. Сблизились они настолько, что между ними даже возникла какая-то телепатическая связь. Глеб был третьим в этой «могучей кучке», а вскоре появился и четвертый, Феликс, черный демон Коли Эшлимана.

Глеб, благополучно окончив Сельскохозяйственный институт, приехал в Москву. У ребят был один приятель-собутыльник. Он недавно окончил семинарию, но рукополагаться не стал. Его стихия была совсем другая: он был делец-толкач. Работал по художественной части в Патриархии, знал многих иерархов и как-то, узнав о желании Глеба стать священником, обещал все устроить. Он действительно договорился со знакомым епископом, и тот шито-крыто рукоположил Глеба. А вскоре был хиротонисан и Николай Эшлиман.

Женя Бобков

Однажды в Акулово приехал высокий сухощавый юноша. Он разыскал отца Александра.

— Здравствуйте, я Бобков. Вы про меня читали?

Отец Александр читал. Этому громкому делу был посвящен большой фельетон в одной центральной газете. Женя Бобков был сыном главы московской старообрядческой общины и учился на юридическом факультете Московского университета. Будучи глубоко верующим человеком, он ходил в старообрядческую церковь и там прислуживал. Это обнаружили, сфотографировали Женю с большой свечой в руках и придали делу гласность. Женя был немедленно исключен из университета.

Он сумел окончить университет заочно и вскоре стал диаконом в старообрядческой церкви. Через несколько лет он получил сан пресвитера. Живой, деятельный и образованный старообрядец пришелся по душе православному диакону.

Постоянными гостями в Акулове были Глеб Якунин, Анатолий Эммануилович Краснов-Левитин, Николай Эшлиман. Когда удавалось, приезжали охотоведы, кончившие институт и получившие назначения в самые разные края.

Отец Николай Голубцов

Многочисленные братья и сестры Голубцовы походили все на Достоевского. Но более всех походил Николай. Отец их был профессором Московской Духовной Академии, однако сана он не принимал. Один из братьев отца Николая стал епископом, другой — священником, одна из сестер была монахиня. Сам же отец Николай закончил Тимирязевскую сельскохозяйственную академию, был биологом и рукоположился лишь в 40 лет.

Человеком он был образованным, начитанным, хорошо знал богословие, философию. Натуру имел творческую, писал богословские труды. Некоторые его статьи публиковались в «Журнале Московской Патриархии».

Он сделался пастырем новообращенных интеллигентов — по всем своим данным был для них в ту пору лучшим духовным наставником. Он сам был интеллигентом и прекрасно понимал их. Был он свободен от всякого ханжества, разговаривал живым современным языком без малейших следов широко распространенной среди русского духовенства стилизации под псевдомонастырский жаргон. Ничего елейного и деланного. Отличали его трезвость, здравый ум, понимание современных условий жизни. И люди шли к нему толпами. Он служил в церкви Ризоположения, что на Донской улице, и в Малом Донском соборе — в обоих храмах один причт. При них не было никакого подсобного помещения, и всю свою работу с паствой отец Николай вел после службы на клиросе. Отойдет обедня, а в церкви выстраивается длинная очередь людей, ждущих беседы с отцом Николаем.

И вот в 1953 году в этой очереди появился и Александр, то ли еще десятиклассником, то ли уже первокурсником — он не мог припомнить потом. Мать Мария к тому времени очень ослабела и не могла больше вести духовное руководство. А все окружение Меней, главным образом «маросеевцы», ходило к отцу Николаю, в том числе и Борис Александрович, будущий духовник Александра и Наташи Соболевой.

Александр внимательно присматривался к методам отца Николая. Он давно знал, что будет священником для новообращенных интеллигентов. Эта самая действенная и качественная часть общества, приходя в Церковь, не встречала в те годы понимания и поддержки и оставалась без духовного руководства. Подходящие для этой цели старые священники сошли на нет, отец Всеволод Шпиллер только начинал разворачиваться после эмиграции. Александр учился у отца Николая и впоследствии считал его своим учителем. Отец Николай не был проповедником. Он вкладывал себя в индивидуальные беседы, в частную исповедь. Сила его была в тех советах, которые он давал своим духовным детям, и в том, как он сам осуществлял свою веру в жизни. Хотя паства его была обширна, но в общем все друг друга знали. Однако глубокого общинного единства не было, и со смертью отца Николая возникшие между его детьми связи распались.

Он крестил Андрея Синявского, Светлану Аллилуеву. Светлана оставила в своих воспоминаниях портрет отца Николая.

Отец Николай оставался духовником отца Александра до самой своей смерти в 1961 году. Он говорил ему: «Замучает тебя интеллигенция». Сам он действительно умер в возрасте шестидесяти трех лет от переутомления. Врачи настаивали после инфаркта на том, чтобы он ушел на покой, но он не оставлял своего напряженного труда и умер от очередного удара.

Таким образом, Александр пришел к нему в 18 лет, оставался под его руководством все годы студенчества, диаконства и первый год священства. Отец Николай давал ему ценные профессиональные советы. Но никогда Александр не делился с ним своими замыслами, не рассказывал о научной работе, не показывал своих книг. Отец Николай был слишком для этого загружен, а отец Александр слишком скромен. Он учился у своего духовника, больше всматриваясь в него и наблюдая его пастырскую работу, чем спрашивая и беседуя.

Отпевание было необычайно торжественным. В нем участвовало десять или двенадцать священников, чьим духовником был отец Николай, и его огромная паства.

Чтение и литературные занятия в годы диаконства

1958

Уже дьяконом заканчиваю о Библии. Пишу очерк «Единство Церкви», прокатолический. Вычленяю из «Библии» (440 стр.) главы о Христе и делаю «Сына Человеческого». Использую катехизические беседы, которые каждое воскресенье по просьбе настоятеля вел с новокрещаемыми. Начинаю учиться иконописи у Ведерниковых.

1959

Работаю над вторым вариантом «Сына Человеческого». Начинаю печататься в «Журнале Московской Патриархии» (всего около 40 статей). Основополагающие книги: Ельчанинов, «Записки священника», только что вышли, и «Пастырство» Киприана Керна.

ГЛАВА СЕДЬМАЯ
МЕДОВЫЕ ГОДЫ СВЯЩЕНСТВА

Рукоположение во священника

Незаметно прошло два года в Акулове-Отрадном. Когда выяснилось, что Наташа ждет второго ребенка, пришло время подумать о рукоположении во священника. Духовник отца Александра отец Николай Голубцов сказал, что приличия ради следует сообщить отцу Сергию о своей готовности служить под его началом. Диакон, собственно, там был не очень-то необходим, нужнее был второй священник. Ответ настоятеля был характерен: «У нас денег не хватит на священника».

Но рукополагаться следовало на какое-то конкретное место. Епископ Стефан (Никитин), из «маросеевских», бывший врач, много сидевший, преложил Александру несколько церквей на выбор. Первые два места (одно из них в Рахманове — пять верст пешком от станции, другое — Яхрома под Дмитровом, но место не было еще освобождено) не подошли по разным причинам, а вот третье — Алабино по Киевской железной дороге — сразу пришлось отцу Александру по сердцу.

1 сентября 1960 года в Малом Донском соборе владыка Стефан торжественно хиротонисал диакона Александра во пресвитера.

Владыка присутствовал на первой литургии молодого священника и сказал, что Александр знает службу лучше многих «академиков».

Алабино

Небольшой храм Покрова Пресвятой Богородицы располагался в живописном поселке Покровское неподалеку от станции Алабино в бывшем имении князей Мещерских. Саму церковь построили в XIX веке, но высоченная колокольня при ней была сооружена по проекту самого Казакова в XVIII веке. Рядом находились два небольших дома для клира.

Поначалу отца Александра назначили вторым священником при новом настоятеле. Предшественники полностью деморализовали приход. Один их них был алкашом, второй — нравственно совершенно разложившимся. Дошло там дело до скандала, прихожане выгнали их, кидали в них камнями и палками.

Со своим первым настоятелем отец Александр прослужил всего несколько месяцев. Тот оказался в церкви случайно. Малограмотный и невежественный, он был неплохим мастеровым и работал при каком-то архиерее. Потом обстоятельства сложились так, что где-то срочно понадобился священник, попался этот человек под руку, и его рукоположили.

Несколько месяцев спустя его куда-то перевели, и на его место назначили другого. Этот был человеком простым и легким, без притязаний, и хотя звезд с неба не хватал, но служилось с ним неплохо. Потом по домашним обстоятельствам он подал прошение о переводе.

Настоятельство

И вот через год после принятия священнического сана в 26 лет отца Александра назначают настоятелем Алабинского храма.

Вторым священником он приглашает отца Владимира Рожкова, давнего приятеля по церкви Иоанна Предтечи, где оба прислуживали в алтаре. Служилось с ним отлично, но через четыре месяца отцу Владимиру представилась возможность самому стать настоятелем, и он перешел в храм Николы Чудотворца в подмосковном селе Пушкино. На его место просился отец Серафим Голубцов, брат отца Николая Голубцова, духовника отца Александра. По всем данным он подходил и был согласен, несмотря на солидный возраст, идти священником к молодому настоятелю. Не имея на то никаких реальных оснований, кроме интуиции, Александр кандидатуру отклонил, под предлогом, что староста хочет другого священника. Через несколько лет он окажется под его началом в Тарасовке и будет тяжко страдать от истеричного душевнобольного отца Серафима, который, как оказалось, был провокатором и посадил много людей.

Отец Александр пригласил давнего приятеля по тому же Пресненскому храму. Это был Сергий Хохлов, который и прослужил с отцом Александром до конца алабинской эпопеи.

В первый алабинский год родился сын Миша. Отец Александр очень любил детей. Не только своих, но любые дети вызывали в нем бесконечную нежность. Он много помогал Наташе по дому. Сначала семья снимала две комнаты в деревенском доме, а затем, когда отец Александр стал настоятелем, переселилась в сторожку при храме. Правда, предварительно пришлось ее отремонтировать и благоустроить.

Обновление храма

Храм был безвкусно размалеван, и среди этой мазни было изображение Бога Саваофа в виде благообразного старичка.

Молодой настоятель сразу взялся за обновление храма. Был произведен полный капитальный ремонт снаружи и внутри. Построили котельную, и в храм, прежде отапливавшийся печами, провели центральное отопление, а затем и в сторожку, где жила семья отца Александра.

Работы продолжались все три года его настоятельства. Старую безвкусную аляповатую роспись замазали.

Отец Александр вспомнил, что ему кто-то показывал первую икону, написанную профессиональным художником, членом Московского отделения Союза художников Борисом Ивановичем Мухиным. Он разыскал его и предложил расписать храм. Откомандировал его в Киев посмотреть васнецовскую и нестеровскую роспись во Владимирском соборе, и вот всего за месяц Борис Иванович написал на задней стене Страшный суд. Поскольку он был членом МОСХа, то работал тайно, и всегда кто-нибудь стоял на страже, пока он писал фрески. Он же выполнил и заалтарный образ Воскресения Христова на стекле. Чтобы паства не глазела во время службы в окна, в них были вставлены витражи. Соорудили престол из мраморных плит, некогда служивших столиками в кафе. Отчистили их, заново отполировали, вырезали крест и положенные знаки. Сделали новую латунную решетку, отделяющую солею.

Свечной ящик убрали в притвор, проделав лишь маленькое окошко в храм. Из списанных стеклянных дверей метрополитена сделали новые двери в притворе. Они были массивные, с прекрасными ручками и толстым матовым стеклом, которое также расписал Борис Иванович.

Для храма работали резчики, изготовившие новые подставки, аналои и даже проповедническую кафедру, которая представляла собой большой аналой со ступеньками, выносившийся на амвон перед чтением проповеди.

В отремонтированной и реставрированной колокольне устроили запасник. Почти все иконы были заменены. Отец Александр ездил по храмам и просил старые иконы. В то время никакого ажиотажа вокруг икон не было, и ему их охотно дарили для храма. Он отдавал их в реставрацию, заказывал и новые. Например, престольный образ написала корифей современной иконографии Мария Николаевна Соколова.

На территории алабинского прихода находилось и село Рождество близ Голицына. Там стоял прекрасный храм, превращенный в овощной склад. Однажды отец Александр зашел туда. Он ахнул: внутри храм был облицован великолепным цветным итальянским мрамором. Часть колонн и киотов была разбита, кое-что уцелело.

В конце концов отцу Александру удалось получить две колонны и мраморные киоты для своего храма, они были встроены в стены и обрамляли расширенный проход в придел. На колокольне вместо старой железной дощечки прибили большую мраморную доску с золотыми буквами: «Памятник архитектуры XVIII века. Охраняется законом».

Когда работы были закончены, то, несмотря на проводившуюся в то время хрущевскую кампанию по закрытию храмов, в местной газете была помещена похвальная заметка по поводу отличного ремонта в храме.

Конечно, один отец Александр с этим делом не справился бы. Незаменимым помощником оказался отец Сергий. Бывший шофер, мастер на все руки, он горел воодушевлением, доставал материалы, договаривался с рабочими и сам работал без устали. Кроме того, он прекрасно пел, читал проповеди, беседовал с людьми.

Отец Александр часами не сходил с лесов, показывал художникам, что и как расписывать, проектировал, придумывал, следил за работами. Он стремился приблизить облик храма к своему идеалу. Новый интерьер отвечал, насколько возможно, давно выношенному представлению о том, как должен выглядеть храм. В работах этих сказалось и давнее пристрастие отца Александра к стилю модерн начала века. А в притворе повесили в красивых рамах молитвы и правила поведения в храме.

Очень выручало то, что при церкви была машина с двумя шоферами. Один из них оказался деятельным и умелым «доставалой», своего рода коммивояжером, у другого были золотые руки, он был отличным электриком и охотно работал в храме. В ту пору церковные машины власти стали ликвидировать, но про Алабино почему-то забыли. Благодаря машине не было проблемы и в том, чтобы съездить в Москву по делам или повидаться с друзьями.

Пастырская деятельность

Но на первом месте, конечно, стояло священническое служение. Приход был огромным. Достаточно сказать, что довольно большой город Наро-Фоминск с многотысячным населением не имел церкви, и все верующие нарофоминцы окормлялись в Алабине. Ближайшая церковь находилась за 25 верст в Переделкине, и к алабинскому приходу принадлежали десятки деревень. Чуть не каждый день приходилось выезжать на дальние требы.

Отец Александр много общался с народом, и его хорошо знали в приходе. Помимо постоянных проповедей, он каждую субботу проводил после всенощной беседы в храме, разъяснял основы вероучения: Символ веры, таинства, смысл молитвы «Отче наш». Разрасталась паства, произошел, как называл это отец Александр, «демографический взрыв». Откуда только ни брались новые прихожане: из местных, из дачников, приезжали из Москвы. Дом был открытый, каждый мог прийти поговорить.

Церковь находилась недалеко от станции в живописном месте, туда заглядывали просто разные случайные люди. Увидев молодого священника, разгуливающего по двору в рясе, подходили, вступали в разговор... Многие возвращались затем, чтобы продолжить диалог. Клирики в шутку называли храм «аббатством». В саду стоял стол, где отец Александр писал свои книги и общался с народом, и все было огорожено стенами, как в настоящем аббатстве.

Отец Александр стал замечать странную закономерность. Если он крестил людей незнакомых, тех, кто приходил в церковь с готовым желанием креститься, все проходило гладко. Но когда случалось крестить тех, кому он сам помог прийти к Богу, к христианству и к Церкви, — на его голову сыпались какие-нибудь неприятности. Он стойко держался. Тогда эти крещения стали сопровождаться настоящими несчастьями. Он делал свое дело. Но теперь беды или болезни обрушивались уже на самых близких и дорогих, беззащитных — жену, мать, а затем и на совсем еще маленьких детей. И тут он дрогнул. Подумалось: может, лучше не так активно действовать, потише себя вести? Как только он поймал себя на этой мысли, он понял, откуда она идет, кто может добиваться таких результатов. И принял решение стоять твердо во что бы то ни стало, ни при каких обстоятельствах не унывать и даже с еще большим усердием делать то же дело. И как только он утвердился в этой решимости, все напасти прекратились и никогда больше ничего подобного в его жизни не повторялось.

Местные алабинские храм поначалу почти не посещали — их отвратили от церкви прежние «батюшки». Но они ходили к отцу Александру со всякими делами, часто — за советами.

Приходской обиход

Состав прихожан был простонародный. Вся интеллигенция умещалась в алтаре: брат Павел, Саша Юликов по кличке «Сеза», Женя Барабанов, Саша Борисов.

В 1961 году умер отец Николай Голубцов. Духовником Александра стал отец Борис Васильев и оставался им до самой своей смерти уже в новодеревенские годы.

Вскоре после смерти отца Николая к отцу Александру обратилась духовная дочь покойного с просьбой взять на себя руководство ею. Это была Елена Александровна Огнева, ставшая на многие годы одной из самых преданных помощниц отца Александра. По образованию она была биологом, но на последнем курсе после экспедиции в тайгу заболела энцефалитом и работать с полной нагрузкой уже не могла. Она была дочерью профессора медиевиста Александра Иосифовича Неусыхина, стала женой архитектора, тоже верующего и церковного человека, а через десять лет замужества овдовела.

Несмотря на пониженную работоспособность, она писала статьи по церковному искусству и по истории русской религиозной мысли, занималась иконописью, а главное, терпеливо и заботливо помогала новообращенным в воцерковлении. Со временем в пастве отца Александра оказались люди, которых привела к нему Елена Александровна.

За церковной оградой жизнь шла по своим законам, установленным настоятелем.

Старостой была хорошая женщина, очень преданная отцу Александру. С ней был полный контакт, и служба велась, как того хотел молодой настоятель. Когда она умерла от рака, он устроил так, чтобы выбрали малограмотную женщину, мывшую иногда полы в доме. Таким образом, Александр был настоятелем не на словах, а на деле. К новой старосте приезжала племянница Ольга Ивановна Орлова с двенадцатилетней забавной дочкой Шурочкой, донимавшей отца Александра всякими вопросами. Ольга Ивановна стала читать в церкви, петь в хоре, регентовать.

Мать и подраставшая с годами дочь сохранили глубокую привязанность к своему духовному отцу и тогда, когда он перешел в Тарасовку. Даже когда Шурочка вышла замуж и уехала с мужем и матерью за границу, связь эта не оборвалась, и письма от них шли регулярно.

Таким образом, в Алабинской церкви причет и подсобные служащие были единодушно сплочены вокруг настоятеля, увлечены его молодым жаром и во всем, кто как мог, помогали в его кипучей деятельности.

Отношения с внешним окружением были прекрасными. Отец Александр завязал дружбу и с местным начальством, и с милицией, наладил контакт и с финин-спекцией. С церковью соседствовала территория местного клуба. Отец Александр договорился с администрацией, в ограде проделали проход, а на территории клуба построили для церкви хорошую кирпичную уборную с трехметровой ямой.

Когда в 1964 году произошли неприятности с милицией и органами, все сплоченные отцом Александром церковные люди и даже местные власти стояли за него горой, и ни один не повел себя предательски.

Для кипучей энергии молодого священника наконец открылось поле деятельности. Все главные его таланты находили применение: проповеднический, художественный, писательский, талант семьянина, организаторский, талант общения. Недоставало, пожалуй, должного применения его основному призванию к пастырской работе с интеллигенцией, но этому овощу время было еще впереди. А пока он не упускал возможности проповедовать. Каждое отпевание он заканчивал словом к присутствующим.

На территории его прихода находились так называемые казармы, где помещалось общежитие. В длинный коридор выходили двери крохотных каморок. Если в общежитии кто-то умирал, то в комнатке обычно стоял стол с гробом и умещался еще только священник. Дверь оставляли открытой, в коридор набивался народ, и после отпевания отец Александр обращался к присутствующим со словом. Покойников отец Александр всегда провожал на кладбище, служил там панихиду и принимал участие в поминках. А потом в храме появлялись новые прихожане...

Когда отпевания на дому и панихиды на кладбище были запрещены, его прихожане стали добывать разрешения в райисполкоме. Случилось как-то, что кто-то умер в том самом доме, часть которого занимал исполком. Естественно, что семья, понесшая потерю, хорошо знала всех исполкомовцев и легко получила нужную справку. Вскоре произошел второй аналогичный случай.

Тогда народ просек суть дела, и начальство подписывало бумаги «автоматом»: поллитра на стол — справка.

Таким образом эта сторона деятельности отца Александра не пострадала от запрета.

Однажды его вызвал уполномоченный и потребовал к ответу.

— Но ведь вы говорили, что нельзя отпевать без разрешения?

— Ну да. Вот именно, — сказал ошарашенный уполномоченный.

Тогда отец Александр предъявил ворох разрешений — штук двести по крайней мере.

Уполномоченный их на всякий случай отобрал — может быть, для отчета перед своим начальством.

Разрешения продолжали отпускаться по той же сходной цене, и отпевания на дому продолжались.

Отец Александр был гибок, умел общаться с народом, завоевывал симпатии и легко находил общий язык с любым человеком.

В Алабине семья священника жила в двух маленьких комнатках. Отец Александр выкроил себе кабинетик, в котором едва помещались письменный стол и стул, а на стенах висели полки с книгами.

Наташа страдала от непрерывного потока людей. Как-то подсчитали, что в среднем в день приходило 5—7 посетителей. Это были прихожане, духовенство, мастера, ремонтировавшие храм, местные жители, порой и не посещавшие церковь, но обращавшиеся по всяким нуждам к отзывчивому, открытому и доступному батюшке, московские знакомые и просто всякие люди, искавшие духовного просвещения.

Пришлось устроить приемную с отдельным входом из бывшей крестильной, а в церкви выделили уголок за занавеской для крещения. Наташа вздохнула свободней, семейная жизнь нормализовалась.

Алабино, первый этап священнического служения отца Александра, было для него таким же «медовым месяцем», как первый год студенческой жизни в Балашихе. Это было счастливое время независимости и полноты жизни. К тому же кончилась нужда.

Резолюция Патриарха Алексия

Продолжались еженедельные поездки в Переделкино к Анатолию Васильевичу и сотрудничество в журнале. В 11-м номере «Журнала Московской Патриархии» за 1961 год вышла очередная статья отца Александра, озаглавленная «Последние дни и мученическая кончина Иоанна Крестителя».

Излагал он современное мнение западных теологов о причинах, побудивших Иоанна Крестителя послать своих учеников к Иисусу с вопросом: «Ты ли Мессия, или ждать нам другого?»

Среди сотрудников редакции был человек, ненавидевший молодого и плодовитого автора. Но он был всегда столь изысканно любезен, так старомодно учтив с алабинским настоятелем, что тот и не догадывался об обуревавших этого человека чувствах.

Когда вышла эта статья о Крестителе, тайный недоброжелатель послал Патриарху Алексию донесение о неправославном мнении отца Александра, изложенном в статье.

Патриарх потребовал к ответу главного редактора журнала Анатолия Васильевича Ведерникова. Тот вызвал автора и посоветовал отцу Александру написать объяснение.

Отец Александр изложил точку зрения большинства западных экзегетов и ряда православных богословов о том, что этот вопрос Иоанн задавал, усомнившись, оттого что, будучи человеком Ветхого Завета, ждал Мессию в блеске земной славы, подобно тому, как ученики делили места у трона Царя-Победителя. Церковно-православная же точка зрения состояла в том, что Пророк не мог усомниться, а усомнились ученики Предтечи, задавшие вопрос от собственного имени.

Хитроумный редактор, который, подобно Одиссею, ловко вел журнал между Сциллой советской цензуры и Харибдой цензуры духовной и, всячески сочувствуя талантливому ученому, хотел сохранить ему возможность печататься, проделал следующий трюк. Он велел перепечатать объяснительную записку на меловой бумаге и самолично добавил от имени автора следующие слова:

«Существует и еще ряд толкований посольства Иоанна ко Христу. Однако мне следовало бы сравнить их с традиционным толкованием, принятым нашей Церковью, и тогда я несомненно предпочел бы его всем другим. А теперь, признавая свою ошибку, я считал бы возможным поместить в журнале статью о посольстве Иоанна Предтечи ко Христу другого автора, который мог бы дать традиционное толкование этого текста, упомянув и о других.

Прошу Ваше Святейшество простить мне невольное отклонение от церковного понимания посольства Иоанна Предтечи».

Затем редактор собственноручно подделал подпись отца Александра и направил послание Патриарху.

На объяснительную записку 18 марта 1962 года было наложено две резолюции Святейшего.

Первая так любопытна, что стоит ее процитировать. Она гласила:

«Все это — так, но нам, малым богословам, следует твердо держаться толкований святоотеческих, а на рассуждения рационалистов-протестантов смотреть как на умствования, не подлежащие подражанию».

Вторая резолюция относилась к предложению Анатолия Васильевича поместить в ЖМП статью на эту же тему с традиционным толкованием посольства Предтечи. Патриарх соглашался с тем, чтобы статью предварительно показали ему. Статья эта была заказана.

Половина ее была посвящена полемике с отцом Александром. Патриарх вычеркнул всю полемическую часть —

мол, в Церкви полное единодушие мнений по всем вопросам, никаких дискуссий, жизнь течет тихо и гладко. Опубликован был куцый остаток статьи, без полемики потерявший всякий смысл.

Конец сотрудничества в ЖМП

В редакции ЖМП отец Александр был фактически штатным сотрудником, на страницах журнала публиковались его статьи одна за другой. Впрочем, писать статьи он не очень любил — предпочитал книги. Но в 1964 году произошла смена руководства в журнале. На место талантливого, живого, мыслящего А.В.Ведерникова поставили архиепископа Волоколамского Питирима.

Питирим обладал светскими манерами и был внешне любезен с отцом Александром. Он предлагал ему писать, но статьи прятал в стол и не пускал в ход.

Однажды он снисходительно сказал отцу Александру: «Нам не нужна религиозная философия. Зря вы увлекаетесь Флоренским, Сергием Булгаковым, Бердяевым. Читайте лучше Макария Булгакова». Отец Александр чуть не поперхнулся. Макарий Булгаков был автором схоластического и мертвенного школьного богословия более чем столетней давности. Он понял, что писать для журнала теперь бесполезно. Лишь в 1966 году вышла еще одна его статья к юбилею св. Ливерия, Папы Римского. Да и то настоял на том, чтобы статья о его святом была заказана отцу Александру, ленинградский архиерей Ливерий (поскольку никто об этом святом ничего толком не знал, а на научную эрудицию отца Александра можно было положиться).

Но с тех пор в патриархийной прессе не вышло ни одного труда отца Александра.

Примерно в 1962 году вокруг отца Александра собралась группа священников, человек десять, в которую входили отцы Дмитрий Дудко, Николай Эшлиман, Глеб Якунин и другие. Батюшки регулярно встречались, обсуждая богословские, пастырские н церковные проблемы.

В то время духовенство особенно волновало решение архиерейского собора 1961 года. Согласно этому решению все права священников на приходах были переданы церковным советам, состоявшим исключительно из мирян. Так называемые «двадцатки» (которыми на деле заправляли уполномоченные гэбэшного Совета по делам религий) нанимали и увольняли священников, назначали им зарплату и распоряжались всеми приходскими делами. Епископат, принявший эту реформу, потерял всякий авторитет в глазах духовенства.

Отец Александр всегда считал, что Церковью должны руководить преемники апостолов — епископы. Поэтому он обратился от имени Дудко, Якунина, Эшлимана и своего к епископу Калужскому Гермогену, прося его руководства. Выбор пал на владыку Гермогена, потому что он выступал против реформы 1961 года и проявлял независимость по отношению к Московской Патриархии, беспрекословно подчинявшейся антиконституционным требованиям атеистической власти.

Владыка Гермоген приехал в Алабино и очень тепло встретился со священниками.

Продолжалась научная и писательская работа. В Алабине были написаны «Истоки религии», самая большая книга цикла «Магизм и единобожие», «У врат молчания» и «Православное богослужение». Никаких помощников в литературной работе в ту пору у отца Александра не было.

Кроме того, в эти годы отец Александр поступил заочно в Московскую Духовную Академию и успешно закончил ее. Впрочем, учеба отнимала меньше всего времени. По большинству изучаемых наук отец Александр сам давно мог бы вести курс. Иногда, когда позарез нужны были деньги, он писал кому-нибудь между делом кандидатскую или магистерскую диссертацию, на это в Академии издавна существовали твердые расценки.

Жизнь была полна до краев, энергии у молодого батюшки было хоть отбавляй, и каждая минута дня шла в дело.

Алабино было лучшим периодом в церковной жизни отца Александра. К нему благоволил правящий архиерей митрополит Крутицкий и Коломенский Николай. Нередкими гостями в его храме были архиепископы Киприан и Леонид, позднее ставший архиепископом Рижским. На именины съезжалось до сорока священников.

Отец Александр в полную меру и беспрепятственно служил наконец своей высокой цели и был счастлив.

Беда

Один друг Эшлимана историк Вася Фонченков (позже преподаватель Академии, священник, член якунинского комитета) попросил взять псаломщиком Л.Л. Человек образованный и начитанный, сотрудник музея в Новом Иерусалиме, он оказался горьким пьяницей и к тому же был нечист на руку. Л.Л. привозил откуда-то материалы для ремонта храма. То достанет старинные изразцы, то еще что-нибудь. Иногда раздобывал где-то старые книги и продавал их отцу Александру, который продолжал неустанно собирать библиотеку для своих научных занятий.

Первого июня 1964 года он зазвал отцов Александра и Николая Эшлимана с женой в Новый Иерусалим. Там быстро напился и под пьяную руку насовал каких-то музейных обломков в чемодан отца Александра. По счастью, он это заметил и обломки выкинул.

Все сидели за столом и мирно беседовали, как вдруг нагрянула милиция. Ее вызвал один сотрудник музея, патологически ненавидевший Церковь.

Священников обвинили в том, что они приезжали грабить музейные ценности. Оказалось, Л.Л. давно подворовывал и действительно кое-что сбывал в Алабино.

Милиция обыскала машину и ничего не нашла. Вернувшись домой, отцы пересмотрели все, что было куплено через Л.Л., и убрали то, что показалось им подозрительным. А через день или два грянул обыск.

При желании в любом храме, особенно производящем ремонт, ревизия может подкопаться. Необходимые материалы часто невозможно достать на складах, кое-что приходится покупать с рук, и при этом нарушаются правила отчетности.

Поэтому бескорыстные энтузиасты, так много сил вложившие в преобразование алабинской церкви, пережили немало неприятных минут. Все время обыска они молились. Да и среди книг и рукописей при желании можно было найти литературу, которая навлекла бы неприятности. Но производившие обыск в упор не видели и не замечали того, за что опасались священники. Разочаровавшись в результатах, они прицепились к старым книгам, купленным у Л.Л., и стали доказывать, что эти книги музейные. Но на них не было никаких штампов. Обыск был санкционирован прокурором на том основании, что Л.Л. совершал хищения в музее.

Когда они ушли, опечатав комнату, отец Александр пошел дописывать последние страницы своей новой книги «У врат молчания». Несмотря на столь скудные плоды обыска, отца Александра вызвали на допрос в новоиерусалимский угрозыск по делу об ограблении. В конце июля в областной газете «Ленинское знамя» появился грязный фельетон про Л.Л. «Фальшивый крест». Заодно обливали грязью и молодого настоятеля в связи с ремонтными работами. Описывалось, как священники Мень и Эшлиман приехали в Новый Иерусалим «с девицами» (то есть с женой отца Николая, Ириной), ограбили музей и пели «Шумел камыш...». Генеральный прокурор Руденко взялся сам за это дело и стал готовить грандиозный процесс. Но тут спас Бог: эксперт оценил все «ценности», которые могли бы принадлежать музею, в 10—15 рублей. Да и то это надо было еще доказать: на книгах, отданных Л.Л. отцу Александру, не было никаких штампов.

Уполномоченный запретил ему служить. Секретарь митрополита сказал: «Решили — месяц погуляете». Церковное начальство сочло за благо срочно перевести отца Александра в другой приход. Пока выясняли вопрос, где ему служить, отец Александр ушел в отпуск и совершил путешествие на пароходе в Астрахань. В каждом городе его ждала телеграмма от отца Сергия. 28 августа, на Успение, он в последний раз служил в Алабине, а с 1 сентября был назначен в Тарасовку.

Чтение и литературные занятия в Алабине

1960
Пишу «Истоки религии», в них еще входят главы о первобытных религиях. Иконопись. Бердяев массой. Булгаков. Гегель.

1961
Пишу «Магизм и Единобожие». Изучаю Фрейда. Символистов, особенно Белого. Много антропософии. Пушкин. Лескова начал читать много еще в Иркутске. Ибсен. Метерлинк.

1962—1963
Поглощен строительством. Пишу индийские главы «Магизма». Индия идет полным ходом. Пишу «У врат молчания».

1964
Летом заканчиваю «У врат молчания». Последние строки написал после обыска 3 июля 1964 года (с 1 сентября в Тарасовке).

ГЛАВА ВОСЬМАЯ
ТАРАСОВКА

На новом месте

Это было серьезнейшее поражение, самая большая катастрофа за всю жизнь. Отец Александр сразу лишился всего. Полновластный хозяин церкви в Алабине, где он делал что хотел: строил, экспериментировал, вел беседы в храме, разве что кино не показывал, словом, управлял всем и вся, реализуя свою неукротимую творческую энергию, теперь попал рядовым священником под начало отца Николая Морозова — о нем речь впереди. В Тарасовке кроме настоятеля было еще три священника. Отец Александр стал одним из них. Там не было дома для священника, и отец Александр после уютного, благоустроенного дома оказался бы с женой и двумя маленькими детьми на улице, если б за год до того не оборудовал чердак семхозского дома Наташиных родителей. Щитовой финский домик поставили в виде второго этажа, и, собственно, он был уже почти пригоден для жилья. За месяц все было готово, и семья переехала в новое жилище.

Хоть крыша была над головой. Мансарда была тесной и неудобной. В центре располагалась полутемная комната с крохотным боковым выступом, заканчивавшимся слуховым окном. Из нее двери вели в кухню и две крохотные комнатки. Одна из них была спальней Александра и Наташи, другая — детской.

Из всех щелей дуло, и жилье со скошенными потолками в ту пору больше походило на сарай. Готовили на электрической плитке, воду таскали в ведрах, печь приходилось топить непрестанно, иначе тепло быстро выдувало.

Но супруги не унывали. У Наташи оказался настоящий дар домоустроительницы. В выступе проходной «гостиной» устроили отцу Александру кабинет. Поставили большой письменный стол и рабочее кресло. Рядом уместился еще мягкий стул для посетителей. За спиной под скошенным потолком прибили полки для книг и отделили закуток плотной темной портьерой.

Было трудно с деньгами. Поначалу отцу Александру положили 200 рублей, втрое меньше, чем в Алабине, да еще приходилось выплачивать огромные налоги. С вычетами на семью из четырех человек получалось совсем мало.

Дошло даже до того, что отец Александр продавал книги. Но через год жалованье прибавили, потом еще раз, и быт наладился.

Пришлось привыкать к бесконечным поездкам в электричке. Раньше дом был рядом с церковью, да еще имелась машина. А теперь до церкви надо было ехать около часу, причем расписание поездов было неудобным: большинство электричек в Тарасовке не останавливалось.

Отца Александра продолжали таскать в следственные органы, и тут против него возникло новое обвинение — по делу о взятке в три рубля заведующему охраной памятников архитектору Лисунову, который угрожал закрыть алабинский храм. А это уже могло привести к лишению свободы. Оказалось, Лисунов шантажировал настоятелей многих храмов и наконец попался. А хрущевские гонения на Церковь шли тем временем полным ходом, и пресса охотилась за подобными сенсациями. И тут снова спас Бог. Произошло чудо: сотрудник Лисунова, приезжавший с ним в Алабино, подтвердил, что предложенные работы были невыполнимы. Лисунову дали 8 лет.

Рассказывая об этом периоде уже в третий или четвертый заход, отец Александр сказал: «Я только сейчас вспомнил, как это тяжело было, какой катастрофой и падением казалось. Но память правильно работает. Это нормально, что я не помнил до сего дня об этих переживаниях...

Но как все это ни было печально и тяжело, отец Александр видел в тех событиях руку Божию. Дело в том, что уже в Алабине начался, как выражался отец Александр, «демографический взрыв», то есть стала стремительно расти паства. А жил он там, как в аквариуме — совершенно на виду у всех. Дом был рядом с храмом, лишь отделялся сквозной металлической оградой. Каждого входящего и выходящего видели десятки глаз, и в конце концов обилие посетителей и кипучая деятельность настоятеля непременно привлекли бы внимание «кого надо». В Тарасовке же принимать посетителей было негде. Староста снимала для ночевок отца Александра после всенощной угол у своей приятельницы, т.е. ночевать приходилось в одной комнате с хозяйкой. Правда, при этом доме был сад, и летом батюшка мог принимать свою паству в саду.

Знаменитое письмо

Как-то отец Александр в разговоре с отцом Глебом и отцом Николаем высказал свои мысли по поводу положения, создавшегося в Церкви. Оба его друга загорелись идеей написать письмо Патриарху. Собрались в Семхозе, пригласив отца Дмитрия Дудко и Краснова-Левитина. Анатолий Эммануилович привез свой проект письма и был настроен очень воинственно. Но отец Александр и отец Дмитрий сказали, что без епископа действовать не будут. Наконец встретились в расширенном составе, пригласив А.В. Ведерникова и владыку Гермогена. Оба они идею письма одобрили. А.В. даже предлагал зачитать письмо Патриарху во время службы в Елоховском соборе.

Стали думать над текстом. Отец Александр написал краткое и корректное письмо. Он указывал на противоречие реформы государственным законам. Почему, по Конституции, священник может быть избранным в местный совет, а в церковный, по решению собора, не может? От детализированной и агрессивной формы он отказался. «Тогда будем писать вдвоем», — решили отец Глеб и отец Николай. Но вскоре они поняли, что только вдвоем не справятся, и подключили к работе Феликса.

Феликс сыграл демоническую роль в судьбе двух священников да и, пожалуй, в ходе нового религиозного возрождения. Глеб и Николай попали под его странное магическое обаяние.

Феликс загорелся мыслью написать большое разоблачительное послание. В нем обличались и власти, оказывающие незаконное воздействие на Церковь, описывался механизм этого давления, и вместе с тем осуждалась иерархия с Патриархом во главе за то, что не использует своих законных прав и подчиняется произволу. Отец Александр решительно возражал против письма в такой форме. Он считал, что положения оно не изменит и ничего, кроме вреда, Церкви не принесет. Резкий, озлобленный тон письма он вообще находил недопустимым. Письмо это было огромным, страницах на семидесяти. Отец Александр предлагал друзьям свой вариант письма на трех машинописных страницах. В нем в спокойном, уважительном к Патриарху тоне была изложена вся суть дела. Но друзей этот вариант не устраивал, и они всячески настаивали на том, чтобы отец Александр подписал их послание. Конструктивный, созидательный склад ума отца Александра, всегда стремившегося строить, а не разрушать, не мог принять бесплодного нигилизма, в который вовлекал молодых священников Феликс.

Тем временем ярого гонителя Церкви Хрущева сменил Брежнев, начались какие-то перемены. Ведерников и владыка Гермоген решили, что сейчас такое письмо может принести вред. Но Якунин и Эшлиман остановиться уже не могли. Письмо за подписью отца Глеба и отца Николая было отправлено Патриарху и в Совет по делам религий и широко распространено в самиздате. Его читали и обсуждали люди, никакого отношения к Церкви не имеющие. Многим из тех, кто в последующие годы переживал религиозное обращение, оно преграждало вход в нее.

Авторов письма вызвал митрополит Пимен (будущий Патриарх) и предложил написать объяснительную записку. Посоветовавшись с Феликсом, они составили резкий обвинительный ответ. Тогда Синод под натиском властей запретил их к служению.

Отец Александр пытался примирить своих друзей с Церковью и просил митрополита Никодима принять их от лица Патриархии. Тот согласился, но отец Глеб и отец Николай от встречи наотрез отказались.

Оба пережили тягчайший духовный кризис. Отец Глеб как-то выправился, стал прислуживать в храме, но к деятельности священника очень долго не возвращался и, превратившись в религиозного диссидента, получил широкую известность за рубежом. Отец Николай запил, морально и умственно деградировал, и через несколько лет в нем уже ничего не осталось от прежнего блестящего, одаренного человека, вечно горящего новыми мыслями, готового служить высоким идеалам.

А Феликс вился вокруг них, доводя до конца свое черное дело. На Рождество 1966 года отец Александр окончательно разорвал с группой Феликса, к которой к тому времени примкнули Л.Регельсон и В.Капитанчук.

Отец Александр вовсе не был в принципе против церковной оппозиции. Просто эта деятельность была преждевременной. Не было для нее необходимых условий, ни внешних, ни внутренних. Активных священников можно было по пальцам пересчитать. Для того чтобы возродить разрушенную церковную жизнь, требовалась упорная и терпеливая работа в приходах, воспитание в людях христианского сознания.

Отец Александр всегда защищал отцов Глеба и Николая перед официальными лицами, говорил, что виноваты не они, а те, кто спровоцировал их на это, та ситуация, которую создали на местах хрущевские инструкции и их исполнители.

Но он потерял своих лучших друзей. Стали распространяться слухи, что это он автор письма, а никаких священников Якунина и Эшлимана, мол, в природе не существует, это подставные лица. Тогда Александр написал биографии Якунина и Эшлимана и опубликовал их в «Вестнике РХСД» для того, чтобы противопоставить что-то этой версии.

Деградация отца Николая причиняла ему страдания. Он любил этого человека, и ему мучительно было наблюдать его падение. Это было самое тяжелое крушение человеческой судьбы, какое довелось ему видеть. Впрочем, встречались они теперь очень редко. Отец Александр писал ему, звал к себе, но Эшлиман не отвечал. Собственно, расхождение началось задолго до письма. Когда отец Николай купил дом в Химках, отец Александр понял, что это начало конца в их отношениях. И барский стиль тамошней жизни, и дальность расстояния воздвигали между ними преграду.

Действовал закон «дивергенции» — друзья оказывались лишь временными попутчиками.

Умер владыка Николай, и на его место стал митрополит Серафим, которого лично отец Александр не знал. Владыка Леонид уехал из Москвы.

Весь свой трудный путь отец Александр в конечном счете проходил один. Он вечно был окружен людьми, они тянулись к нему, осаждали его, восхищались им, слушали его, читали его книги. Многие из них, вместив, что могли, отходили куда-то, некоторые изменяли и предавали, иные эмигрировали. В этом круговороте людей, почти не имея возможности уединиться, отец Александр нес свое одиночество. И все же он не был один, ибо с ним неразлучно был его главный единственный Друг. Ему он поверял свои мысли, желания и чувства, в Нем встречал ободрение и поддержку, от Него получал силы на служение. Он старался во всем следовать Христу, и с годами это следование стало второй натурой, выработались спонтанные рефлексы этого рода. Постепенно преодолелась природная мрачность. Было для Кого просыпаться и для Кого жить. Тесное общение с Высшим Началом наполняло жизнь светом, смыслом и радостью.

Александр видел, что все в его жизни идет как бы по некоему сценарию, и с миром принимал самые трудные и тяжкие события, зная, что они обернутся на пользу делу, которому он служит. Это рождало спокойствие в душе, создавало уравновешенность и сохраняло нервную энергию, которая вся шла в работу.

13 сентября 1965 года в Семхозе произошел обыск, длившийся восемь часов. Перевернули весь дом, но того, что искали, не нашли. Тогда гэбэшники поехали вместе с отцом Александром в Тарасовку и устроили обыск в храме, даже в алтаре искали. А обыск в Семхозе все продолжался. По счастью, не стали обыскивать первый этаж, где жили родители жены. А только накануне, в день своих именин, он спрятал у них на террасе литературу, которая очень даже заинтересовала бы гэбистов. Уехали ни с чем. Господь снова спас и сохранил!

Новые люди

А люди все прибывали и прибывали. Еще в Алабине появился Ж.Б., восемнадцатилетний мальчик, едва кончивший школу. Отец Александр обратил внимание на его способности, серьезность, ревностность. Ни в одного человека не вложил он столько, сколько в Ж.Б. Он вел его как духовник, учил как учитель, заботился о нем как отец и был ему во всем другом и наставником. Через десять лет все это кончилось печально. Ж. подался в диссиденты и влюбился в жену своего друга, тоже диссидента, мать пятерых детей. Он не мог порвать и со своей женой, от которой у него было двое мальчиков, и вместе с тем разрушил семью друга, продолжал и там свои отношения. Он знал, что отец Александр не потерпит этого, потребует от него сделать выбор, и отошел от своего духовного отца сам. Но это произошло уже не в Тарасовке, а в Новой Деревне.

В Тарасовке же появился Миша Мейерсон-Аксенов. Это был худой, очкастый юноша с жидкой бородкой, всегда бедно одетый и лохматый.

Он очень отличался от степенного и холеного Ж.Б. Ж.Б. был благообразен, его светлая бородка была всегда тщательно подстрижена, на нем ладно сидели дорогие свитера, и веяло от него барской снисходительностью и отстраненностью. Миша же знакомился и водился со всеми, был открыт, весел и поразительно подвижен. Он успевал всюду. Казалось, мог побывать за один день в полсотне домов в разных концах Москвы. С огромным портфелем, набитым духовными книгами, он носился по машинисткам, а потом развозил их продукцию читателям.

Если Ж.Б. представлял собой тип кабинетного ученого (он специализировался на патристике), то Миша был миссионером, бродильным началом, закваской. Голова его была полна организаторских идей, он любил и умел помогать людям и, где бы ни появлялся, подымал настроение и «заводил» людей... Но в 1972 году он эмигрирует за границу. Закончит православную семинарию в Штатах и станет священником в бедном нью-йоркском приходе. Позднее отец Александр и другие московские друзья будут часто слушать знакомый Мишин голос в религиозных передачах радио «Свобода».

Часто приезжал в Тарасовку отец Сергий Желудков. Им к тому времени уже были написаны его знаменитые «Литургические заметки». Уже немолодой, маленький, лысый, он был полон новаторских и критических идей. Он не только бурно и оригинально мыслил, но и прекрасно писал. Отец Сергий великолепно знал литургику и работал над проектом литургической реформы. Собрав ватагу доверенных прихожан, отец Александр и отец Сергий шли куда-нибудь в окрестный лес или гуляли по лугам на берегах Клязьмы и вели беседы, а порой и горячие споры.

Нередко к ним присоединялся Дмитрий Панин, прообраз Сологдина в романе Солженицына «В круге первом». Высокий, ладный, голубоглазый, он приходил в храм в старой шинели и клал рюкзачок у ног, обутых в солдатские ботинки. Его умное, сильное лицо и странный облик старого зэка невольно привлекали к себе внимание...

Бывали и курьезные встречи. Однажды появилась очень странная пара. Это был двадцатипятилетний маленький и худенький француз с очень высокой величественной седой дамой. Они казались матерью и сыном, но были мужем и женой. Он был католиком, а она православная русская. Священник, к которому они обратились, отказался их венчать из-за этого разительного несоответствия в возрасте, и тогда дама перешла в католичество, где их благополучно и повенчали.

Другой раз пришла знакомая женщина и рассказала, что ее дочь вышла замуж за бирманца, они уезжают в Бангкок и просят их как-нибудь повенчать. Пришлось отцу Александру придумывать некий суперэкуменический обряд, для того чтобы освятить брак православной с буддистом. В пустой церкви он читал над ними молитвы, благословил их, потом повел на хоры, и там они стояли втроем над пустым храмом и молились.

Феликс больше не ездил к отцу Александру, но продолжал в Москве сбивать с толку немало доверчивых людей.

В демоническом умоисступлении он принялся предвещать конец света и назначил точную дату на июнь 1968 года. Немало молодых неофитов поверили этому кликушеству и поддались панике. В то лето кто бежал в леса, кто в горы Кавказа, бросая дом и работу, чтобы готовиться к Страшному Суду. Но назначенная дата миновала, конец света не наступил, и пристыженные легковеры, в числе которых были и некоторые добрые знакомые отца Александра, вернулись по домам. А Феликсу как с гуся вода, и он снова и снова находил способы баламутить народ.

Паства росла, а места для работы с ней не было, времени не хватало, и мало-помалу прежние связи отца Александра со старыми друзьями и духовенством ослабели. Зато завязывались новые знакомства, часто переходившие в обязанности пастыря по отношению к духовному чаду.

Приходили к нему в ту пору Михаил Агурский, Геннадий Шиманов и многие, многие другие. Свободного времени становилось все меньше. К тому же отец Александр писал в это время «Дионис, Логос, судьба», переделывал «Магизм и единобожие», усиленно учил иврит, готовясь писать книгу о пророках, и изучал для нее научную литературу.

Великая пианистка

Вот что отец Александр написал об этой дружбе.

С Марией Вениаминовной Юдиной я познакомился в сентябре 1965 года на выставке Василия Алексеевича Ватагина. Он пригласил меня на открытие, подарив каталог с надписью: «О. Александру пастырю душ иде и скоты милующему от зверолюбца Ватагина».

На вернисаж я пришел с мамой. Вдруг подходит к нам странное, как мне показалось в первый миг, существо: огромная голова, волосы как у Листа, белый воротничок пас-

тора и черная хламида. Это оказалась Ю. «Мне говорили, что вы хорошо обращаете людей». Это о нас с мамой. Я ответил, что не очень люблю это слово, что обратить (словно завербовать) никого нельзя. Что это происходит в самом человеке. Мы же можем только помочь.

Поговорили о Ватагине. Мария Вениаминовна его тоже любила. Вскоре она приехала ко мне в церковь. Она с горячей симпатией отнеслась к настоятелю отцу Серафиму Голубцову, поскольку он был родным братом нашего с ней покойного духовника отца Николая Голубцова. Но скоро он оттолкнул ее своим резким осуждением письма Эшлимана и Якунина. Мария Вениаминовна была всегда на стороне тех, кто гоним. Однако в храм наш продолжала ходить, часто причащалась.

Нередко мы с ней вместе ходили по требам. Странная это была пара: тридцатилетний священник и женщина с палкой, в кедах, в черном балахоне, похожая на старого немецкого музыканта. Характер у нее был порывистый и экзальтированный, но ум ясный и глубокий. Говорить с ней было одно удовольствие. Она все понимала с полуслова, всем интересовалась, была, как говорят, «молода душой». Увы, я забыл, о чем мы говорили, хотя тем было много. Сама она рассказывала о Пастернаке и других своих друзьях.

Ей очень хотелось провести цикл концертов «для Церкви», с пояснениями. Ее представления об официальном церковном мире были довольно наивными. Но я все же поговорил с нашим академическим секретарем отцом Алексеем Остаповым, человеком широким, любящим искусство и очень влиятельным (он умер сорока четырех лет). Он с готовностью согласился устроить концерт в Академии. Концерт прошел хорошо, все были в восторге. Она говорила прекрасно, но в ее словах были уколы в адрес атеистов, что и привело к табу на дальнейшие выступления.

Вскоре ей разрешили устроить вечер в зале Чайковского. Она прислала билеты отцу Алексею, мне и другим из Академии, таким образом в зале собралось много церковной публики. Мария Вениаминовна позвала меня в уборную и в присутствии женщин, которые перевязывали ее потрескавшиеся пальцы, просила благословить ее...

Было в нашем общении печальное событие. Она познакомилась у меня в церкви с молодым человеком Е. Т. (впослед-

ствии эмигрировавшим писателем) и очень привязалась к нему. Но потом он взял у нее «Столп» Флоренского и исчез. Она умоляла меня вернуть книгу. Была очень расстроена. Потом все уладилось, но с ним она порвала... Умерла М.В. внезапно. Говорят, что на нее страшно подействовал второй брак ее крестницы Н.С., которая вышла замуж за Солженицына. Она категорически была против (между тем как Н.Я.Мандельштам сказала, что Солженицын «тоже имеет право на счастье»). Отпевали ее в Николо-Кузнецкой.

Солженицын

А вот еще одна запись отца Александра о знакомствах тарасовского периода.

Два слова о К. [Солженицын]. *Я прочел рукопись его романа, и он мне очень понравился. Я захотел с ним встретиться. Мой знакомый священник Н. был с ним тесно связан, К. учил его детей математике. Кажется, вместе с Д.* [Дмитрий Дудко] *и другим моим другом-священником мы поехали в их город на машине. Приехали в темноте. Отец Н., хотя и был предупрежден, долго не открывал: «Кто, кто?» — «То, что надо!» — ответил мой друг А. Отец Н. впустил нас, и мы сели, беседуя об общих делах. Я видел фото К. в его книге, думал, что он такой — мрачный, угрюмый волк. И вдруг входит высокий, порывистый, веселый человек, похожий на норвежского боцмана. Задает быстрые вопросы, смеется, возбужден, но голова ясная. Умный человек, наэлектризованный, полный энергии. Чтото мальчишеское. Мало интересное пропускает мимо ушей, а чуть речь зайдет о задевающих его темах — весь напрягается, весь внимание. Спросил Д., где сидел, как, когда и т.д. Спрашивал меня о «катакомбах», об обстановке, людях. Поговорили о его книге. Он сказал, что сейчас весь в работе, что мало читает — только то, что ему нужно. Поэтому отказался взять предложенные ему книги. Настроен оптимистически. Как полководец, уверенный в победе. Рассказывал, как одно высокое лицо молча жало ему руку. Верил, что перелом совершился и все идет в нужную сторону. Мы тогда все на это надеялись. Это был 66-й или 67-й год, не помню. Потом мы стали с ним встречаться. Ему пришла в голову идея построить храм, если будут средства. Я говорил ему, что это утопия, но он был непоколебим и хотел это дело завещать мне. Я отвез его в Академию, познакомил с отцом Алексеем Остаповым, мы посмотрели наш музей. У него роились в голове самые фантастические планы. Мы с отцом Алексеем были настроены скептически. Но он попросил найти архитектора, который бы создал проект, чтобы здание было мемориалом пострадавших. Я нашел. Это был Ю.Т. [Юрий Титов], молчаливый художник абстракционист и экспрессионист. Но он создал что-то неудобоваримое. На обсуждении были с К. у него, он привел Ростроповича. Тот просил у меня что-нибудь для детей. Я дал «Откуда» [«Откуда явилось все это?», книга Меня для детей], — тогда это была еще фотосамоделка.*

Православным К. еще не был. В 69-м году он прочел СЧ [«Сын Человеческий», книга А.Меня] и «Небо» [«Небо на земле», книга А.Меня] и сказал, что все эти ангелы и чудеса ему не понятны. Толстой был ему ближе. А Н.Я. М[андельштам] он сказал, что ценит Конфуция. Она со свойственной ей язвительностью спросила, где он читал о Конфуции — не в отрывном ли календаре? Большой ум, хотя и несколько односторонний, и малая осведомленность. Его «христианизация» происходила у меня на глазах. Он начал впервые знакомиться с русской религиозной философией и был поражен. Помню, как в его деревне, на даче, он мне с восторгом говорил о только что прочитанных «Вехах». Тогда еще он жил с Н., и она гордилась им, хотя и была далека от его неофитства и вообще от веры. Все помалкивала. Вместе с ней и с ним мы ездили выбирать место (под Звенигородом) для будущего храма. С нами был и архитектор с женой. Н. была подтянуто-спортивной и молчала. Видно, относилась ко всему как к детским затеям. Бывал он у меня дома несколько раз и в церкви. Помню, когда мы гуляли, беседуя, перед храмом, один человек остановился и долго на нас смотрел издали. Загадка. Это не был соглядатай. И в лицо К. еще мало кто знал, так что узнать едва ли могли.

В 68-м году он смотрел на события с убеждением, что все кончится прекрасно. Увы, вскоре мы убедились, как он ошибся. Все дела он поручал Н.С. и очень ей доверял. Мы встречались с ним у нее дома. И по их тону я понял, что тут нечто большее, чем сотрудничество. Начинались его тяжелые дни. Он был затравлен. Не мог работать. Дал мне переделанный вариант книги. Я протестовал. Одна вещь там показалась мне портящей все. Но он был не из тех, кто слышит критику. Это свойство многих великих. Он мне напоминал Толстого. Та же увлеченность одной идеей. Та же уверенность в себе, тот же максимализм и радикализм.

Он все время строил планы. Предложил создать нечто периодическое. Я сказал, что дело тупиковое. Но он стоял на своем. Н.С. сказала, что готова принять удар на себя. Он это принял как нечто само собой разумеющееся. Но я решил показать ему ошибку наглядно. Предложил собрать материал для первого номера. Он бился, бился, и ничего не вышло. Тогда я предложил — есть материал, давать его в готовые опусы. Так возникла идея, лишь начавшая реализовываться. Но потом все заглохло. Пришли другие люди и захватили инициативу. И сам К. не больно был к этому причастен. Но мы помогали ему с его исторической работой. Когда она вышла, я прочел и написал ему сдержанный и критический отзыв. Потом он просил помочь ему написать письмо к П. Я помог, но протестовал. Знал, что это бессмысленно. Ввиду обстоятельств пришлось вернуть ему второй вариант Кр [«В круге первом»]. Сам я был в то время, как он сам про меня выражался, «по горло в опасности». Мое второе крупное ЧП было связано с его книгой еще до нашего знакомства. Его труд я воспринимал как миссию, имевшую провиденциальный смысл. Именно такой человек, который бил в одну цель, мог все это осуществить. Потом перед отъездом мы больше общались с Н., которая стала его женой. Получал я от него не раз приветы и писал ему краткие записки в новое место жительства. Но сам он мне не писал, как договорились (из-за обстоятельств). Он был высшей точкой той волны, которая пришла в послесталинский период. Теперь идет что-то новое.

Анна Ивановна

Из местных прихожан к отцу Александру прилепилась всем сердцем Анна Ивановна. Она была уже бабушка, дочь ее болела тяжким полиартритом, и она по существу взяла на себя воспитание своих двух внуков. В юности она жила в деревне, где был сильный и энергичный священник. Он собрал вокруг себя группу молодежи и заложил в них твердые основы веры. Храм в деревне закрыли. Анна Ивановна на долгие годы была лишена церковной жизни и очень страдала от этого. Открытие церквей в годы войны стало для нее великим праздником.

Она поселилась в Подлипках, в тарасовском приходе. Анна Ивановна обладала большим природным умом и необычайно подвижным, энергичным характером. С юношеской живостью она интересовалась всем на свете. Жадно слушала «вражьи голоса», читала «Логос», «Вестник РХСД» и все, что удавалось достать.

Она сумела понять и полюбить нового священника, и ее уютный ухоженный домик в Подлипках, весь в каких-то фантастических домашних растениях, стал местом многих встреч, собеседований и занятий.

Человеком она была преданным и последовала за отцом Александром в Новую Деревню. В 1977 году Анна Ивановна умерла.

Дом в Семхозе

Много труда и средств требовало благоустройство дома, над которым неустанно трудилась Наташа. Год за годом вводились новшества: устроили водопровод и канализацию, затем провели газ, наконец дом подключили к центральному отоплению, и кончилась изнурительная топка печей.

Над сараем, примыкавшим к дому с севера, выстроили веранду. Там разместилась неуклонно разраставшаяся библиотека. В теплые месяцы года в этом летнем кабинете работал отец Александр, отделенный от детского гомона лестничной площадкой и несколькими ступеньками.

Наконец, лет через семь по переселении в Семхоз, собрались со средствами и перестроили веранду в теплую жилую комнату.

Впервые в жизни у отца Александра был свой постоянный рабочий кабинет. Потолок там был тоже скошен, поэтому приходилось придумывать всякие хитрости для размещения книг. Стеллажи пристраивались к письменному столу, вдоль лестницы, во всех закоулках дома.

Наташины родители много сил вкладывали в сад. Летом это был райский уголок с цветником, огородом, ягодником, яблонями, вишнями, сливами. Посреди сада стояла просторная беседка, увитая диким виноградом. Там отец Александр любил работать летом. Приносил туда пишущую машинку и книги и часами сидел над своими рукописями, обычно слушая при этом хорошую музыку на проигрывателе.

С родителями Наташи жили дружно и мирно. Вечерами спускались к ним смотреть телевизор — почти единственный вид отдыха, который разрешал себе отец Александр.

Каждый четверг приезжали гости, человек двадцать пять—тридцать. Это был день открытых дверей. В холодную погоду усаживались в проходной гостиной, отец Александр сидел за письменным столом в «аппендиксе», как он шутливо называл закуток, где был сначала устроен его кабинет. Шли беседы на самые разные темы, чаще богословские. Иногда, правда, приходили и праздные «совопросники» и вообще кто попало. Но в целом эти встречи имели особый смысл в тарасовские годы, поскольку при храме у отца Александра не было приюта, где бы он мог беседовать с людьми. Изредка удавалось поговорить с кем-либо из духовных детей на хорах или на солее за большими образами, где стояли лавочки.

Года через два эти открытые четверги стали мучительны для семьи, и отец Александр прикрыл их.

А еще в те же тарасовские годы отца Александра снимали в кино.

Режиссер Калик делал черно-белый фильм про любовь. По его замыслу, там самые разные люди отвечали на вопрос, что они думают о любви. Киношники приехали в Тарасовку, и отец Александр сорок минут отвечал перед камерой на их расспросы. Нужные куски вмонтировали в фильм, но Калику сказали: «Что же это у тебя поп получился лучше всех? Надо его вырезать».

Фильм зарезали, не пустили на широкий экран, но кое-где по клубам он все-таки шел.

Еще снимали отца Александра для цветного фильма о спорте. Он говорил на эту тему на фоне храма. Киношники сказали, что получилось отлично. Наверное, поэтому эти кадры в фильм не включили, а ленту уничтожили.

Тарасовские настоятели

Первые полгода, как мы уже говорили, отцу Александру пришлось служить под началом отца Николая Морозова. Это был уже очень немолодой человек с чрезвычайно тяжелым характером. Он хотел, чтобы отец Александр делал за него всю работу, исполнял все требы. Когда впоследствии в Новой Деревне пришлось служить за престарелого настоятеля отца Григория Крыжановского, отец Александр делал это с великой радостью, он на руках готов был носить милого, доброго старца. А отец Николай без конца придирался, одергивал и решительно всем был недоволен. Через полгода его куда-то перевели, и настоятелем назначили отца Серафима Голубцова, что оказалось впоследствии уже совсем невыносимым.

И тем не менее отец Александр был неизменно бодр, деятелен, энергичен. Прихожане видели его веселым, улыбающимся, открытым их нуждам, кровно сострадающим их печалям, быстрым на помощь и участие. Казалось, дела у него всегда идут блестяще и сил хоть отбавляй.

Но с каждым годом служить и работать с паствой становилось труднее. Отец Серафим оказался тяжело душевнобольным человеком. Он был заядлый сталинист, предан душой и телом органам безопасности и обладал крайне неуживчивым вспыльчивым характером. В чем-то повторялась акуловская история. Чем популярней становился отец Александр, чем больше тянулась к нему паства, тем ненавистней делался молодой священник старому настоятелю. Он устраивал ему безобразные сцены, скандалил в алтаре и наконец стал писать нелепые доносы. По службе у него никаких претензий не было, неутомимый и безотказный священник его вполне устраивал. Но он хотел, чтобы отец Александр не читал и не давал книг, не разговаривал с людьми и тому подобное. В одном из доносов, который отцу Александру дали прочитать в Патриархии, он обвинял его в том, что его взгляды не стоят на прочном материалистическом марксистском основании.

Служить вместе перед одним престолом стало невозможно. Отец Александр просил начальство куда-нибудь его перевести «ввиду сложившихся небратских отношений с настоятелем», но оказии все не было.

Несколько раз его посылали заменить больного священника в крохотный деревянный храм под Пушкино. Там ему очень приглянулось. Со старостой и дряхлым настоятелем отцом Григорием Крыжановским возникли взаимопонимание и симпатия. Вторым священником в храме был отец И. Это был неплохой, искренний священник, но, к сожалению, он пил. Отец Александр договорился о том, что он перейдет в Новую Деревню, а отец И. в Тарасовку. Митрополит Пимен подписал их прошения, не ставя в известность отца Серафима. Когда отец Александр пришел за расчетом, отец Серафим вознегодовал: как смели сделать замену священников без его ведома! Но указ был подписан митрополитом, и ему пришлось смириться.

После ухода отца Александра отец Серафим выбрал новую жертву: тихого и исполнительного чуваша отца Николая. Он сживал его со свету, многодетный отец Николай оказался без работы и средств к существованию и несколько лет сильно бедствовал.

Наконец отец Серафим стал невыносим для всего прихода, на него посыпались жалобы. Его куда-то перевели, но он и там не ужился. Затем он попал в психиатрическую больницу и был переведен за штат.

Чтение и литературные занятия в тарасовский период

1965

Пишу греческие главы для «Магизма и Единобожия». Разделяю «Истоки религии по совету Желудкова. Читал его в 59 г. С этого времени (61—64) переписка с Желудковым и компанией. Еще одна редакция «Сына Человеческого».

1966

Пишу «Дионис, Логос, судьба». Ницше, Вересаев, античная литература. Последняя статья в «Журнале Московской Патриархии». Учу греческий.

1967

Первая попытка напечатать (Франциск Сальский).

1968

Выход «Сына Человеческого». Общая редакция 4-х первых томов. Булгаков. Бердяев. Соловьев. Много Бергсона. Старец Силуан (читал еще раньше в 58 г.). Материалы по Оптиной Пустыни. Беседы о ней с Павлович. Учу иврит. Начал «Пророков» («Вестники Царства Божия»).

1969

Выходит «Небо на земле».

Ленинградская семинария 1958—60 гг. Московская Духовная Академия 1964—68 гг. Кандидатская работа «Элементы монотеизма в дохристианской религии и философии». Дружба со Старокадомским и Ветелевым. Пишу «Пророков».

ГЛАВА ДЕВЯТАЯ
В НОВОЙ ДЕРЕВНЕ

Новый храм

Наконец в феврале 1970 года состоялся желанный перевод в Новую Деревню.

Сретенский храм находился на Ярославском шоссе в 40 минутах ходьбы от станции Пушкино. Можно было добираться и автобусами, у станции имелась стоянка такси, в целом это было даже удобнее, чем Тарасовка, где останавливались далеко не все электрички.

Настоятелю отцу Григорию Крыжановскому было в ту пору около 75 лет. Он прожил много лет в эмиграции, там рукоположился, служил в Чехословакии, Болгарии, кажется, в Албании и лет за двадцать до того вернулся в Россию. Сохранил хорошие манеры, был очень добродушен, благожелателен, любил мир и покой и ни во что не желал вмешиваться. Делами в церкви не управлял, они шли сами собой под руководством старосты. Память отца Григория резко слабела, он путался во время служб и чувствовал себя в алтаре неуверенно.

Отец Александр пришелся ему по вкусу. Молодой, энергичный священник был неутомим и взял на себя львиную долю нагрузки. Впоследствии, когда отец Григорий уже не был в состоянии вести службу, он только присутствовал в алтаре и подавал кое-какие возгласы, когда мог, а отец Александр работал за двоих. Он всячески поддерживал и берег отца Григория — и из симпатии к доброму и беспомощному старику, и потому что понимал: без него будет хуже.

Так и дотянули почти до самой кончины отца Григория. Умер он в 1978 году в преклонном возрасте полным склеротиком.

Новодеревенский храм был, собственно, большой деревянной избой. Вмещал он самое большее человек двести. Внутри бревенчатые стены были оштукатурены и сильно завешаны самыми разными иконами. Потолок был ярко и пестро расписан евангельскими сценами. За алтарем висел большой образ Пресвятой Троицы: у круглого шара сидели Христос и Бог-Отец в виде бородатого старика, а над ними летал голубь.

Первая реакция московских чад отца Александра, когда они пришли вслед за своим пастырем в этот храм, был скорбный вздох: «Смерть эстетам!»

Нелегко складывались отношения с деревенскими прихожанами. Эти бабушки-завсегдатаи служб откуда-то твердо знали, что положено и что не положено: когда и сколько класть поклонов, как прикладываться к иконам, как передавать свечи, как верующим одеваться. А тут откуда ни возьмись молодой красивый священник-еврей, а за ним целая свора неотесанных москвичей, которые совсем не знают никаких правил и приличий. Девицы ходят без платков и в брюках, исповедуются подолгу, да еще часами сидят в комнатке батюшки после службы. Срам, да и только!

Решили, что все москвичи непременно евреи и вообще что-то не то. Местные «бабки» раскололись на две партии. Часть сразу покорила доброта, открытость, рвение молодого батюшки, а другие твердо стали на путь оппозиции по причине антисемитизма.

Шаг за шагом, год за годом с неизменным терпением приходилось преодолевать отцу Александру дремучее невежество, недоброжелательность и непонимание. Требовался бесконечный такт, чтобы не задевать самолюбий, утишать ревность деревенских к москвичам, покрывая их промахи.

Старостой в церкви была высокая сухая старуха по имени Ольга Васильевна. Говорили, что она когда-то была военной летчицей. Так это или нет, но она обладала большой выдержкой, твердостью и к тому же немалым опытом в своем деле. Долго и подозрительно присматривалась она к новому священнику и наконец приняла его в сердце.

Большим преимуществом Новой Деревни по сравнению с Тарасовкой был прицерковный домик. На одной половине жил отец Григорий и находилась комнатка старосты. Другая половина с отдельным входом состояла из кухоньки и двух комнат. В одной, побольше, стоял обеденный стол, две кровати и диван, на которых спали после всенощных старушки-певчие и древняя алтарница, мать Феодора. В другой крохотной комнатке была печь, кровать для отца Александра, тумбочка при ней, письменный стол, два стула и этажерка с книгами.

Позже печь снесли, поставили батареи центрального отопления, а в кухне установили двухкомфорочную газовую плиту.

Вот эта-то каморка отца Александра и стала главным местом его пастырской работы. Здесь в течение двух лет он вел тайный семинар по патристике. После служб желающие поговорить с ним шли в прицерковный домик и терпеливо часами дожидались в большой комнате своей очереди.

Батюшка часто уходил — то покрестить кого в храме, то отпеть, то побеседовать с настоятелем или старостой. В ожидании читали духовные журналы, которые выносил отец Александр, пили чай, тихо беседовали между собой.

Иногда, уже поговорив с духовником, дожидались знакомого попутчика. По лицам тесно сидящих на кроватях, на диване, на стульях людей можно было сразу увидеть, кто уже был у батюшки, кто — нет. Те, до кого еще не дошел черед, выглядели обычно озабоченными, иногда угнетенными, а успевшие побеседовать казались окрыленными, сияли радостью.

Священник, который к тому времени был уже часов десять на ногах в непрерывной напряженной работе, находил в себе силы вникать в душевные и житейские передряги своих подопечных, искать нужные решения, подымать дух, вливать в них новые силы и вести по духовному пути, ни в чем не ущемляя внутренней свободы.

Многие желали и даже требовали от него точного детального руководства, пытались вручить ему свою свободу, потому что проникались полным доверием к своему пастырю. Он никогда на это не шел. Терпеливо ждал созревания, приучал к самостоятельности и ответственности, готовил к творческому поиску индивидуального, неповторимого христианского пути. В этих молодых душах он видел как бы семя, из которого прежде времени нельзя насильственно извлекать плод. Надо терпеливо ждать появления ростков и корней, возрастания, цветения — и уж потом плодоношения. Не существовало готовых рецептов — каждая судьба была уникальной и требовала особого подхода.

Иногда в новодеревенском храме появлялся немолодой молчаливый человек в сером костюме. Выстаивал литургию, дожидался в церковном домике, когда кончатся панихиды, молебны и требы, молча сидел, присматриваясь к молодой пастве отца Александра. В те годы у него было красное склеротическое лицо, и, хотя он не был стар, память и ум его уже страдали от быстро развивавшейся болезни, от которой он и умер.

Лишь после его смерти открыл отец Александр самым доверенным своим друзьям, что это был тайный священник отец Борис Васильев. Из-за преподавательской и научной работы он не мог практиковать. Отец Александр дружил с ним со школьных лет, а в 1963 г., после смерти отца Николая Голубцова, отец Борис стал духовником отца Александра и оставался им до самой смерти.

Ожог

Осенью 1972 года отец Александр сильно простудился. Но отлежаться не было возможности. Он перемогался, служил в жару, кашлял, глотал лекарства, а болезнь все не отступала.

Наконец накануне Рождества прихожане настояли на том, чтобы ему сделали рентгеновский снимок. Врач установил воспаление легких, назначил антибиотики, горчичники и банки. Одна прихожанка взялась поставить ему банки в Сочельник после всенощной службы. Тут события стали развиваться престранным образом.

После службы означенная прихожанка, назовем ее Н., ждала с банками отца Александра в кухоньке при церковном доме. Народу набилось много — мать Феодора, часть певчих и другие служительницы остались ночевать накануне Рождественской литургии. Н. села в своем мохеровом свитере на единственный свободный стул, стоящий впритык к горящей по случаю мороза газовой плите.

Вошел отец Александр, увидел Н. и воскликнул: «Вы что, сгореть хотите?!» — «Хочу», — сама не зная почему, ответила та.

Тогда он за руку выдернул ее с опасного места.

Несмотря на то что он был болен и устал, его, как всегда, ожидали люди. В числе их была молодая супружеская пара, которая осенью приняла крещение. Оказалось, они приехали известить отца Александра о несчастье, случившемся в семье их ближайших друзей, которые тоже крестились вслед за ними. Двадцатидвухлетняя пианистка Л. готовила что-то на газовой плите. Вдруг ее мохеровый свитер вспыхнул, и Л. мгновенно охватило пламя. Ее увезли в больницу со страшными ожогами, жизнь ее в опасности.

Наконец все ушли, Н. стала готовить банки. Их было маловато, и церковные бабушки посоветовали взять стопки из шкафа с посудой.

В одну из них Н. налила одеколон, дело заспорилось. Наконец, она схватила последнюю стопку и, сунув в нее палочку с горящей ватой, прижала банку к спине больного. В одно мгновение по всей спине отца Александра разлился горящий спирт. Потушить пламя мешали крепко всосавшиеся в тело банки. Пока их срывали, вся спина и бока покрылись пузырями. Пламя охватило тумбочку, стоявшую у кровати. Едва сбив пламя со спины, отец Александр бросился тушить пожар.

Спину облили подсолнечным маслом, присыпали содой, Н. кинулась к ближайшему автомату вызывать «скорую помощь». Врач всадил обезболивающий укол, запретил и думать о завтрашней службе и, велев с утра ехать к травматологу, наложил повязку на всю спину. Отец Александр лежал с зеленым от боли лицом, на котором выступили неестественно крупные капли пота. «Скорая помощь» уехала.

Н. рыдала, уткнувшись лбом в письменный стол. Отец Александр пытался шутками успокоить ее. От его мужества, кротости и терпения слезы разбирали Н. еще пуще.

Видя, что шутки не помогают, батюшка сказал серьезно: «Это не к вам относится. Мне за обожженную девочку надо было пострадать».

На следующее утро он служил. Боль была так же нестерпима, как и в первую минуту ожога, но если б не неестественная бледность, никто бы и не догадался о случившемся. Служба прошла с подъемом и так торжественно, как если бы служил не один-единственный священник (отец Григорий совсем занемог и большую часть литургии сидел в глубине алтаря в кресле), а архиерей с многолюдным клиром.

В тот же день Н. отправилась в Троице-Сергиеву Лавру молить преподобного Сергия об исцелении обоих обгоревших. Вопреки всем ожиданиям, на третий день отец Александр был здоров — не только от ожогов, но и от воспаления легких, а молодую пианистку выписали через три недели из больницы. На месте обугленных ран была свежая безукоризненная кожа, не пострадали и руки, которые, казалось, были безвозвратно искалечены, и только под подбородком остался выпуклый розовый шрам. Он был похож на цветок и даже красил молодую женщину.

Кстати, на этом история с Л. не кончилась. Примерно через год после ожога у нее родилась девочка. Когда Л. вернулась с ребенком из роддома, у новорожденной оказалась стафилококковая инфекция.

Каждый день на тельце выскакивали новые фурункулы. Поскольку бабушка была доктором медицинских наук и главой известного научно-исследовательского института, то ребенка в больницу не отдали, а лечили дома. Достали какие-то дефицитнейшие американские антибиотики, ежедневно привозили врача, вскрывавшего гнойники, но дела шли все хуже.

Через несколько дней отец ребенка В. позвонил вечером Н., которая предполагалась в крестные еще до рождения девочки.

— Приезжайте сейчас, я буду крестить дочь.

— Вы будете сами крестить? Почему?

— Потому что до утра она не доживет.

— Подождите. Я это беру на себя. Она доживет до крещения. Ждите, я вам буду еще звонить.

Н. тут же позвонила своему взрослому крестнику и послала его в Семхоз к отцу Александру с просьбой приехать на следующий день крестить младенца.

Крестили в ванночке с марганцовкой, так как все тельце было изрезано при вскрытии нарывов. Ребенок горел в жару, часто и тяжело дышал, изредка судорожно дергался, глаза его были безжизненны. Видно было, что жить девочке осталось считанные часы.

Отец Александр вложил в крещальные молитвы все силы души. С виду он был добр и спокоен, как всегда, но все присутствовавшие испытывали какое-то особое высокое состояние духа. Казалось, в крещении принимают участие ангелы...

В тот же день прекратилось образование новых гнойников, через три дня отменили уколы, ребенок выздоровел и рос крепышом.

Можно было бы рассказать о сотнях подобных случаев.

Дочь батюшки Ляля, не слишком чтившая в пору отрочества родителей и не очень преданная тогда церковным обрядам, говаривала: «Известное дело, папа помолится, мертвый встанет».

«Антихрист»

На углу Герцена и Огарева в маленькой двухкомнатной квартирке с большой лоджией жила немолодая супружеская чета: Людмила Федоровна Окназова и Валерий Всеволодович Каптерев. Жена была худенькая, живая, кокетливая дама, сохранившая в 70 лет грацию бывшей балерины. Она писала прекрасные стихи и исповедовала теософию. Муж ее был художником. Тесная квартирка походила на антикварную лавку. Чего там только не было! И старые иконы, и танцующие шивы, и китайские драконы, и сушеные морские звезды, и разноцветные минералы, и среднеазиатские халаты, и бубны, одним словом — музей, да и только. Все стены сплошь были увешаны картинами В.В. Но еще больше картин лежало на стеллажах.

В.В. был странным художником. Он писал и абстрактные, и реалистические, и мистические «замазючки», как он их игриво называл гостям, которых, кстати, всегда был полон дом, и иногда сам не мог понять смысла своих работ.

Мало-помалу Л.Ф. начала отходить от теософии, наконец приняла христианство и, воцерковившись, стала прихожанкой отца Александра. А В.В. дул в другую дуду. Он увлекся писанием чертей. Черти были очень разнообразные: веселые, грустные, мечтательные, но все очень реалистичные, будто художник их лично знал и с ними каждый день за ручку здоровался. А кроме чертей были другие картины, такие, от которых мороз по коже пробирал — так веяло от них нечистым духом преисподней. Особенно синие «Алхимики» наполняли душу леденящим ужасом. А В.В. наслаждался эффектом, показывая их гостям, и рисовался связями с астральным миром.

Он вообще был большой кокет и жуир — в 75 лет вовсю ухаживал за молодыми дамами, рассказывал встречным и поперечным про своих «мусульманских жен» и охотно играл в испорченного мальчика.

И доигрался. Однажды он написал кощунственную картину, которую назвал «Антихрист». На картоне, покрытом серо-синими зловещими мазками, вырисовывалось серо-синее же лицо с чертами Христа. Только в глазах из-под пенсне горела нечеловеческая злоба, а рот кривила язвительная усмешка.

С той поры Л.Ф. не находила себе места в доме. А уничтожить «замазючку» нельзя было и помыслить — это значило бы разрушить всякий мир в доме. Уж и святой водой кропила она проклятую картинку, и «Да воскреснет Бог и расточатся врази Его» читала, и ладаном окуривала, а дискомфорт все возрастал, и житья от «Антихриста» ей не стало.

И тут В.В. заболел. Становилось ему все хуже и хуже, и вдруг он догадался, в чем дело. Призвал к себе молодого друга дома Витю К. и попросил его отправить по почте «Антихриста» в дар «Музею чертей» в Каунасе. Витя выпросил позволение задержать «шедевр» у себя на недельку, чтобы показать знакомым. Но не тут-то было. Едва Витя принес домой пресловутую картонку, как почувствовал себя плохо. Разболелась голова, поднялась температура, расстроился желудок. Витя был здоровым малым, никогда не болел, к тому же считал себя агностиком и ни в Бога, ни в черта не верил. Однако промаялся животом всю ночь и горел в жару, а голова прямо-таки раскалывалась.

Утром он хотел достать росший на шкафу тысячелистник, чтобы добыть соку для сынишки, страдавшего насморком, как вдруг горшок с растением вырвался у Вити из рук, стукнул его по больной голове и, обсыпав предварительно горемыку землей, разбился на тысячу осколков.

Этого Витя не выдержал. Невзирая на все болести, схватил картонку и понес на почту. Отправив посылку, Витя пошел домой. Что за оказия? Ничего не болит, температура упала, Витя здоров.

В.В. тоже поднялся с постели. Но этого урока ему было мало, и он принялся за новые «замазючки» в том же духе.

На этот раз болезнь его скрутила так, что он стал ждать конца. В голове его прояснилось, он понял связь между его сатанинскими картинками и болезнями и решил освятить дом.

Поскольку Л.Ф. была прихожанкой отца Александра, то, естественно, попросила его отслужить молебен. В.В. выразил согласие и причаститься. Отец Александр обещал приехать утром, а ночью раздался телефонный звонок. Врач, принадлежавший к числу друзей дома, требовал немедленной госпитализации: «Он умирает, а мы не использовали последней возможности спасти его. Нужно попробовать капельное переливание крови. В восемь утра я пришлю машину «скорой помощи!» По счастью, у Л.Ф. нашлось присутствие духа отстоять мужа: «Только через консилиум! Созывайте ваших профессоров, пусть решают. А так я его в больницу не отдам, я его мертвым получу, пусть умирает дома».

Утром приехал отец Александр. Он часто видел умирающих и понял, что смерть вот-вот наступит. Он остался наедине со старым художником. Прошло больше часу. Больной исповедовался, причастился, а отец Александр все оставался с ним за запертой дверью.

Наконец дверь отворилась, и глазам обомлевшей Л.Ф. представилось нечто невместимое. У стеллажей с картинами стояли священник в черной рясе и ее муж в трусах и майке. В.В. вытаскивал картонку за картонкой, отец Александр быстро просматривал их и время от времени откладывал какую-нибудь в сторону. Это шла прополка огорода: священник отбирал «нечистую силу», чтобы ее убрали из дому. Когда вечером состоялся консилиум, приглашенные светила недоумевали: почему стоит вопрос о госпитализации? Больной по своему состоянию в этом не нуждается, он почти здоров.

В.В. выздоровел, но даже такой наглядный урок его не образумил. Он вел прежний образ жизни и вспомнил о священнике и Боге, лишь снова заболев, перед операцией. Он опять причастился, операция, на которую долго не решались врачи из-за плохого сердца больного, прошла блестяще. Он помолодел, окреп — и снова принялся за свое. Как тут не вспомнить евангельский рассказ о десяти прокаженных, из которых девять и не подумали поблагодарить исцелившего их Иисуса.

Красный епископ

Архиепископ К. когда-то работал в театре. Он написал Патриарху Алексию письмо на тему «как я верую». В нем он изложил свое понимание «Символа веры» (весьма традиционное), а также глубокую убежденность в том, что коммунизм есть осуществление евангельских идеалов и потому Церковь должна всеми силами поддерживать советскую власть. К письму приложил прошение о рукоположении. Он никогда не учился ни в семинарии, ни в академии, но прислуживал много лет в храме и службу знал хорошо.

Такой красный священник был находкой, и Патриарх самолично его рукоположил. Свою карьеру он начал в Подмосковье, а затем был переведен настоятелем в Москву. Он был хорошим администратором, навел в церкви порядок, наладил отличный хор. Выпестовал из прицерковных мальчиков плеяду всецело покорных ему священников, вывел их, что называется, в люди и сиял звездой на их фоне. Он был честолюбив, задумал большую карьеру, постригся в монахи и добился сана епископа. Затем его послали в Берлин экзархом Западной Европы. Подвела его театральная эксцентричность. Ему ничего не стоило сесть в обществе на стол. В ответ на сетования немцев о непонятности русского богослужения он мог ляпнуть: «А чем непонятнее, тем лучше». Немцы умоляли убрать от них такого экзарха. К. отозвали и хотели услать в какую-нибудь епархию подальше, в глубинку. Он уперся: не поеду из Москвы, да и только. Тогда его назначили настоятелем храма в Замоскворечье. Он оказался «министром без портфеля»: епископом без епархии.

Карьера его сломалась, ибо, как ни странно, он не пришелся ко двору ни церковным, ни гражданским властям. Первые недолюбливали его за слишком партийные убеждения, а вторые не доверяли ему как церковнику, да еще способному на экстравагантности.

И вот этот красный епископ положил глаз на отца Александра, когда тот был еще диаконом. Он решил превратить талантливого богослова, владеющего пером, в своего единомышленника и использовать в собственных целях. Уловить в свои сети такую «акулу», которую он подозревал в тайном диссидентстве, и подарить своим друзьям из КГБ, с которыми он, видимо, согласовал свой демарш, — таков был его новый замысел. Предлогом послужило опубликованное в «Вестнике РХСД» в 1975 г. интервью отца Александра по еврейскому вопросу. Владыка К. стал усиленно приглашать к себе отца Александра, засыпал его письмами с увещеваниями и вразумлениями. Но не тут-то было. Твердый орешек не поддавался, и красному епископу пришлось отступить несолоно хлебавши.

Неожиданные крестины

Роза Марковна Кунина с ранней юности была дружна с Верой Яковлевной и Еленой Семеновной. Многое их сближало, но более всего интерес к христианству. Интерес постепенно перешел в веру, но креститься что-то мешало. Сестры очень любили Р.М. и горячо желали ей крещения, но шли годы, десятилетия, а та никак не могла решиться. Время от времени она приезжала к отцу Александру, беседовала с ним. Он и всегда предельно бережно относился к внутренней свободе каждого человека, а тут был особенно сдержан. Вера Яковлевна умерла, так и не дождавшись крещения подруги.

Однажды Р.М. привезла крестить в Новую Деревню свою очередную подопечную. Это был один из тех нечастых дней, когда от усталости батюшка уже был как бы отключен от реальности и действовал совершенно автоматически. Внешне это совсем не было заметно. В такие дни он держался так же бодро и двигался быстро, только переставал замечать время и становился чуть рассеян, да выглядел бледнее обычного. Держался на одной воле и привычке служить делу во всех состояниях. Можно сказать, что, когда он так безмерно уставал, он сам куда-то уходил, а за него действовал как бы кто-то другой. Потом он не мог вспомнить, что делал или говорил.

В этом состоянии полного отключения он повел Р.М. в свой кабинетик в прицерковной сторожке и около часу говорил с ней. О чем, он совершенно не помнил, знал только, что в тот день крестил сразу и подопечную Р.М. и ее саму — через пятьдесят лет после обращения.

Надо добавить, что у самой Р.М. до разговора в кабинетике не было ни малейшего представления о том, что она крестится в этот день.

Новодеревенская паства

Среди паствы было немало душевнобольных. Они шли в этот храм как в лечебницу, и для них приходилось изучать книги по психиатрии, пользоваться методами Фрейда и Юнга, перерабатывая их на христианской основе.

Для многих надо было становиться врачом. Пришлось разобраться и в основах медицины. Приходилось удерживать тех, кто желал бросить научную работу и уйти в ночные сторожа якобы ради духовной свободы. Часто надо было устраивать людей на работу. Почти все неофиты проходили через одно и то же искушение: хотели или стать священниками, или уйти в монастырь.

За первые двадцать лет пастырской работы отец Александр благословил в семинарию только одного человека.

Это был Саша Борисов. Он учился с Павликом Менем в одном классе и был его лучшим другом. Отец Александр знал его с первого класса и очень любил. Саша окончил биологический факультет, стал генетиком, женился, у него родились две дочки-близнята. Закончил аспирантуру, защитил диссертацию, но все отчетливей слышал голос, звавший его к священству. Однако Саша не метался, а спокойно ждал, чтобы решилась воля Божия.

В те годы в семинарию не брали москвичей, а Саша был коренным москвичом, не брали и людей с высшим образованием, а Саша был кандидатом биологических наук. И вдруг все устроилось. Сашина семья в то лето жила у отца Александра, под боком был Загорск, отец Александр договорился с ректором владыкой Филаретом, и Сашу приняли. А очень скоро Филарета произвели в митрополиты и назначили экзархом Средней и Восточной Европы, и если б та единственная возможность не была использована, Саше не видать бы семинарии как своих ушей.

Правда, по выпуске его произвели во диаконы, а дальше продвижение задержалось на многие годы. Но Саша так крепок духовно, так доверяет воле Божией, что с глубоким миром терпел задержку со священством и находил много способов служения Церкви. Наконец Борисова рукоположили во священника и оставили служить четвертым священником в той же церкви при Речном вокзале, где он много лет служил в сане диакона.

И лишь в начале девяностых годов отца Александра Борисова назначили настоятелем храма св.св.Космы и Дамиана в самом центре Москвы. Храм пришлось освобождать от находившейся там типографии и приводить в порядок. После гибели отца Александра отец Александр Борисов возглавит осиротевший приход своего духовника.

Кроме Саши отец Александр благословил в семинарию еще двух-трех своих прихожан.

Свою паству отец Александр шутя делил на три категории: «пациентов», или «потребителей», затем «бегущих по волнам» (т.е. неустойчивых, мечущихся в погоне за духовными благами) и, наконец, «соратников».

Последних было меньше всего. Те, на кого он возлагал надежды, по тем или иным причинам сходили со сцены. Мише Аксенову-Мейерсону пришлось в 1972 г. эмигрировать в Штаты. Ж.Б., на которого одно время отец Александр возлагал надежды, ушел в диссиденты.

Среди потерь этого рода был Лев Регельсон. Его увлек на свою орбиту Феликс, и он тоже пошел путем диссидентства. Когда-то он получил от отца Александра материалы по религиозной истории нашего столетия, сумел не только использовать их, но и собрать другие документы и написал книгу «Трагедии Русской Церкви. 1917—1945». Книга была издана за рубежом. Хотя она и изобилует ошибками, но все же это первый опыт такого рода и, несомненно, представляет определенную ценность.

Отец Александр твердо знал, что никакие политические реформы не принесут плодов без духовного обновления человека, без длительного воспитания христианского самосознания.

Конечно, он был не против социальных и политических преобразований, но на первое место ставил распространение и укоренение в душах Христова учения. Поэтому те, кто рвался к политической войне с властями, не находили в нем соратника.

Отходили от него и заядлые поклонники монастырского уклада. Эти люди обычно искали золотой век в прошлом Руси, смотрели назад, а не в будущее. Для них на первом месте были традиции, обрядовое благочестие, поиски мифических «старцев». Отец Александр прекрасно знал, что сейчас в России нет старчества, что пора иная, требующая самостоятельного творчества, действия в мире, а не ухода за стены монастырей. Он много поездил по монастырям в свое время, живал в них и знал, что им была отведена роль музеев и заповедников для иностранцев, что дух там затхл и не может благотворно влиять на религиозную жизнь русского общества.

Ум отца Александра был устремлен на поиски новых форм религиозной жизни. Многое было найдено и продумано давно. И прежде всего надо было оградить неофитов от увлечения «неомракобесием», традиционной обрядовостью, от подмены живого духа мертвой формой.

Как ни слаба и хила была его паства, он начал пробовать.

Приходские общения

В конце семидесятых годов возникла мысль организовать непомерно разросшийся, рыхлый приход. Прихожане висли на духовнике и невольно видели в остальных нежелательных соперников, отнимающих у батюшки драгоценное время; связи между его духовными чадами носили случайный и хаотический характер.

Идея заключалась в следующем. Прихожане, человек по семь—двенадцать, группируются вокруг инициативных людей, регулярно собираются, вместе молятся, изучают Священное Писание, помогают друг другу. В центре такой группы стоит Христос, и тем самым возникает Малая Церковь. В те годы у нас не знали, что такое же движение существует у католиков, и все открывали и придумывали сами.

Приходилось соблюдать конспирацию. Группам надо было постоянно менять место встреч, приурочивать их к гражданским праздникам, ко дням рождения их членов или даже их родных. Нельзя было приходить на встречу вместе, и уходили тоже не более как по два-три человека одновременно.

Несмотря на неизбежно возникавшие трудности, мысль привилась, и духовные эти образования оказались жизнеспособными. Отец Александр назвал их «общениями». Он принимал самое деятельное участие в этом начинании: подбирал руководителей, помогал в составлении программ, снабжал учебной литературой, создавал религиозные диафильмы и сам участвовал во встречах, охотнее всего — на правах рядового члена.

Одиночество

Парадокс этой судьбы (или характера?) в том, что с раннего детства отец Александр одинок. Он всегда окружен людьми. На Серпуховке в комнате, кроме него, живут еще брат, мать, отец, почти всегда — Голя. А сама комната погружена в недра большой коммунальной квартиры, и пройти в нее можно лишь через людную кухню, где непрерывно жарят, варят, стирают, плещутся под единственным рукомойником и не смолкают пересуды хозяек. Из-за стен нередко доносятся крики пьяных скандалов.

За порогом квартиры школа, церковь, религиозный семинар, биологический кружок, окололитературные друзья из писательского дома в Лаврушинском.

До самого института почти ни часа уединения за годы и годы. В Балашихе он снимает комнату — и это приносит ему великую радость: теперь можно молиться, читать, думать, писать в тишине.

Эта комната и еще другая, которую он снимал позже в Иркутске, — единственные оазисы уединения за многие годы. Да и то снимает он жилье не один, а по бедности с напарниками.

В поповских домах в Акулове и Алабине тесно, он окружен семьей, прихожанами — от церкви до его жилья один шаг.

В Семхозе долгие годы, пока не построили кабинет, его рабочий стол от центральной проходной комнаты отделяла только портьера, и, пока не восстала жена, доведенная до крайнего утомления почти непрерывными потоками людей, двери дома не закрывались.

И действительно, отец Александр, кажется, создан для общения. У него для этого есть все, что только можно пожелать: обаяние, которое, как магнитом, притягивает людей с первого мгновения, открытость, доступность, невообразимая широта интересов, некое постоянное свечение любви, на которое люди летят, как мотыльки на огонь.

Притягивает сочетание талантливости и доступности, догадки об особенном высоком строе его внутренней жизни и уважение и интерес к любому состоянию и проблемам собеседника; влечет его целомудрие и возможность говорить с ним при этом о чем угодно, хоть о мучающих человека половых извращениях. Еще есть некое реле, которое он разработал в себе сознательно: способность мгновенно переключаться на чужой психический, духовный, культурный уровень, как бы оказываясь в том состоянии, в котором находится собеседник.

Поэтому после службы его осаждает множество людей, жаждущих поговорить с ним. Поджидают его на автобусных остановках, ловят на станции, провожают из церкви до дома, зовут к себе, напрашиваются, пишут длиннющие письма. «Должен же человек хоть когда-нибудь побыть один», — позволит он себе однажды вздохнуть. Каждый понедельник приходится посвящать переписке. Пишут не только из Москвы, но из разных городов и из других стран.

Паства его раскинулась по всему свету. Многие ищут его дружбы. Он женат. И при всем том он одинок. Это как бы некая заданность в его судьбе. О ней невозможно догадаться постороннему взгляду еще и потому, что он от нее не страдает. Этот веселый, общительный, энергичный человек — посвящен Богу и ни к чему и ни к кому не прилепляется на земле.

И об этом заботится Сам Господь. Среди его окружения нет людей, и отдаленно приближающихся к его духовному, интеллектуальному, культурному уровню. А если они и появляются на горизонте — Солженицын, например, то надолго не задерживаются. Да и всюду он белая ворона. Для православных он слишком католик, для католиков — слишком православный. Для евреев — христианин, для христиан — еврей. Для биологов (хоть и знает биологию лучше многих профессиональных ученых) — богослов, для богословов — естественник. В Русской Православной Церкви он нечто вроде диссидента, но для диссидентов — слишком правый. Тщетно искать в его судьбе те примеры, которым он подражает. Жития святых разочаровали его стандартными повторениями. Нет людей, наложивших на него неоспоримый отпечаток, — он слишком для этого самобытен и как-то очень определен, зрел в главном с самого детства.

Конечно, было два человека, которые ему постоянно оставались верны и преданы, — это мама и Верочка. С мамой его связывали понимание и дружба. Но здесь речь идет не о человеческих привязанностях: отец Александр греет, как печка. Он любит жену, детей, внуков (первая внучка Александра, названная так в его честь, появилась у него в 43 года, когда он сам выглядел не по летам молодым и слишком не походил на деда). Он любит многих, и многие его любят — тут никакого вакуума нет.

Но у него нет того собеседника сердца и ума, с которым делятся всем, кто соучаствует в жизни и идет к той же цели. Ибо это место занято. В центре всех его помыслов, стремлений, притяжений Тот, Кому он посвящает жизнь, работу, силы, мысли, чувства...

Все остальное — производное от этого служения. И вместе с тем батюшка так богат эмоционально, обладает таким высоким даром общения, что и этого «остального» — неисчерпаемо много.

В нем живет одна не делимая на части любовь — к Богу, к миру, к людям. Однако первая заповедь превыше всего — и потому Бог сохраняет его для Себя.

Конечно, Коля Эшлиман занимал особое место в жизни отца Александра. Их отношения, пожалуй, более всего походили на личную дружбу. Но трагический конец отца Николая нам уже известен.

Текучий поток

Текучесть состава прихожан отца Александра объяснялась и внешними, и внутренними факторами.

Прежде всего дальность расстояний. Почти все жили в Москве, и, чтобы добраться до церкви, уходило не менее двух — двух с половиной часов в один конец со сменой разного вида транспорта (добравшись до Ярославского вокзала, приходилось ехать около 50 минут на электричке, затем местным автобусом, потом идти пешком). Некоторым для того, чтобы попасть к 8-ми утра на исповедь, надо было ночевать накануне у кого-нибудь, кто живет поближе к вокзалу, иначе не успеть. Если требовалось поговорить с духовником, ждали очереди нередко по 5—6 часов. Уходил целый день. Иные жили в семьях, где неверующие родные и вообще-то были против церковной жизни, а тут еще такие затраты времени. «У меня не прихожане, а путешественники», — говорил батюшка. Да и паства его была особенно трудной. В основном до его деревенской церкви добирались перекати-поле, — те, кто не уживался в московских храмах.

А кроме того, было множество причин внутренних.

Тот, кто приходит к отцу Александру, кто сейчас с ним, для него — альфа и омега, все на свете. У батюшки происходит некий акт глубокой самоотдачи.

С каждым приходящим возникают особые, непохожие на другие отношения. Человек чувствует себя любимым, интересным, важным, более того — единственным. Ему может вообразиться, будто он один и значит так много для отца Александра. Вскоре прихожанин начинает оглядываться вокруг и обнаруживает, что у священника есть и другие духовные дети, которые тоже выходят после беседы с ним окрыленными и радостными. Возникает ревность, переходящая иногда в недоброжелательство к собратьям и обиду на духовника.

Далеко не все оказывались в состоянии претворить те чувства, которые вызывал духовник, в желание помогать ему в работе. Те, кому это удавалось, образовали своего рода «рабочую элиту», а другие уходили.

Характерен случай с Ф. До крещения она прошла через теософию и йогу. После обращения ходила в московские храмы, где вступала с духовниками в личный тесный контакт, ничем добрым не кончавшийся. В семье она была очень одинока — муж партийный, более того — офицер КГБ. Попав наконец к отцу Александру, она начала помогать ему печатаньем на машинке, стала приезжать еженедельно.

Весной написала письмо о том, что собирается снять дачу в Семхозе. Это означало, что она хочет бывать у батюшки дома. Дом же свой он защищал от вторжений: ни жить, ни работать нормально без такой необходимой самообороны было невозможно. В те годы он приезжал в храм не менее четырех раз в неделю и оставался там до вечера, беседуя с людьми.

Поэтому он ответил, что не в восторге от плана Ф. После этого письма он больше ее не видел — она перешла к пятидесятникам. Он мог бы сколько угодно удерживать ее при себе, используя личную привязанность, но не стал: не себе он искал поклонников, а Богу.

Кроме того, для очень многих он сознательно был «пусковым механизмом»: готовил к крещению, крестил, вводил в церковную жизнь, а затем направлял в московские храмы.

Он был священником для всех, очень открытым и доступным, но харизмой его было служение молодым новообращенным интеллигентам. И всегда он искал тех, кто готов углублять веру, приобретать знания, нести свет дальше. Таких было не очень много. Большинство устраивала вера как некий потаенный остров, куда уходят от тягот мирской жизни, идущей по другим законам и как бы отделенной, независимой от Бога. В веру они укрывались от враждебных стихий, бушующих в житейском море, как в тихую гавань. Эти не были соратниками.

Отец Александр отдавал себя: свое сердце, опыт, ум. Но с годами все более и более защищался от притязаний людей чем-то быть в его судьбе. В деле Божием, в общинной жизни — да, пожалуйста. Он искал помощников, соратников, относился к ним очень сердечно, но при этом не терпел, когда они претендовали на роль его личного друга.

Через несколько лет от старого контингента оставались считанные единицы. Званых много, да избранных мало.

Однажды в трудную минуту отец Александр вздохнул: «Вся трагедия в проблеме решета: льешь, льешь воду, а что остается?..» Надо было обладать большой верой, стойкостью и мужеством, чтобы не устать сердцем, не пасть духом.

Действительно, обновление пришедших в Церковь взрослых людей происходит медленно, со срывами и падениями. Живут они в своей прежней среде, где ничто не помогает воспитанию нового сознания.

Трудно, много разочарований, огорчений. «Люди — это одни неприятности», — как-то признался он. И даже еще резче: «Я работаю в ассенизационной трубе». Измены, предательства почти постоянно сопутствовали его пастырскому труду...

А некоторые уходили потому, что их не устраивал стиль духовного руководства. Им хотелось избавиться от свободы, переложить ответственность и работу совести на другого, как бы окуклиться. Батюшка же считал свободу высшим божественным даром и лишь терпеливо помогал медленному созреванию духовного самосознания. Он не желал становиться стеной между человеком и Богом. И вообще ему был глубоко чужд начальнический стиль:

своим пасомым он только старший советчик и помощник. Ему хотелось видеть своих духовных детей твердо стоящими на ногах, а многие из них предпочитали годами не выползать из пеленок... Такой подход, хоть и единственно верный, был труден и ему и пастве. Он исповедует, он пишет для своих чад книгу за книгой, часами беседует, он проповедует, помогает каждому найти свое место в Церкви, терпеливо и незаметно воспитывает, объясняет, выслушивает, утешает, поддерживает, воодушевляет — но не начальствует. Лишь в самых крайних случаях пользуется своей священнической властью: налагает эпитимьи, отказывает в духовничестве, отлучает от Церкви, — но это редкие исключения. И те, кто жаждет твердых указаний на все случаи жизни, уходят от него.

Поэтому из огромного притока людей мало кто задерживался очень надолго. Одной из болезней века была неверность. Люди нередко предавали свою веру, Церковь, Христа, себя. А он сознательно не хотел служить подмене: удерживать их около себя. Он влек их к Богу, а они цеплялись за человека. Но ученик не лучше Учителя, и, в общем, как ни печально, все это в порядке вещей. Из отброшенных строителями, негодных камней созидает Христос Свою Церковь. И каждая такая неудача лишь удваивала и так неукротимую энергию отца Александра.

Одно наблюдение

В то воскресенье в храме стоял гроб с Катей. Катю многие знали и любили. Это была медсестра из Пушкина. В юности она участвовала в войне. Вышла замуж за человека партийного, занимавшего видную должность не то в горкоме партии, не то в горисполкоме, а потом пришло обращение, перевернувшее всю ее жизнь. Катя и так была добра и самоотверженна по натуре, а теперь со всем жаром приняла веру во Христа как призыв к служению ближним.

Она была высокая, опрятная, миловидная, обладала врожденным чувством собственного достоинства и большим тактом. В церкви ее ценили и уважали.

Уже будучи сама больной, она через силу ходила делать уколы Елене Семеновне. И вот умерла от рака в возрасте примерно 55 лет и лежала в гробу в окружении многочисленных друзей и родных.

Я почувствовала, как мертво ее тело. Гораздо мертвее, чем любой предмет. Ведь вещи живут, мы ими пользуемся, они так или иначе участвуют в жизни. А тело умершего ни на что не пригодно. Через час-два его закопают в землю, и оно уйдет из жизни даже как предмет. Я ощутила потрясающую мертвенность тела, из которого ушла душа. И вдруг посмотрела на служившего литургию отца Александра и поняла, что он есть противоположный полюс, полюс жизни. Я подумала — не потому ли просто, что он живой, и принялась оглядывать окружающих одного за другим. Нет, они были не такие: в каждом из них в разной пропорции соединялись и жизненность и мертвенность. И только одного батюшку наполняла чистая жизнь. Он был настолько живее других живых, насколько Катино тело было мертвее, скажем, гроба, в котором оно лежало. И я поняла, в чем дело. Животворит Дух. И животворит в той мере, в какой мы отрываемся от тлена страстей, от рабства миру и предаем себя Богу.

Каждое движение, жест, само тело отца Александра были живы, наполнены этим животворящим Духом. Даже наполнены — неточное слово, они были преображены и стали самой жизнью.

Так вот почему он так тянет к себе нас, полумертвых! Мы, как вурдалаки, питаемся его жизненностью. А он, подобно неразменной кубышке, неустанно наполняется — и раздает. Быть может, это и значит быть сосудом Божиим?

Анкета

А вот как аттестовал себя отец Александр, ответив на те же вопросы, что и Вл.Соловьев:

1. Главная черта вашего характера? — Устремленность.
2. Какую цель преследуете в жизни? — Служение делу Божию.
3. В чем счастье? — В исполнении этого служения.
4. В чем несчастье? — Не выполнить его.
5. Самая счастливая минута в вашей жизни? — Их много.

6. Самая тяжелая минута? — Тоже немало.

7. Чем вы желали бы быть? — Самим собой, но имеющим больше сил и возможностей.

8. Где желали бы жить? — Где хочет Бог.

9. К какому народу принадлежать? — Пока доволен тем, что есть.

10. Ваше любимое занятие? — То же, что и у Маркса (копаться в книгах).

11. Ваше любимое удовольствие? — Получить новую хорошую книгу.

12. Долго ли вы хотели бы жить? — Пока не выполню всех планов.

13. К какой добродетели вы относитесь с большим уважением? — К широте и терпению.

14. Ваша главная привычка? — Писать.

15. К чему вы чувствуете наибольшее сострадание? — К старикам.

16. К какому пороку относитесь наиболее снисходительно? — Не знаю.

17. Что вы больше всего цените в мужчине? — Чувство ответственности.

18. В женщине? — Женственность и чуткость.

19. Ваше мнение о современной молодежи? — Разное.

20. О девушках? — Тоже.

21. Верите ли вы в любовь с первого взгляда? — Да.

22. Можно ли любить несколько раз в жизни? — Сомневаюсь, но, может быть, да.

23. Сколько раз были влюблены? — Не считал, очень мало.

24. Ваше мнение о женском вопросе? — Женщинам нужно дать сокращенный рабочий день с той же зарплатой.

25. Ваше мнение о браке и супружеской жизни? — Высокое.

26. Каких лет следует вступать в брак? — Все равно, но лучше раньше.

27-31. Ответил бы так же, как и Соловьев.

32. Какое историческое событие вызывает ваше наибольшее сочувствие? — Все случаи геноцида.

33. Ваш любимый писатель? — Трудно сказать.

34. Поэт? — Пушкин, Данте, не знаю.

35. Любимый герой? — Не знаю.

36. Героиня? — Ундина.

37. Ваше любимое стихотворение? — Кое-что из Пушкина, Волошина, Лонгфелло.

38. Художник? — Боттичелли.

39. Картина? — Не знаю.

40. Композитор? — Не знаю.
41. Произведение музыкальное? — Реквиемы Моцарта и Дворжака, «Чистилище» Листа.
42. Каково настроение ваше сейчас? — Нормальное.
43. Ваше любимое изречение? — Суета сует.
44. Поговорка? — Все там будем.
45. Всегда ли следует быть откровенным? — Нет.
46. Самое выдающееся событие вашей жизни? — Их много.

Новый настоятель

Летом 1976 года отца Григория отправили за штат, а на его место назначили отца С. Среди паствы отца Александра начались волнения. От того, каким человеком окажется новый настоятель, зависела вся жизнь прихода. А что, если это будет подобие «Шестикрылого»? (Под этой кличкой был заочно известен новичкам легендарный отец Серафим из Тарасовки.) Сумеет ли он оценить и полюбить отца Александра или хотя бы не мешать его работе? Что стоит преемнику отца Григория запретить отцу Александру принимать своих чад в прицерковном домике? Писали «молитвы по соглашению» и усердно молились.

Отец С. был родом с Украины, говорил с легким акцентом, жил с семьей в Загорске, а перевели его из Химок, куда ему приходилось долго и неудобно добираться из дому. Он был одних лет с отцом Александром, чуть пониже его ростом, как и он, закончил Духовную Академию и на первых порах никак себя не проявлял, присматривался к обстановке. Произносил длинные, несколько несвязные проповеди, тщательно и подолгу исповедовал и вел себя очень осторожно.

Поначалу он не стеснял своего необычного коллегу. Кто его знает, как могут обернуться дела с отцом Александром, на которого церковные власти поглядывали с уважительной опаской.

После смерти добрейшего отца Григория в январе 1978 года он начал мало-помалу вступать в права. Видно было, что ему нелегко служить рядом с таким известным батюшкой, ученым богословом и непревзойденным проповедником. Об этом можно было судить, между прочим, по частым проповедям против зависти, в которых он невольно выдавал свои внутренние борения.

Приближалась Олимпиада 1980 года. Власти намекнули настоятелю, что его храм, находящийся на туристской трассе в Загорск, выглядит слишком неказисто. Он воспользовался этим, чтобы произвести ремонт и реконструкцию храма. Вложил в это дело большую энергию, выдержку и умение. В результате к алтарю приделали ризницу и кладовочку, к церкви был пристроен придельчик без алтаря, расширили, переделали и обшили тесом вход. Отец Александр ни во что не вмешивался, только предложил сделать над крыльцом кокошник, что очень украсило храм.

Затем отец С. взялся за новое дело: из молодых чад отца Александра создал левый хор. В Новодеревенской церкви хор состоял в основном из старушек, певших «обиход» надтреснутыми голосами. Никаких новшеств хор не принимал, а отец С. был любителем самых полных монастырских служб и знатоком церковного пения. Он рассчитывал с помощью левого хора обновить впоследствии молодыми голосами правый. Отец Александр опять держался в стороне, не без оснований ожидая церковной бури.

И в самом деле, регентша старого хора О.М. переполошилась, нашла себе союзницу в лице злющей тайной монахини З., и пошла писать губерния!

Писала она в основном доносы, сначала на отца Александра, считая его тайным инициатором «еврейского хора» и обвиняя его в намерении создать в Новой Деревне «не то греческую, не то еврейскую церковь», а потом и на поддерживавшую его старосту. Батюшку стали без конца вызывать в Совет по делам религий, к церковному начальству.

Как раз в ту пору отец Александр рассказывал автору об алабинском периоде своей жизни и упомянул о добрых отношениях с местными властями.

— Ну вот, умели же вы с каждым найти общий язык. Что же с С. не нашли?

— Так ведь если я сидел и выпивал с милиционером, все было легко и просто: передо мной хороший человек, и нет никаких преград, нас ничто не разделяет. А это сумасшедший. Никогда нельзя знать, что от него ожидать. Только что побеседовали с ним, договорились о чем-то, а при следующей встрече он ведет себя так, как будто никакой договоренности не было. Это непредсказуемое, неуправляемое поведение. От болезни, конечно. Тут полная несовместимость. Единственное остается — не обращать внимания, если не мешает.

Но С. мешал все больше.

В Загорске его снабжали письменностью определенного рода. То это была пресловутые «Протоколы сионских мудрецов», описывающие планы злодеев-евреев установить свое мировое господство, то сборник статей Феликса и его друзей, прозрачно намекавших на то, что исконное русское православие сознательно губят сионисты и жидо-масоны, которые с диверсионными целями пробрались в РПЦ под видом священников и псевдобогословов и пишут подрывные книги, а их печатают антихристы-католики и забрасывают в Россию с целью подчинить Третий Рим Папе. Отец С. пугался, запутывался в этой информации и предпочитал верить не собственным глазам, а печатному, хоть и на машинке, слову.

Да и паства отца Александра не проявляла должного такта и откровенно пренебрегала настоятелем, к тому же вскоре назначенным еще и благочинным.

Все это, вместе взятое, побудило отца С. категорически запретить отцу Александру принимать свою паству в прицерковном домике. Он стал часто менять дни служб, и чада отца Александра, приехавшие к своему духовнику на исповедь, попадали к отцу С. По каждому ничтожному поводу резко выговаривал своему коллеге и без конца писал на него доносы.

ГЛАВА ДЕСЯТАЯ
ДУХОВНЫЙ ПУТЬ

Кредо

Вы просите меня изложить мое кредо. Хотя кредо каждого христианина и, разумеется, священника уже выражено в Символе веры, вопрос Ваш вполне законный. Христианство неисчерпаемо. Уже в апостольское время мы находим целую гамму типов Христианства, дополняющих друг друга. Итак, если выразиться кратко, для меня вера, которую я исповедую, есть Христианство как динамическая сила, объемлющая все стороны жизни, открытая ко всему, что создал Бог в природе и человеке. Я воспринимаю его не столько как религию, которая существовала в течение двадцати столетий минувшего, а как Путь в грядущее.

— Оно имеет средоточие своей веры во Христе, Им измеряет и оценивает все (Откр 1, 8).

— Оно знает, что приход на землю Богочеловека не был односторонним божественным актом, а призывом к человеку ответить на любовь Божию (Откр 3, 20).

— Оно познает присутствие и действие Христа в Церкви, а также в жизни вообще, даже в самых простых, обыденных ее проявлениях (см. притчи Господни, в частности, Мф 6, 28—29);

— знает, что достоинство личности, ценность жизни и творчества оправдываются тем, что человек является творением Божиим (Пс 8);

— видит в вере не теоретическое убеждение, а доверие к Богу (Рим 4, 3);

— не требует ощутимых знамений (Мк 8, 11—12), памятуя о том, что творение — чудо (Пс 18, 2);

— оно внимает Слову Божию, которое запечатлено в Писании, но остерегается буквально толковать каждую строку Библии, особенно Ветхого Завета (Рим 7,6);

— верит, что один и тот же Бог открывался в обоих Заветах, однако открывался постепенно, в соответствии с уровнем человеческого сознания (Ев 1, 1);

— различает грань, отделяющую Предание (дух веры и учения) от «преданий», среди которых есть немало фольклорных и преходящих наслоений на религиозной жизни (Мк 7, 8; Кол 2, 8).

— Оно верит, что Церковь живет и возрастает силой Христовой (Мф 16, 18, 28, 20);

— верит, что Христос являет Себя в таинствах Церкви, в ее освящении мира, в ее учительстве и в делах служения (1 Кор 11, 26; Мф 18, 20, 19—20; Рим 6, 11; Мф 18. 18; Лк 10, 16), но знает, что ни одна из этих сторон церковной жизни не является самодостаточной, ибо Христос пришел и как Спаситель, и как Целитель, и как Наставник;

— чтит обрядовые формы благочестия, не забывая ни на мгновение, что они вторичны в сравнении с любовью к Богу и людям (Мф 23, 23—24; Мк 12, 28—31);

— верит в значение иерархического и канонического принципа в Церкви, видя в них свойство структуры деятельного организма, имеющего практическое призвание на земле (1 Кор 11, 27—30);

— знает, что богослужебные и канонические уставы менялись на протяжении веков и в будущем не смогут (и не должны) оставаться абсолютно неизменными (Ин 3, 8; 2 Кор 3, 6, 17). Это же относится и к богословскому толкованию истин веры, которое имело долгую историю, фазы раскрытия и углубления (так отцы Церкви и Соборы вводили в обиход новые понятия, которых нет в Писании).

— Оно не боится критически смотреть на прошлое Церкви, следуя примеру учителей Ветхого Завета и св. отцов;

— расценивает все бесчеловечные эксцессы христианского прошлого (и настоящего): казни еретиков и т.п. как измену евангельскому духу и фактическое отпадение от Церкви (Лк 9, 51—55);

— знает, что противники Христа (беззаконный правитель, властолюбивый архиерей, фанатичный приверженец старины) не принадлежат только к евангельской эпо-

хе, а возрождаются в любое время под разными обличиями (Мф 16, 6);

— *остерегается авторитаризма и патернализма, которые коренятся не в духе веры, а в чертах, присущих человеческой падшей природе (Мф 20, 25—27; 23, 8—12);*

— *исповедует свободу как один из важнейших законов духа, рассматривая при этом грех как форму рабства (2 Кор 3, 17; Ин 8, 32; Рим 6, 17).*

— *Оно верит в возможность стяжания человеком Духа Божия, но чтобы отличить это стяжание от болезненной экзальтации («прелести»), судит по «плодам духа» (Гал 5, 11);*

— *вслед за ап. Павлом смотрит на человеческое тело как на храм Духа (1Кор 6, 19), хотя и несовершенный в силу падшего состояния природы; признает необходимость попечения о нем (1 Тим 5, 13), если оно не переходит в «культ плоти»;*

— *в соответствии с соборными решениями смотрит на брак и на монашество как на «равночестные», если только монашество не принимается под влиянием честолюбия и других греховных мотивов;*

— *отказывается объяснять зло в человеке только его несовершенством или «пережитками звериной природы», а верит в реальность метафизического зла (Ин 8, 44).*

— *Оно переживает разделение христиан как общий грех и нарушение воли Христовой (Ин 10, 16), веря, что в будущем грех этот преодолеется, но не на путях превозношения, гордыни, самодовольства и ненависти, а в духе братской любви, без которой призвание христиан не может быть осуществлено (Мф 5, 23—24);*

— *открыто всему ценному, что содержится в христианских исповеданиях и нехристианских верованиях (Ин 3, 8; 4, 23—24);*

— *не отвергает добра, даже если оно исходит от людей безрелигиозных, но отвергает насилие, диктат, ненависть, даже если они прикрываются именем Христовым (Мф 7, 23; Мк 9, 40; Мф 21, 28—31);*

— *рассматривает все прекрасное, творческое, доброе как принадлежащее Богу, как сокровенное действие благодати Христовой;*

— *считает, что зараженность той или иной сферы грехом не может служить поводом для ее отвержения. Напротив, борьба за утверждение Царства Божия должна вестись в средоточии жизни.*

— *Оно «аскетично» не столько тенденцией бегства от мира, сколько духом самоотвержения, борьбой с «рабством плоти», признанием господства непреходящих ценностей (Мф 16, 24);*

— *видит возможность реализовать христианское призвание человека во всем: в молитве, труде, созидании, действенном служении и нравственной дисциплине;*

— *верит в святость человеческой любви, если она соединена с ответственностью, верит в святость семьи и брака (Быт 1, 18, 23—24; Мф 19, 5);*

— *признает естественной и оправданной любовь к отечеству и отечественной культуре, памятуя, однако, что духовное выше национального (Евр 13, 14; Гал 3, 28; Кол 3, 11).*

— *Оно ценит национальные облики церквей как конкретные, индивидуальные воплощения человеческого духа и богочеловеческой тайны. Однако это не заслоняет вселенского характера Церкви.*

— *Оно относится к многовековому культурному творчеству Церкви не как к ошибке, а как к реализации даров Божиих.*

— *Оно не считает разум и науку врагами веры. Просвещенное духом веры знание углубляет наше представление о величии Творца (Пс 103; 3; Цар 4, 33; Пс 88, 6);*

— *отвергает попытки найти в Писании или у отцэв Церкви естественно-научные сведения, пригодные для всех времен;*

— *рассматривает научное исследование Библии и церковной истории как важное средство для уяснения смысла Откровения и реальных обстоятельств Св. истории;*

— *открыто ко всем проблемам мира, полагая, что любая из них может быть оценена и осмыслена в свете веры;*

— *утверждает с апостолом, что свидетельство веры в мире есть прежде всего свидетельство служения и действенной любви (1 Кор 13);*

— *смотрит на общественную жизнь как на одну из сфер приложения евангельских принципов;*

— *признает гражданский долг человека (Рим 13, 1), поскольку он не противоречит требованиям веры (Деян 4, 19);*

— не объявляет ту или иную систему правления специфически христианской. Ценность системы измеряется тем, что она дает человеку: целесообразностью и гуманностью;

— считает отделение Церкви от государства оптимальной ситуацией для веры и усматривает опасность в самой идее «государственной религии»;

— верит в историю как поступательный процесс, который через испытания, катастрофы и борьбу восходит к грядущему сверхисторическому Царству Божию;

— относится сдержанно к концепции «неудавшейся истории», то есть к убеждению, что правда Божия потерпела на земле полное поражение (против этого говорит Откр 20, 1—6);

— верит, что, когда бы ни наступил последний Суд миру, человек призван трудиться на благо других, созидая царство добра, Град Божий;

— верит, что Суд уже начался с того момента, когда Христос вышел на проповедь (Ин 3, 19; 12, 31);

— смотрит на посмертное состояние души человека как на временное и несовершенное, которое в грядущем восполнится всеобщим воскресением и преображением (Дан 7, 13; Ин 5, 28; Рим 8, 11; Откр 20, 11—15);

— знает, что Царство Божие, которое грядет, уже сегодня может воцариться «внутри нас» (Мк 17, 21; 9, 27).

Думаю, что в этом Вы не найдете ничего нового, а просто одно из преломлений Христианства изначального, древнего и, по слову Златоуста, «присно обновляющегося».

Прот. Александр Мень

Духовный опыт

Ответить на Ваш вопрос и рассказать о том, что называется духовным опытом и путем, мне не легко, и не потому, что Вы застали меня врасплох, а по той причине, что я всегда избегал говорить о подобных вещах в личном плане. Что-то останавливало. Назовите это замкнутостью, скрытностью или как угодно, но эта черта — свойственная мне во все времена жизни. Кроме того, я обычно остерегаюсь «раскрываться» по трем соображениям. Во-первых, есть нечто, так сказать, духовно-интимное во встрече души с Богом, что не терпит чужого глаза; во-

вторых, при злоупотреблении священными словами что-то стирается и теряется (намек всегда сильнее); в-третьих, даже большим мастерам слова редко удается найти соответствующие выражения для невыразимого. Один писатель метко заметил, что куда легче поведать об аде, чем о рае...

Но все же, уступая Вашей просьбе и аргументам, попробую коснуться некоторых аспектов.

Начну с того, что я плохо понимаю резкое деление на «светское» и «религиозное». Для меня это термины в высшей степени условные. Хотя в детстве мне объясняли, что есть «особенные» предметы и темы, но это скорей вытекало из условий жизни среди чуждых по духу людей. Постепенно это деление почти потеряло смысл, поскольку все стало на свой лад «особенным». Любая сторона жизни, любая проблема и переживание оказались непосредственно связанными с Высшим.

Жить так, чтобы «религия» оставалась каким-то изолированным сектором, стало немыслимым. Поэтому я часто говорю, что для меня нет, например, «светской литературы». Всякая хорошая литература — художественная, философская, научная — описывающая природу, общество, познание и человеческие страсти, повествует нам об одном, о «едином на потребу». И вообще нет жизни «самой по себе», которая могла бы быть независимой от веры. С юных лет все для меня вращалось вокруг главного Центра. Отсекать что-либо (кроме греха) кажется мне неблагодарностью к Богу, неоправданным ущерблением, обеднением христианства, которое призвано пронизывать жизнь и даровать «жизнь с избытком».

Мне всегда хотелось быть христианином не «при свечах», а при ярком солнечном свете. Меня не привлекала духовность, питающаяся ночным сознанием, имеющая оккультный привкус (хотя и под православной оболочкой). Я всегда ощущал, что «вне» Бога — смерть, рядом с Ним и перед Ним — жизнь. Он говорил со мной всегда и всюду. Собственно, это редко выражалось в каких-то «знамениях», да я и не искал их. Все было знамением: события, встречи, книги, люди. Именно поэтому я мог и любил молиться где угодно, чувствуя присутствие Божие в самой, казалось бы, неподходящей обстановке. Помню, однажды такое чувство особенно сильно вспыхнуло во мне, когда сидел в саду напротив Большого театра (и таких случаев было много).

Но если уж говорить о каких-то моментах особого подъема, то они связаны с Евхаристией, природой и творчеством, впрочем, для меня эти три элемента нераздельны. Литургию всегда переживаю космически и как высшее осуществление даров, данных человеку (то есть творчества и благодати).

О природе я упомянул не случайно. Созерцание ее с детства стало моей «теология прима». В лес или палеонтологический музей я входил, словно в храм. И до сих пор ветка с листьями или летящая птица значат для меня больше сотни икон.

Тем не менее мне никогда не был свойственен пантеизм как тип религиозной психологии. Бог явственно воспринимался личностно, как Тот, Кто обращен ко мне. Во многом это связано с тем, что первые сознательные уроки веры (в пять лет) я получил, знакомясь с Евангелием. С тех пор я обрел во Христе Бога, ведущего с нами непрерывный диалог.

Хотя я дорожил ровным светом и боялся всякой экзальтации и аффектации, в какой-то момент пришло и то, что можно назвать «обращение». Это было где-то на рубеже детства и юности, когда я очень остро пережил бессмысленность и разрушимость мира. Тогда я исписывал тетрадки мрачнейшими стихами, которые диктовались не пессимизмом характера, а открытием «правды жизни», какой она предстает, если выносят Высший Смысл «за скобки». И тогда явился Христос. Явился внутренне, но с той силой, какую не назовешь иначе, чем силой спасения.

Тогда же (это было больше тридцати лет назад) я услышал зов, призывающий на служение, и дал обет верности этому призванию. С тех пор оно определяло все мои интересы, контакты и занятия, вместе с этим пришло решение стать священником. Это самое большее, что я могу рассказать.

Неисчислимое количество раз я узнавал Руку, ведущую меня. Ее действие проявлялось даже в мелочах. Это напоминало камни мозаики, ложащиеся на заранее приготовленный рисунок. А над всем — если выражаться выспренним языком — светила звезда призвания.

«Храмовое благочестие» вошло в меня органически лет с 12-ти, но оно никогда не казалось мне всеобъемлющей формой Христианства (хотя одно время я бывал в церкви ежедневно, а с 15 лет стал прислуживать в алтаре). Я воспринимал его как часть (притом вспомогательную) того огромного мира, который включает в себя вера.

Как-то в школьные годы одна знакомая, зайдя к нам и увидя меня сидящим за книгой по антропологии, заметила: «Ты все этим занят»; она имела в виду религиозные, богословские темы. Хотя книга была «светской», но эта женщина хорошо меня знала и понимала, «откуда дует ветер»...

Занятия естествознанием (начавшиеся очень рано) воспринимались мной как приобщение к тайнам Божиим, к реальности Его замыслов. Изучая препараты или наблюдая в микроскоп жизнь инфузорий, я как бы присутствовал при некой мистерии. Это осталось навсегда.

То же было и с историей, интерес к которой пробудило чтение Священного Писания. Мне была дорога каждая черта, которая могла пролить свет на библейские события. Отсюда любовь к Древнему Востоку и Риму, служившим фоном Священной истории. Не меньше волновала меня и история Церкви, в которой я искал реальных путей и способов осуществления евангельского идеала. Прочтя в детстве Жития, я понял, что в них много декоративного, легендарного, не связанного с действительностью. Это привело к поиску подлинных источников, который стимулировался чтением неоконченной рукописи отца С.Мансурова (я познакомился с ней году в 50-м, теперь она опубликована в «Богословских трудах»).

Еще раз повторю: все вращалось вокруг одного стержня. Я не желал «оглядываться назад», поскольку рука уже лежала на плуге. Бог помогал мне явным и неприметным образом. В багаж для будущей работы шло все: занятия искусством, наукой, литературой, общественные дела. Даже трудности и испытания оказывались промыслительными.

Хотя со стороны могло показаться, что молодой человек просто имеет большой диапазон интересов, но на деле они были подчинены единой цели. Некоторые юноши в этом возрасте, живя церковной жизнью, нередко склонны отрясать прах всего «светского». Быть может, и я переболел *такой болезнью, но не помню этого. Помню лишь проникнутость идеей «освящения» мира. «Опрощенчество» церковного нигилизма казалось никак не соответствующим широте и свободе Евангелия.*

Многие наставники моей юности были связаны с Оптиной пустынью и с «маросейским» приходом отцов Мечевых. В этой традиции больше всего меня привлекала открытость к миру и его проблемам. Настойчивый голос твердил мне, что, если люди уходят в себя, не несут свидетельства, глухи к окружающему, — они изменяют христианскому призванию. Я узнал силу молитвы, но узнал также, что сила эта дается для того, чтобы употреблять ее, действуя «в миру».

Принятие сана (в 1958 году) не переживалось мной как переломный момент, а было органическим продолжением пути. Новым стала литургия...

С теневыми сторонами церковной жизни наших дней я столкнулся рано, но они меня не «соблазняли». Я принимал их как упрек, обращенный ко всем нам. Как побуждение трудиться. Харизмы «обличительства» у меня никогда не было. Однако обывательское, бытовое, обрядовое православие огорчало. Стилизация, елейность, «вещание», полугипнотические приемы иных людей представлялись мне недостойным фарсом или потворством «старушечьей» психологии, желанию укрыться от свободы и ответственности.

Было бы ошибкой думать, что меня миновал соблазн «закрытого», самоуспокоенного христианства, обитающего в «келье под елью», что мои установки целиком продиктованы характером. Напротив, мне не раз приходилось преодолевать себя, повинуясь внутреннему зову.

Мне неоднократно была явлена реальность светлых и темных сил, но при этом я оставался чужд «мистического», или, точнее, оккультного любопытства.

Я слишком хорошо сознаю, что служу только орудием, что все успешное — от Бога. Но, пожалуй, нет для человека большей радости, чем быть инструментом в Его руках, соучастником Его замыслов.

Прот. Александр Мень

Книги

Как мы уже знаем, писательскую работу отец Александр начал в шестилетнем возрасте и никогда не прекращал ее.

Сохранились школьные тетрадки, помеченные 1948—1949 годами с записями Алика Меня по истории Древнего Востока и по методологии изучения Священного Писания.

Уже в эти годы он разрабатывает план своих будущих работ и следует ему на протяжении всей жизни. Взятый им так рано творческий разбег будет набирать скорость всю жизнь и не остановится до последнего дня.

В студенческие годы во время работы над двухтомником «Исторические пути христианства» возникает грандиозный замысел шеститомной истории мировых религий. Он знает, что некоторые ученые уже пытались создать такой труд, но никто не довел его до конца.

В отличие от его предшественников отцу Александру удается завершить шеститомную историю мировых религий.

Серия состоит из книг «Истоки религии», «Магизм и Единобожие», «У врат молчания», «Дионис, Логос, судьба», «Вестники Царства Божия» и «На пороге Нового Завета».

У серии этой есть общее название: «В поисках Пути, Истины и Жизни». Название взято из Евангелия от Иоанна (14, 6), где Христос говорит о Себе: «Я есмь путь, истина и жизнь». Иными словами, название серии означает: «В поисках Христа», и в нем заложена главная идея шеститомника. Он пронизан целостным видением истории мировых религий как страстного порыва человека к Богу, исканий, начавшихся на заре доисторических времен.

«Истоки религии» повествуют о первобытных верованиях и раскрывают мысль автора о том, что человечеству с самого начала сопутствовало интуитивное знание о существовании невидимой духовной реальности.

«Магизм и Единобожие» рассказывает о магических культах и развитии язычества, а также о возникновении веры в единого Бога в недрах еврейского народа, то есть о истоках ветхозаветной религии.

Третий том «У врат молчания» посвящен древним религиям Китая и Индии, четвертый — «Дионис, Логос, судьба» — древнегреческим культам и интуиции о едином начале мироздания Логосе у великих философов Греции.

Пятый том «Вестники Царства Божия» раскрывает учение о Творце мира, действующем в истории, содержащееся в книгах великих библейских пророков. В этой книге есть глава об их современнике Заратустре, создателе дуалистической религии древнего Ирана — зороастризме.

В серии много внимания уделено удивительному «осевому» времени: середине первого тысячелетия до Рождества Христова, когда, казалось бы, независимо друг от друга в Китае, Индии, Иране, Греции и Иудее появились великие учителя, пророки и мыслители, создавшие почти одновременно главные мировые религии.

И, наконец, завершающая книга серии «На пороге Нового Завета» показывает эволюцию мировых религий и духовное состояние человечества накануне пришествия в мир Христа.

«Как белый цвет поглощает спектр, — пишет отец Александр в эпилоге к шестому тому, — так Евангелие объемлет веру пророков, буддийскую жажду спасения, динамизм Заратустры и человечность Конфуция. Оно освящает все лучшее, что было в этике античных философов и в мистике индийских мудрецов. При этом христианство — не новая доктрина, а весть о реальном факте, о событии, совершившемся в двух планах — земном и небесном. Ограниченное местом и эпохой, оно выходит за пределы временного.

К нему сходятся все дороги, им измеряется и судится прошлое, настоящее и будущее. Любой порыв к свету богообщения есть порыв ко Христу, хотя зачастую и неосознанный».

Однако свою книгу об Иисусе «Сын Человеческий», которая, по логике, казалось бы, должна была завершать серию, автор в нее не включил. Он выделял христианство из ряда мировых религий как ответ самого Бога на искание истины, составляющее их суть.

В процессе работы отец Александр перелопачивал немыслимые горы литературы, регулярно работал в библиотеке Московской Духовной Академии и привозил оттуда книги домой.

Работал он с азартом исследователя и великой научной добросовестностью. Вот один только пример.

В первом издании «Сына Человеческого» была такая фраза: «Претория Понтия Пилата находилась в римской крепости Антонии» — таково было последнее слово тогдашней науки на этот счет. Но после выхода книги были раскопаны в Иерусалиме остатки дворца Ирода, и археологи высказали предположение, что претория Пилата могла находиться в этом дворце, а не в Антонии.

Пришлось мне искать по иностранным источникам все высказывания на эту тему и переводить их для отца Александра. Кстати, сам он из иностранных языков хорошо владел английским и древнееврейским. Поскольку к моменту окончания работы над новым вариантом «Сына Человеческого» ученые так и не пришли насчет претории к окончательному выводу, то отец Александр в ее описании использовал признаки, общие и для римской крепости, и для дворца Ирода, и убрал упоминание о ее местонахождении. И столько хлопот из-за одной фразы!

Понимая, что в наше время люди читают серьезную литературу все меньше и книге приходится выдерживать жесткую конкуренцию телевизора, отец Александр стремился излагать глубочайшие богословские, философские и историософские мысли как можно доступнее и доходчивей. Он вырабатывал с годами все более ясный и прозрачный стиль, прибегал к приемам художественной литературы — насыщенные огромной информацией его книги питают не только ум, но и сердце читателя, открывают перед ним новые горизонты, меняют его сознание. Ведь он прекрасно знал своих читателей, ежедневно общался с ними, знал, что их волнует, какие духовные проблемы им труднее всего решить, какие барьеры преодолеть, — и с любовью и терпением, очень ненавязчиво помогал ищущей света душе выбираться из потемок. Но кропотливый исследователь, живший в нем, возмещал популярную форму изложения богатейшим научным аппаратом, сопровождающим его труды: подробнейшей библиографией, ссылками, примечаниями, приложениями. Книги его почти не попадали в Россию из-за рубежа, их перепечатывали на машинке, размножали на ротаторах, на ксероксах, даже переписывали от руки, передавали тайком из рук в руки, и они помогали множеству людей в их исканиях.

То же было и с другими его книгами: «Таинство, Слово и образ» (о православном богослужении и жизни христианина в Церкви; в первом издании книга называлась «Небо на земле»), «Как читать Библию», «Практическое руководство в молитве», образовавшими трилогию «Жизнь в Церкви». Кроме того, он составил объяснение к «Символу веры» в виде катехизиса в картинках. Первая часть «Откуда явилось все это» (вышла под псевдонимом В.Павлов в Неаполе, 1972 г.); вторая «Свет миру» (о Христе) и третья «Соль земли» (о Церкви Христовой). Написал он также и двухтомное руководство по изучению Священного Писания для Духовной Академии.

Литературные труды принесли отцу Александру мировую известность за рубежом — и мучительные многочасовые допросы на Лубянке у нас.

Закончив шеститомник, он приступил к давно задуманной истории Церкви «Лики святых» и начал писать книгу об апостолах и святых раннехристианской эпохи. Но для этой гигантской новой серии надо было найти новую форму, новый язык. Отец Александр понимал, что этого еще не произошло, и отложил работу. Сохранились первые ее главы, продолжения которым, увы, не последует.

Вскоре он приступает к работе над гигантским семитомным «Словарем по библиологии». Этот словарь охватывает огромную сумму сведений, относящихся к Священному Писанию. К каждой из пятидесяти книг, составляющих Библию, он пишет вводные статьи, основанные на новейших достижениях мировой науки. Он раскапывает сведения не только об известных, но и о совсем неизвестных библеистах, особенно русских. Посвящает статьи Библии в кино, музыке, живописи, архитектуре и в мировой литературе. В общем, это кладезь знаний для каждого, кто интересуется этой темой. Отец Александр не надеялся на публикацию своего словаря, когда работал над ним, шутил, что пишет «для того парня». «Как бы мне помогло в работе, если б существовала хотя бы необходимая библиография! Пусть этот словарь поможет тому, кто после меня будет исследовать Священное Писание», — говорил он. Как и все свои книги, он снабдил словарь иллюстрациями. Он увлеченно охотился за фотографиями безвестных исследователей Библии, неутомимо копался в архивах, в старых журналах. И радовался, как ребенок, каждой находке.

Завершив «Словарь по библиологии», отец Александр пробовал предложить его в Московскую Духовную Академию в качестве диссертации на соискание степени всего лишь магистра богословия (а не доктора, как следовало бы по заслугам), но из этого ничего не вышло. Тогда он отвез с той же целью первые тома в Ленинградскую Духовную Академию. Однако и там этот грандиозный блестящий труд не был принят.

Все главные труды отца Александра, кроме словаря, публиковались в брюссельском издательстве «Жизнь с Богом». Издательство это бедное, полублаготворительное, и ни за одну свою книгу автор не получил ни копейки — издания эти безгонорарные.

ГЛАВА ОДИННАДЦАТАЯ
ЗАВЕРШЕНИЕ ПУТИ

На улице Центральной

Большую часть приходской работы пришлось перенести за церковную ограду в дом, который с 1977 года снимала его прихожанка.

После службы там дожидались отца, обменивались новостями и книгами, подкрепляли силы чаем после причащения.

Наконец появлялся батюшка, бодрый и веселый, будто его рабочий день едва начался, будто настоятель ему не досаждал только что раздраженными придирками. Он брал кого-нибудь за руку и уводил за перегородку, где у него был свой уголок.

Паства смолкала и усаживалась за чтение. За низкими окнами утопали в снегу, цвели или роняли плоды в траву яблони, за забором виднелись деревенские избы, гул машин, проезжавших по старому Ярославскому шоссе, заглушал невнятные голоса отца и его собеседника за не достигавшей потолка перегородкой. Там шли долгие беседы и исповеди, развязывались узлы чьих-то судеб.

В этом доме совершались оглашения и крестины, за общим столом во главе с батюшкой велись беседы на самые разные темы, он отвечал на тьму-тьмущую всяких вопросов, показывал пастве свои слайд-фильмы.

Принимал он тут не только прихожан, но и посетителей, приезжавших из Москвы, со всей страны, из-за рубежа. Беседы с ним домогались люди разных кругов и национальностей, в том числе и весьма известные.

Очень весело и торжественно отмечались церковные праздники. Здесь разговлялись после Светлой Заутрени. Стол был завален куличами и разноцветными яйцами, яркими бумажными цветами, среди всего этого изобилия горели красные пасхальные свечи.

Конечно, такая необычная жизнь в этом доме не могла не привлечь внимания жителей деревни. Многих не устраивал этот ученый священник-еврей, и поползли слухи, будто тут собирается подпольное подрывное общество антисоветчиков. Стали писать доносы всяким властям. За домом началась слежка. Забеспокоились хозяева, и в декабре 1983 года пришлось от этого дома отказаться. Правда, «катакомбница» Мария Витальевна Тепнина сняла дом на той же улице, но она была очень осторожна, и там бывало гораздо меньше народу.

А летом в Новой Деревне и в близлежащих Заветах Ильича снимали дачи прихожане с детьми, и батюшкина деятельность рассредотачивалась.

Допросы в КГБ

Но над головой отца Александра собирались тучи. Как-то в приходе появилась милая, приятная пара: В.Н. и его жена Т. Способные и деятельные, они активно включились в приходскую жизнь, стали помогать батюшке в разных делах, ездили к нему домой. Но В.Н., желая самоутвердиться, отошел от батюшки, сам перешел в католицизм и увлек за собой с десяток неустойчивых ребят из паствы отца Александра. Потом во время зарубежной поездки тайно рукоположился в католического священника и, вернувшись, стал совершать мессы у себя дома.

Скоро об этом узнала госбезопасность, и В.Н. арестовали. Он тут же «раскололся». Еще недавно он был доверенным лицом отца Александра, знал приходские тайны и кто чем занимался. Ведь почти вся деятельность в приходе была по тем временам нелегальной и потому опасной. Размножали на машинке, а случалось, и на ксероксе, книги отца Александра и другую религиозную литературу. Существовали запрещенные властями молитвенные «общения», где не только молились, но изучали Священное Писание. Велись занятия и с детьми прихожан. Батюшка крестил без регистрации, поскольку многие желавшие принять крещение на риск предъявления паспорта пойти не могли. В те времена за совершение таинств вне церкви угрожали всякие неприятности. Книги отца Александра издавались за рубежом. Как-то ведь они передавались туда?

Оттуда поступали журналы «Вестник РХСД», «Символ», «Логос», книги, изданные в «ИМКА-пресс», да и не только русская, но и иностранная духовная литература, часть которой в приходе переводили и распространяли.

И вот В.Н. выложил в КГБ все, что знал. С декабря 1983 года отца Александра стали таскать на допросы, а В.Н. скоро выпустили.

А тут натворил дел еще один прихожанин — С. Пренебрегая прямыми запретами отца Александра, он стал огромными партиями получать от зарубежных баптистов Библии и другую религиозную литературу, а также множительную аппаратуру, не заботясь при этом об элементарной осторожности. Отец Александр сказал, что при таком непослушании не может больше нести за него ответственность, и изгнал его из прихода.

Вскоре С. арестовали, и отца Александра стали вызывать на допросы уже по этому делу. Потом С. судили и дали срок. В лагере он раскаялся и принес свое покаяние по телевидению. Отца Александра он не упоминал, но тем не менее, выйдя на свободу с идеей соединения Церкви и коммунизма, написал ему такое письмо, которое было ничем не лучше доноса. Письмо, естественно, оказалось немедленно в руках КГБ, и тут же пошла новая серия допросов.

Молоденький И.Т. имел неосторожность послать по почте отцу Александру письмо о тех миссионерских делах, в которых он участвовал. Письмо было перехвачено, и снова зачастили вызовы в органы.

Друзья батюшки давно знали, что КГБ охотился за тремя священниками: отцом Глебом Якуниным, отцом Дмитрием Дудко и отцом Александром Менем. Первые двое уже находились в заключении, оставался третий, дело шло к развязке. И вот весной 1985 года в двух номерах газеты «Труд» появилась огромная статья против батюшки под названием «Крест на совести». Его обвиняли в тайных связях с американской Православной Церковью. Это был последний удар, за которым неминуемо должен был последовать арест и процесс.

Совет по делам религий и митрополит Крутицкий и Коломенский Ювеналий потребовали отца Александра к ответу. Пришлось писать объяснительную записку. Записка эта стоила огромных нравственных мучений отцу Александру, но митрополиту Ювеналию так понравилась, что он расположился к отцу Александру и стал с тех пор ему покровительствовать. Да и ветер подул в другую сторону: вступала в действие перестройка.

Новая эпоха

Владыка Ювеналий перевел на другой приход ревностного служителя властей предержащих новодеревенского настоятеля отца С. и назначил на его место, но опять-таки настоятелем, отца И., переведенного в Новую Деревню с другого конца Московской области.

С ним стало полегче. Больше всего новый настоятель любил покой. И именно поэтому старые порядки сохранялись. Но в крохотный кабинетик, построенный отцом С. для отца Александра на месте бывшего туалета, стали все же просачиваться по одному страждущие и жаждущие духовного просвещения...

Лишь в декабре 1989 года впервые после Алабина отец Александр был назначен настоятелем того же Сретенского храма в Новой Деревне, а отца И. перевели на другой приход.

В апреле 1988 года началась для отца Александра новая эпоха. Государство переменило отношение к Церкви, и отец Александр стал читать лекции в московских клубах. Народ валил на них валом. Журналисты осаждали прицерковный домик с предложениями выступать на радио и телевидении и с просьбами писать для газет и журналов. Чуть не каждое воскресенье приезжали гости из-за границы: эмигранты, корреспонденты, церковные деятели. Киношники просили сниматься или писать сценарии для религиозных фильмов, по крайней мере их консультировать.

Число лекций доходило до 30 в месяц. И это при напряженнейшей приходской работе! А приход, и так огромный, стремительно рос с ростом известности отца Александра. Усложняла жизнь дальность расстояний, отсутствие машины. Правда, те очень немногие прихожане, у кого была своя машина, старались возить его на лекции, но не всегда это было возможно.

А батюшка ни от чего не отказывался, страшно уставал и не имел никакой передышки.

Он старался использовать открывшиеся в связи с перестройкой возможности. Задумал создать духовно-просветительское общество «Культурное Возрождение», и оно тут же, не дожидаясь официальной регистрации, стало функционировать. В разных клубах под эмблемой общества — возрождающимся из пепла Фениксом — устраивались лекции, беседы, доклады. Впервые в стране прошли вечера памяти русских религиозных мыслителей XX века: Бердяева, Флоренского, Булгакова, Карсавина, Федотова, Мережковского. Душой всех этих начинаний и главным их действующим лицом был отец Александр.

Он задумал издавать журнал «Мир Библии», в качестве его главного редактора разработал план журнала и подготовил к печати три первые номера. Велись переговоры об издании в России его собственных трудов.

В последние годы он стал ездить за рубеж. Сначала в Польшу и Чехословакию, потом в Германию. Осенью 1989 года провел отпуск в Италии, он и там зарабатывал на жизнь лекциями.

В мае 1990 года побывал в ФРГ, участвуя в симпозиумах — сначала в организованном католиками, потом — протестантами. И даже рискнул без визы съездить в Брюссель, в то самое издательство «Жизнь с Богом», где два десятка лет выходили его труды и многие другие предлагавшиеся им книги. Вернувшись, скоро уехал в отпуск, опять в Италию, куда осенью перебралась на жительство с мужем и сыном его дочь Елена.

Из отпуска вернулся совсем не отдохнувшим и снова включился в этот режим хронической перегрузки и спешки. Его популярностью безжалостно пользовалась самая разная публика: администраторы клубов, журналисты, киношники, телевизионщики, издатели. Он подписывал, не глядя, кабальные договоры, давал согласие на огромные циклы лекций, на роль ректора и лектора «Православного университета», на участие в документальном фильме о Бердяеве, на беседы о Библии на радио, и так без конца.

Издательские дела совсем запутались, в них вмешивались посторонние личности, пользуясь тем, что он уже не помнил, что кому обещал, что и где подписал. Он явно становился добычей небескорыстных людей, а перегрузка и спешка только этому способствовали.

Последние дни

Весь этот ажиотаж и страсти вокруг его фигуры могли разрешиться только какой-нибудь бедой. Он остро это ощущал сам. Когда близкие старались остановить лавину непосильной деятельности, отец Александр отвечал: «У меня совсем мало времени осталось. Надо спешить. Я должен успеть еще что-то сделать. Нет, нет, это не со здоровьем связано. Но это так. Уж вы мне поверьте».

1 сентября 1990 года исполнилось 30 лет со дня его рукоположения во священника. Присутствовавшие в храме его поздравили, хор спел «Многая лета». Когда подходили ко кресту, дарили ему цветы, а одна моло-денькая хористка преподнесла ему его портрет своей работы. Батюшка почему-то сказал: «Вы мне это на гроб положите».

2 сентября после службы состоялось в новодеревенском клубе открытие воскресной школы. Собрались дети лет 10—12 с родителями. Отец Александр обратился к будущим ученикам с такими словами: «Дорогие дети, вы знаете, что вы все умрете». Взрослые вздрогнули. И все свое выступление батюшка посвятил теме смерти и пути к вечной жизни.

После открытия воскресной школы отец Александр поехал в Дом культуры Московского завода автоматических линий. Там он провел «вечер», посвященный героине французского Сопротивления, поэтессе и русской монахине, матери Марии (Кузьминой-Караваевой). Потом состоялось собрание «Культурного Возрождения». Батюшку избрали Президентом общества.

В эти же дни стоял он с кем-то на шоссе и ловил такси. «Как долго такси нет», — посетовал его спутник. — «Мне не такси, мне катафалк нужен», — сказал батюшка.

Все дни его последней недели были, как всегда, забиты лекциями и встречами.

6 сентября он крестил детей в отделении гематологии Республиканской детской больницы, над которой шефствовали его прихожане. Можно представить себе атмосферу в этом отделении: обреченные дети, окаменевшие в безысходном горе, бесконечно одинокие в своем страдании приезжие матери, которые так и живут при детях в больнице.

Отец Александр говорил с ними о вечной жизни, о том, что ждет нас после смерти. Он сумел произвести какой-то переворот в этих отчаявшихся душах, внести в их жизнь свет и надежду.

А жить ему самому оставалось два с половиной дня, и он откуда-то об этом сроке знал!

В церковном хоре пела Вера Хохлова, вдова давнего его приятеля отца Сергия. Она хотела причаститься 9 сентября, но сказала батюшке, что боится не успеть к исповеди, потому что живет за городом и ехать ей по двум железным дорогам. А батюшка ей говорит: «Вы девятого не приезжайте. Незачем вам в воскресенье приезжать, ничего здесь не будет. Через день здесь большое торжество будет, народу будет очень много, вот тогда и приезжайте».

Вера подумала, что он имеет в виду свои именины, день Александра Невского, но они приходятся на 12 сентября. А указание батюшки было другим: не через два дня, а через день велел он ей приехать.

8 сентября вечером он прочел потрясающе содержательную, глубокую лекцию о христианстве в Московском Доме техники на Волхонке.

А 9 сентября рано утром... Это было воскресенье, он вышел из своего семхозского дома, направляясь на службу в новодеревенский храм. Кто-то нанес ему сзади удар топором по голове. Он прошел еще метров двести в сторону станции. Потом повернул к дому и, не дотянувшись до звонка на калитке, опустился на колени. Истекая кровью, он звал жену, хрипел, стонал. Жена вышла, посмотрела на него, не узнала и ушла в дом. Потом она вызвала «скорую помощь» и милицию. Когда они приехали, отец Александр был уже мертв.

Чья рука поднялась? По чьему наущению?

Упокой, Господи, душу убиенного священномученика праведного протоиерея Александра. Господи, прости Россию, вечно пожирающую своих лучших детей.

ЧАСТЬ II
МОЙ ДУХОВНИК
1967—1990

Предварение

Чтобы приступить к дневниковым записям о моем духовнике, надо сначала рассказать о себе и о том, как я к нему попала.

Вернувшись со школьного выпускного бала в ночь на 22 июня 1941 года, я наблюдала из окна первую бомбежку моего родного Севастополя.

В августе мы эвакуировались с мамой в Армавир, а через месяц — в Куйбышев. Немцы продолжали бомбить Севастополь, и вскоре отчий дом был стерт с лица земли. С ним ушло в безвозвратное прошлое безмятежное детство с занятиями музыкой, языками, живописью, с писанием стихов и романтическими дружбами, 6 ноября погиб на теплоходе «Армения» мой одноклассник Игорь Брянский, самый дорогой мой друг.

После трех лет службы в армии жизнь началась в суровой послевоенной Москве с нуля. Не было ни жилья, ни специальности, ни знакомых. Сплошные проблемы, и решать их приходилось совсем одной.

Огромные усилия и многие годы ушли на обретение образования, квартиры, устройство личной жизни, на выход к творчеству.

И вот настал такой момент непривычного равновесия, когда все непосильные задачи были наконец разрешены.

У меня была однокомнатная квартира в хрущевской пятиэтажке, которая казалась мне сказочным дворцом. В подвале того же дома я выстроила скульптурную мастерскую, где проводила утро за любимым делом. Музеи приобретали мои работы. После обеда давала дома уроки английского и французского, это обеспечивало скромный достаток. У меня появился круг милых мне друзей. Подрастала дочь и утоляла жажду материнства. И наконец, я любила и была любима!

И вдруг на меня напала тяжелейшая тоска. Как, это все, что может дать жизнь? Неимоверные мои усилия — стоят ли они результата? Жизнь меня обманула, она — подлая ловушка!

Отчаяние владело мною беспричинно и неотступно, а ведь психика у меня достаточно здоровая. Если бы не ответственность за дочь, я бы покончила с собой. На шкафу у меня стоит мой внутренний автопортрет той поры, я его назвала «Blasphème» («Проклятие Богу»). Измученное женское лицо запрокинуто в небо, а из разинутого рта несется кощунственный вопль. Внешне я держалась, но в душе царил безысходный ад.

Год 1967

И вот с лета этого года начала развертываться цепь странных событий.

С моей приятельницей, еврейской поэтессой Рахилью Львовной Баумволь и ее сыном Юлиусом Телесиным я отправилась в семидневное плавание на теплоходе — из Москвы до Горького по Оке, а из Горького до Москвы по Волге, каналу и Москва-реке.

Накануне нашего прибытия на теплоходе появился новый пассажир. Статный, холеный, с седой шевелюрой и седой же бородкой, он погулял в своем отличном чесучовом костюме по палубе и скрылся в каюте. Мы решили, что он, должно быть, писатель. Рахиль утверждала, что он похож на Григоровича, а я — на Лескова.

Юлиус спустился к нам из капитанской рубки с известием, что это какое-то духовное лицо.

У нас в тот вечер настроение было почему-то шалое, взвинченное.

— Хорошо бы познакомиться, — сказала Рахиль.

— За чем же дело стало? — сказала я.

— Слабо! — сказала Рахиль.

— Пари! — сказала я.

Мы ударили по рукам и разошлись по каютам. В девять утра выхожу в пустынный коридор, а мне навстречу — вчерашний незнакомец. В голове мелькает: пари, в три часа прибываем в Москву, он скроется в каюте, другого шанса может не быть.

— Простите, можно с вами поговорить? — я заграждаю ему дорогу.

— Да, но о чем же? — чуть удивленно отвечает он.

— Но не в коридоре же! — стараюсь я выиграть время, чтоб успеть придумать предлог.

— Хорошо, пойдемте на палубу, сядем. Так о чем вы хотели со мной поговорить?

— Мне сказали, что вы духовное лицо. Это правда?

— Да.

Надо сказать, что тогда я была, как и в детстве, очень застенчива, и это, кажется, единственный случай такого легкомысленного знакомства за всю мою жизнь. К тому же мне в ту пору было уже 43 года! Я сознавала всю непристойность моего поведения, краснела, мысли мои метались. И вдруг — спасительная идея!..

— Скажите, пожалуйста, вам знакомо письмо священников Глеба Якунина и Николая Эшлимана?

— Да, — отвечает спокойно и невозмутимо незнакомец, глядя на меня благожелательными серо-голубыми глазами.

Дело в том, что в ту пору я регулярно читала чуть не весь самиздат. Когда кому-нибудь из друзей угрожал обыск, ко мне свозили эту литературу чемоданами. Так мне попала машинопись большого, страниц на семьдесят, письма двух священников, где они раскрывали тайны механизма, с помощью которого госбезопасность управляла всеми деталями церковной жизни. Авторы письма упрекали Патриарха и епископат в полном подчинении беззаконному насилию и призывали их пользоваться своими конституционными правами.

— Мне хотелось бы знать, насколько это письмо справедливо, верно ли оно изображает положение дел в Церкви?

В спешке я не успела сообразить, что мой вопрос легко счесть провокационным.

Но собеседник отвечал с поразительной искренностью. Он говорил, что картина дана верно, однако письмо пользы не принесет, потому что Патриарх бессилен и вообще что-либо изменить сейчас нельзя. Важно хотя бы сохранить институт Церкви в безбожной стране. Авторов письмо уже лишило возможности приносить пользу Церкви, и это очень жаль.

Ответ незнакомца не был ему выгоден ни с какой точки зрения: ни с церковной, ни с лубянской, ни с правозащитной.

— Вы знаете, — сказала я, — когда вы говорили, у меня мелькнула подлая мысль: не является ли ваша искренность частью вашей профессии?

Собеседник мой призадумался, а потом ответил серьезно:

— Пожалуй, вы правы.

После этого мы познакомились. Оказалось, я разговариваю с архиепископом Ростовским и Ярославским Сергеем Ивановичем Лариным.

Тут к нему подошел какой-то молодой человек и позвал завтракать.

— Потом, попозже, — отказался архиепископ.

— Идите, Сергей Иванович, позавтракайте, — сказала я.

— Ну, хорошо. Только это не будет означать, что наш разговор окончен, ладно? — сказал он.

Пока мы разговаривали, Рахиль с Юлиусом прохаживались по палубе и, проходя мимо нас, метали в нашу сторону выразительные взгляды.

Но мне не хотелось продолжать игру. Знакомство с Сергеем Ивановичем произвело сильное впечатление.

Минут через двадцать он вышел на палубу, и беседа наша продолжалась почти шесть часов, вплоть до прибытия теплохода в Северный речной порт.

Личностью он, несомненно, был значительной. Помимо Духовной Академии, окончил еще исторический факультет Ленинградского университета, был в курсе самиздата, вообще много читал, мыслил. Несколько лет был экзархом Московской Патриархии в Западной Европе, устанавливал экуменические связи с буддистами в Японии, объездил много стран.

Я сразу призналась ему, что не верю в Бога. Читала Ветхий и Новый Заветы, правда, наспех: своей Библии у меня нет.

Оказалось, он едет через Москву в Муром, принадлежащий к его епархии. Расстались на том, что через десять дней на обратном пути он позвонит мне, и мы повидаемся. Прощаясь, он вручил мне визитную карточку и вписал туда адрес своего подмосковного дома.

Назначенный им день пришелся на воскресенье. Я решила, что он и думать забыл о нашем знакомстве, и уехала к десятилетней дочке, жившей у моих родителей на даче.

Вскоре я получила от Сергея Ивановича письмо. Он сожалел, что не дозвонился, писал, что уезжает в отпуск на юг и через месяц снова попытается мне позвонить.

Нечего и говорить, что в указанный день я безвыходно сидела дома, ждала звонка.

Действительно, владыка позвонил и на следующий день был у меня. Он приехал из Патриархии.

Полы белой рясы были спрятаны в брюки, на груди под пиджаком висела панагия. Извинившись за такой костюм, он попросил разрешения вымыть руки. Вернулся он в выпростанной рясе и вручил мне подарок: американское издание Нового Завета с Псалтырью. Мы провели вместе опять шесть часов, обедали, увлеченно беседовали, в частности, о моем знакомстве с Пастернаком, чей скульптурный портрет стоял у меня на полке.

Я дала владыке с собой самиздатского «Доктора Живаго», машинописный томик еще не изданных стихов Пастернака с дарственной надписью и только что вышедшие у нас пластинки с баховскими «Страстями по Иоанну». Расстались на том, что в следующий свой приезд в Москву владыка «будет иметь честь» принять меня в своем доме в Мамонтовке.

Проходили, однако, недели, все сроки миновали. В тревоге я написала Сергею Ивановичу письмо в Ярославль. Оно вернулось с надписью на конверте: «Адресат умер». Как я позже узнала, с архиепископом Сергием случился инфаркт, он отправился на машине из Ярославля в Москву к врачу, которому доверял. И, не добравшись до него, скончался.

Я погоревала об этой утрате. Мне казалось, что с его смертью в моей жизни потеряны какие-то мне самой неясные возможности. А потом стала думать, как вернуть столь дорогие мне книги и пластинки.

Нельзя же никому не известной женщине явиться в официальную резиденцию архиепископа и спрашивать запрещенную литературу! Я посоветовалась с одной моей знакомой, у которой были знакомые, имевшие связи в церковных кругах. Она обещала выяснить, как мне надо поступить.

Это одна дорожка, которая должна была, по замыслу Промысла, привести меня к Цели. А вот и другая.

Пастернак и при жизни, и уже после смерти свел меня с несколькими людьми, ставшими моими друзьями.

В их числе была замечательная женщина Зельма Федоровна Руофф. Еще и в старости была она очень красива, а между тем семнадцать лет отсидела в тюрьмах и лагерях и осталась одна как перст на этой земле. Но дух ее был высок, ум имела живой и деятельный, и была она кладезем редких познаний в поэзии, живописи, музыке, философии.

Из лагеря написала Пастернаку, он бесстрашно ответил, и между ними завязалась переписка.

Среди ее знакомых был профессор медиевист Александр Иосифович Неусыхин, большой знаток Рильке и Пастернака, о творчестве которых Зельма Федоровна писала блестящие исследования. Мы с ней виделись каждую неделю, и она мне не раз говорила, что у Неусыхина есть дочь моих лет, с которой ей почему-то очень хотелось меня познакомить. В силу моей природной застенчивости и нелюбви к специально планируемым знакомствам я все отлынивала.

Наконец Зельма Федоровна сказала, что овдовевшая дочь Неусыхина Елена Александровна Огнева съехалась с родителями, поселилась где-то в моих краях и теперь мне от знакомства не отвертеться. Я сдалась и попросила, чтобы Елена Александровна мне позвонила.

В условленный час ко мне пришла маленькая, говорливая, не по возрасту морщинистая женщина с живыми черными глазами. Едва оглядевшись, она тут же попросила разрешения позвонить по телефону.

— Мамочка, — услышала я, — ты знаешь, где я нахожусь? В той самой таинственной квартире, которую мы с тобой в бинокль рассматривали!

Оказалось, Неусыхины живут напротив, в точно такой же пятиэтажке.

Вскоре я отправилась к Елене Александровне с ответным визитом. Трехкомнатная квартира вся, начиная с прихожей, уставлена книгами — зрелище привычное. Но комната Елены Александровны меня удивила. Иконы, распятие, горит лампадка, перед ними старая Библия, явно настольная книга. Много литературы по церковной архитектуре и иконописи.

Я рассматривала все это с недоумением: впервые в жизни я оказалась в комнате церковного человека. Да, собственно, она была и первой моей верующей знакомой. Отец мой, карел из глухого хутора Ушкалы Олонецкой губернии, до шестнадцати лет прислуживал в церкви, мечтал стать священником. А поступил в фельдшерскую школу в Повенце и веру потерял. Медицинский факультет Новороссийского университета выбил из него остатки религиозности, позже отец стал военным врачом, вступил в партию, и росла я в атеистической атмосфере. Впрочем, мама, воспитывавшаяся в просвещенной дворянской семье на безверии, во время первой мировой войны поступила в школу сестер милосердия и, знакомясь с анатомией и физиологией, напротив, веру обрела, так поразила ее премудрость Божия, открывшаяся ей в устройстве человеческого тела. И позже, изучая медицину в том же Новороссийском университете (где встретилась с отцом), еще больше в вере укрепилась. Однако от нее я почти ничего не слышала о Боге. Один-единственный раз, уже взрослой, я поняла из ее обмолвки, что она тайком бывает в церкви.

Не те были времена, чтобы в семье партийного полковника давать детям религиозное воспитание. Да отец и не допустил бы.

На дворе был уже 1967 год, и вот я впервые оказалась в гостях у верующей интеллигентки.

На столе лежала фотография. Молодой священник с прекрасным вдохновенным лицом произносил проповедь перед кучкой деревенских старушек.

— Кто это? — воскликнула я, схватив фотографию.

— А почему вы спрашиваете?

— Да потому что это необыкновенный человек!

— Вы находите? Да почему же?

И тут я выдала развернутую характеристику лицу, увиденному на фотографии. Не знаю, может быть, мне это кажется, но недаром я все-таки портретистка. Мне именно фотография говорит очень много, лицо читается, как книга, и о незнакомом человеке я могу говорить подробно и обстоятельно.

Помнится, в священнике этом я почувствовала огромную одаренность и целеустремленность, поняла его как источник света и мощный генератор добра.

Действительно, после Пастернака я не встречала людей такого масштаба, даже Ахматова, позировавшая для портрета, показалась слишком величественной, чтобы быть великой. Я сказала Елене Александровне, что эту голову надо непременно лепить.

Через несколько дней Елена Александровна предложила поехать с ней в загородную церковь, где я могла бы увидеть этого священника.

Выйдя из электрички на станции Тарасовка около шести вечера, мы вдруг очутились в тридевятом царстве. Дело было перед Новым годом, и запушенный праздничным снегом поселок с его деревянными избами в резных наличниках казался погруженным в глухую ночь. А в светлых окнах за тюлевыми занавесками силуэты елок обещали что-то трепетно-таинственное, как в детстве...

Дорожка привела к огромному темному храму, окна которого светились во мраке так же маняще и загадочно.

В церкви шла всенощная, народу было немного. Молодой иерей, еще более красивый, чем на фотографии, служил так просто, будто нет ничего естественней, как махать кадилом, подавать возгласы хору, кланяться, благословлять и мазать лбы молящихся елеем. Вместе с тем явственно ощущалось, что здесь совершается полное недоступного мне смысла действо и священник благоговейно общается с кем-то невидимым. Присутствовать при этом мне, неверующей, показалось кощунственным.

Мне раньше иногда приходилось заглядывать в храм. Лет за семь до того довелось устраивать отпевание Пастернака на дому, я без смущения разговаривала по этому поводу с батюшкой из переделкинской церкви. Да и в беседах с владыкой Сергием я не испытывала особого благоговения, только уважение, не больше. А тут мне хотелось вжаться в столб, у которого я стояла, исчезнуть как-нибудь от мучительного чувства непричастности к происходящему.

Служба кончилась, народ расходился. Священник вышел из алтаря. Елена Александровна поговорила с ним и вдруг, к ужасу моему, позвала:

— Зоя Афанасьевна, идите сюда, я вас познакомлю с отцом Александром!

Зачем это? — подумалось мне. О чем я буду с ним говорить? Я видела его в богослужении, этого достаточно! Ноги налились свинцом, и я с трудом преодолела те несколько шагов, что нас разделяли, не догадываясь, что иду навстречу своей судьбе.

Сразу уловив, что со мной происходит, отец Александр заговорил просто и дружески:

— Здравствуйте! Я рад случаю сказать вам, что мне очень нравится ваш портрет Пастернака. Большая удача.

— Да где же вы могли его видеть? — изумилась я. — Он никогда не выставлялся. В Переделкине? — Нет. У Веры Николаевны и Леонида Евгеньевича. Вот так сюрприз! Японистка и поэтесса Вера Николаевна Маркова и ее муж художник Леонид Евгеньевич Фейнберг были самыми большими моими друзьями, в их доме я годами бывала как своя, но и слыхом не слыхивала, что у них есть знакомый священник! В те годы, впрочем, такие знакомства скрывали даже от близких. Мы вместе пошли к станции.

Отца Александра ожидали какие-то люди, тут же к нам присоединившиеся. Мы шли гуськом по узкой дорожке, петлявшей между высокими сугробами, а он подходил то к одному, то к другому и о чем-то тихо разговаривал. Я не понимала, что тут происходит общение духовных детей со своим пастырем, и сказала моей спутнице:

— Ну, в этих проводах оперного тенора после спектакля я не участница.

И тут заметила, что рядом со мной идет отец Александр. Он и виду не подал, что слышал мою язвительную реплику, напротив, заговорил со мной приветливо:

— Скажите, а вы получили свои вещи, которые были у владыки Сергия?

Вот те на! Оказывается, та цепочка от моей знакомой к кому-то «в церковных кругах» вела к нему? Поистине наша встреча рано или поздно произошла бы неминуемо.

Отец Александр посоветовал мне написать в Мамонтовку к родным владыки и попросил передать нашим общим знакомым, что будет у них в такой-то день после Рождества. С милой застенчивостью сказал, что рад был бы увидеть у них и меня и продолжить знакомство.

Год 1968

А дальше события развивались бурно и стремительно. 2 января я заболела. В ухе возникла такая нестерпимая боль, что я в прямом смысле слова билась головой о стенку. Профессор Загорянская, принявшая меня дома по просьбе моих друзей, облегчила страдания, поставила диагноз и объяснила, что требуется немедленная радикальная трепанация черепа с удалением части височной кости и даже успешная операция не дает полной гарантии. Такая это плохая болезнь. По ее словам, был один шанс из ста, что процесс только начался и можно попробовать лечить консервативным методом.

— Но вы на это не рассчитывайте, — сказала она. — Отправляйтесь в мою больницу на рентген и готовьтесь к операции.

Елена Александровна, с которой мы быстро сошлись, была в курсе моих дел и передала отцу Александру о нежданной беде. Я думаю, что это по его молитве мне выпал один шанс из ста, и хотя приходится всю жизнь лечиться, но операция меня миновала. Врачи и поныне всякий раз удивляются счастливому течению неизлечимой болезни.

Только отступила угроза операции, как грянула новая беда. 10 января 1968 года с мамой на улице случился инсульт, «скорая помощь» доставила ее в больницу, и, не приходя в сознание, она скончалась.

То же чувство, которое заставило меня, неверующую, устраивать отпевание Пастернака, побудило меня заговорить об этом с моим отцом. Маму должны были похоронить в Абрамцеве, близ родительской дачи, и сначала папа согласился по дороге заехать с гробом в Тарасовку, однако потом отказался: ему, партийцу, было неудобно перед своими коллегами, партийными военными, собиравшимися присутствовать на похоронах.

Елена Александровна утешила меня: объяснила, что отпевание можно будет совершить позже заочно.

В первые дни я нужна была отцу непрерывно, но примерно через неделю после похорон выбралась в Тарасовку. Отец Александр был предупрежден.

Мы встретились нечаянно в дверях храма. Поверх черной рясы на плечи его была накинута спортивная куртка цвета хаки. Он объяснял мне, как заказать отпевание, где мне стать, а в глазах его было столько доброты и понимания того, что значит потерять мать! Когда он отошел, окаменение прошло, и я с великим облегчением впервые с 10 января заплакала.

Привезли покойницу, отпевание было совместным. Когда оно окончилось и отец Александр ушел в алтарь, я вышла из церкви и пошла к станции. Какие-то женщины издали что-то кричали, но я не оборачивалась. В этих местах я никого не знала, и зовы не могли ко мне относиться. Однако женщины догнали меня и сказали, что батюшка просит вернуться.

Он стоял на морозе на паперти в одной рясе, с непокрытой головой.

— Простите, что я вас вернул. Вы торопитесь?

Я не спешила: с отцом был брат. Отец Александр повел меня на хоры, и в пустой церкви состоялся наш первый долгий разговор. Я ему рассказала о препятствиях между мной и Богом. Я довольно хорошо изучила диалектический материализм, единственную систему ответов о сущности бытия, которую мне могло предложить общество. Но ответа на главный вопрос о смысле жизни не нашла, а бессмысленное существование вызывает у меня отвращение. К вере меня то несет, то относит от нее всю жизнь, но в общем все это, особенно Церковь — не для меня.

Я могла рассказать об этом практически незнакомому человеку, потому что он внушал полное доверие. Оно складывалось из ощущения надежности, какой-то особой доброкачественности его существа, из его заинтересованности во мне и нашей встрече, из доброты, светившейся в темных, внимательных глазах. Подкупал и ничуть не зашоренный ум, спокойно принимающий не близкие ему взгляды. Я понимала, что судьба подарила мне встречу с человеком редкостной бесценной породы. Уже не ради лепки одной, а чтоб иметь возможность продолжить общение, я попросила его позировать. К этой просьбе он, видимо, был уже подготовлен: о моем желании вылепить его портрет ему успела сказать Елена Александровна. Он охотно согласился, только предупредил, что по обстоятельствам своей жизни не сможет ездить ко мне в мастерскую. А для эскиза мне этого и не требовалось.

На листке бумаги он написал адрес: Семхоз, совхоз «Конкурсный», Парковая, 3-а — и изобразил платформу, лесенку, дорожку в лесу, сараи справа, от которых надо было сворачивать налево на ведущую к его дому тропинку через рощу. Мы условились о первом сеансе.

Но до того произошла еще одна встреча с ним у наших друзей.

Отец Александр, хозяева дома и я сидели вокруг низкого круглого стола в комнате, увешанной дивными картинами и заставленной старинными книжными шкафами, которая служила Леониду Евгеньевичу мастерской. А с рояля смотрел на нас и, казалось, увлеченно слушал нашу беседу тот самый скульптурный портрет Пастернака...

А беседа действительно была упоительной. Замечательный художник, поэт и прозаик Леонид Евгеньевич обладал обширными познаниями в теософии, но и отец Александр знал не меньше. Два выдающихся ума говорили об эзотерических материях с блеском и воодушевлением. Конечно же, при всем дружелюбии собеседников это был поединок двух мировоззрений.

Леонида Евгеньевича уже много лет я считала своим «учителем мудрости», а тут впервые молча стала на сторону его противника! Наверно, чуткий художник как-то это ощутил, и с этого дня постепенно началось наше отдаление... Мне жаль, потому что и поныне я храню в памяти о нем самые добрые чувства, благодарность и восхищение.

Итак, в назначенный день с нарисованным отцом Александром планом в руках я разыскала деревянный дом с мезонином в заваленном глубоким снегом саду. Он встретил меня радушной улыбкой, помог раздеться и повел по крутой узкой деревянной лестнице в мезонин. Познакомил с женой Наташей, десятилетней дочуркой Лялей и шестилетним сыном Мишей. В мезонине было тесно, но уютно. Топилась печь, в кухне медленно вскипал на электрической плитке чайник.

Внизу жили родители Наташи: агроном Федор Викторович Григоренко, его жена Ангелина Петровна и «дедусь», Наташин дедушка, уже впадавший в склеротический психоз.

Но главной роскошью мезонина были книги, занимавшие все свободные сантиметры стен под скошенными потолками.

Насколько я могла судить по беглом просмотре корешков, библиотека была первоклассной. Советских изданий почти не было, разве что фантастика, даже классика была в основном в отличных дореволюционных изданиях. Основную массу составляли книги по гуманитарным наукам, богословию, мистике, их подбор выдавал широкие интересы и отличный вкус их владельца.

— Да вы миллионер! — невольно воскликнула я, восхищенная увиденным.

— Все это в вашем распоряжении, — великодушно ответил хозяин.

Он сел за письменный стол, я пристроилась на стуле для посетителей с краю письменного стола, достала принесенный в сумке серый пластилин и принялась за работу.

Лепка не мешала разговаривать, и началась долгая, неспешная беседа о том, о сем. Потом пили на кухне чай, которым заведовал хозяин.

Так начались мои регулярные поездки в Семхоз. Каждый раз я возвращалась в состоянии вдохновения, полная новых идей, открывая для себя неведомый мне мир.

Отец Александр никогда не затрагивал никаких религиозных тем. Он знал так много, так прекрасно разбирался в искусстве, литературе, поэзии, музыке, философии, да просто в жизни, наконец, что говорить с ним на эти темы было наслаждением. Но мне-то надо было понять другое. Почему он священник? В чем его вера? Как он совмещает свое христианство с жизнью в атеистическом государстве? Однако если я задавала подобные вопросы, он отвечал слишком кратко. Сначала я ценила, что он не пользуется случаем и не пытается обратить меня в свою веру. Но и простое общение с ним воздействовало на меня и тревожило, как загадка.

Я видела перед собой здравомыслящего, трезвого, рассудительного человека, отнюдь не фанатика. Так почему он верит в Бога? У него мощный интеллект и прямо-таки неправдоподобная образованность, а он молится перед едой, крестится на иконы, соблюдает посты. Да и вообще он прирожденный ученый, а общается преимущественно с «темными бабками». Почему? Отмахнуться от этих вопросов не удавалось.

Я попросила у него что-нибудь почитать, чтобы лучше понять его веру.

— А что бы вы хотели?

Я не знала.

— Выберите сами.

— Нет, так мне трудно. О чем бы вы хотели почитать?

— Ну, я не знаю. Меня на любительском уровне очень интересует археология. Существуют ли какие-нибудь книги по библейской археологии?

Он просиял и одним точным движением достал с полки машинописный перевод с немецкого книги Вернера Келлера «А Библия права». Дома я читала ее с упоением. Келлер в серии очерков рассказывал о достижениях археологов, работавших в библейских странах в первой половине XX века.

Оказалось, что Библия совсем не миф, в ней отражены реальные исторические события, даже манна небесная и перепела, падавшие с неба на изголодавшихся евреев в пустыне, — не выдумка!

Дедушка и бабушка отца Александра по материнской линии Соломон и Цецилия Цуперфейны.

Слева направо: мама о.Александра Елена Семеновна с младшим сыном Павлом, маленький Александр с отцом Владимиром Григорьевичем.

Отец Александр с тетей Верой Яковлевной Василевской. Иркутск, 1956 год.

В тринадцать лет Александр Мень решил стать священником.
Фото Владимира Цуперфейна.

Иркутск, 1956 год.

Военные сборы.   *Иркутский период.*

Охотоведческий факультет.

Студенчество.

*С женой и детьми
Михаилом и Еленой.
Начало 60-х годов.*

*Жена о.Александра
Наталья Федоровна
Григоренко.*

Храм Покрова Богородицы в селе Петровском (близ подмосковной станции Алабино), в котором о.Александр служил с 1960 по 1964 гг.
Фото Сергея Бессмертного.

Тарасовка, 1967 год.

Фото Виктора Андреева.

Отец Петр Шипков.

Отец Станислав Добровольский.
Фото Софьи Руковой.

Схиигумения Мария, Сергиев Посад.

Дом в Сергиевом Посаде, где тайно жил отец Серафим.

Отец Серафим Батюков.

*Матушка Парасковья Гришанова.
В ее доме скрывался
отец Серафим Батюков.*

Отец Иеракс Бочаров.

Отец Борис Васильев.　　　　Отец Николай Голубцов.

Надежда Яковлевна Мандельштам.

Мария Витальевна Теппина, подруга матери о.Александра.

*Отец Александр с женой, сыном Михаилом (крайний слева)
и братом Павлом, конец 70-х годов.*

70-ые годы.

Новая Деревня, 70-ые годы.
Фото Виктора Андреева.

Венчание дочери. Фото Виктора Андреева.

1989 год. Фото Софьи Руковой.

Москва, 1988 год.
Выступление в городской клинической больнице №15.
Фото Сергея Бессмертного.

Во дворе церкви, 70-ые годы.

Кабинет отца Александра.

Новая Деревня, 1989 год.
Фото Софьи Руковой.

Храм Сретения в Новой Деревне, в котором отец Александр
служил с 1970 по 1990 гг.
Фото Сергея Бессмертного.

Но, щедрый во всем остальном, отец Александр оставался неизменно сдержанным в том, что касалось вопросов веры. Вместо ответов на расспросы он дал мне почитать некоторые свои книги по истории религии и книгу о Христе «Сын Человеческий».

В Семхозе я познакомилась с милейшей его мамой Еленой Семеновной и замкнутой, странноватой двоюродной теткой Верой Яковлевной Василевской.

Летом мы с дочкой жили во времянке при родительской даче в Абрамцеве. На электричке это двадцать минут до Семхоза. Встречи стали еще чаще. Я привезла одиннадцатилетнюю дочь в Семхоз и познакомила ее с Лялей, ее одногодкой. Обе были стеснительные, диковатые, не имели друзей... Девочки сразу подружились, водой не разольешь.

Иногда отец Александр просил меня за чем-нибудь приехать в Тарасовку, я заставала конец службы, стояла, слушала. Моему миру отчаяния и ненависти к жизни противостоял какой-то свет и смысл, меня тянуло туда, но преграда была неодолимой.

Осенью я забрала черновой эскиз домой с тем, чтобы лепить большой портрет в мастерской.

Встречи с отцом Александром стали реже, но связь и чтение книг из его библиотеки не обрывались.

Год 1969

22 января утро было морозное и ослепительно солнечное. Я долго смотрела на зимнее голубое небо в окне, а потом записала как бы само собой сложившееся стихотворение:

> Хрустящий воздух колется, как лед.
> На гранях солнце ломкое дробится.
> День превращен в хрустальную гробницу
> И ждет, чтобы замерзнувшая птица
> Упала камнем, оборвав полет.
> Застыл одним кристаллом небосвод,
> И ангелам сегодня нету дела,
> Что жалоба моя оледенела
> И, превратившись в неживое тело,
> Упала камнем, оборвав полет.

Я поставила точку, и тут же зазвонил телефон. Елена Александровна спрашивала, не хочу ли я поздравить отца Александра. Оказалось, это был день его рождения, мама его Елена Семеновна собиралась в Семхоз. Елена Александровна договорилась встретиться с ней, чтобы передать свое поздравление, и предлагала мне воспользоваться оказией.

До той минуты я понятия не имела про день рождения, никогда ему не писала, но тут же приняла вызов судьбы... Вот что я написала.

Дорогой Александр Владимирович!

Поздравляю Вас с днем рождения! Я очень хочу, чтобы жизнь Ваша поскорее наладилась и Вы могли бы без помех делать Ваше прямое дело. Вы наделены редкостными силами и навряд ли нуждаетесь в моей поддержке, и я скорее для себя, чем для Вас, пользуюсь случаем рассказать Вам, каким благом явилось для меня общение с Вами, как, вероятно, и для многих других, кому повезло вовремя с Вами встретиться.

Тот процесс, который медленно и лениво давно уже совершался в моей душе, последний год под Вашим влиянием пошел куда быстрее. Одна за другой падают преграды между мной и Целью, в том числе такая, на крушение которой я и не надеялась. Я вижу тут чье-то сильное воздействие, может быть, при Вашем вмешательстве. Я знаю, что без наших разговоров с Вами, без книг, которые я благодаря Вам читаю, я бы долго еще не пришла к тому, к чему теперь готова.

Я буду просить Вашего совета, помощи и поддержки. Я хотела бы найти приемлемую для себя первую ступень религиозной жизни. Когда у Вас будет досуг и позволят обстоятельства, может быть, Вы помогли бы мне выбрать эту первоначальную свободную форму духовного труда и дисциплины?

Свободную и необязательную потому, что далеко не все мои сомнения преодолены, но мне хочется их побороть, меня тянет на этот путь, хотя я совсем не уверена, что достанет у меня сил идти по нему.

Можно тут пробовать, когда нет абсолютной решимости? Можно ли делать первые шаги без уверенности, что готова и на последующие? И какие?

Я бы большего не желала, как Вашего согласия помогать мне и руководить мною. Вам сейчас не до меня, и вообще Вы слишком нагружены слабыми душами, вешающимися на Вас всей тяжестью. Но не могли бы Вы найти необременительные для Вас формы общения, — например, переписку изредка?

Ну и подарок Вам ко дню рождения! А впрочем, кривлю душой. Мне на Вашем месте было бы приятно получить еще одно подтверждение плодотворности своего существования. Будьте здоровы и благополучны! Желаю Вам сил для миссионерской деятельности среди нас, папуасов.

С глубоким уважением, З.Масленикова.

P.S. Я сейчас работаю над Вашим портретом, мысленно с Вами разговариваю и сочиняла Вам письмо последние два дня. Не знаю, решилась бы написать Вам, если бы вдруг Е.А. не позвонила с предложением передать Вам через Е.С. поздравление. Я сочла это перстом.

В тот же день Елена Семеновна передала это письмо сыну. А дальше события развивались так.

23 января я проснулась таким же пронзительно морозным и безоблачным утром. Лежала в кровати, глядя на ледяное голубое небо. Вдруг вскочила и в первый раз в жизни опустилась на колени.

— Если Ты есть, отзовись, — позвала я. И тихо добавила: — Верую. Помоги моему неверию.

А в этот самый час отец Александр молился в своем Семхозе о даровании мне веры. Где-то в чистом небе, пронизанном солнечными искрами, возникло живое Средоточие всего этого света. Между мной и сияющим Средоточием образовалась связь в образе полупрозрачного луча. У меня начался вдох, который не имел пределов. Ребра раздвигались и раздвигались, пока не объяли мир и больше, чем мир. Когда ребра медленно сомкнулись, в груди у меня оказалось нечто живое и трепетное, как птица. Я испытывала небывалую по силе радость. Меня услышали и даровали веру. Я встала на колени еще неверующей, а поднялась другим человеком, я не только знала, но и ощущала, что где-то далеко и вместе с тем близко существует живой, отзывающийся Бог.

Однако день был распланирован, я должна была идти в мастерскую. Когда я подошла к двери, раздался робкий звонок. На пороге стояла женщина с грудным ребенком на руках. В этот лютый мороз одета она была в осеннее пальтецо и босоножки. Она просила подаяния.

Вот тебе вера, а вот вопрос: что ты будешь с ней делать? — подумалось мне. Я заставила ее войти, накормила и расспросила. Выяснилось, что она молодая крестьянка, вышла замуж за человека из другой деревни, путь в которую лежал через Москву. Муж оказался пропойцей, и, вернувшись из роддома, она очутилась одна в пустой обобранной избе без средств к существованию. Два месяца она тщетно ожидала его возвращения. Соседи набрали ей денег на билет до Москвы, а там посоветовали ехать в Черемушки просить подаяния: мол, в новых домах люди подобрее. Нечего и говорить, что я с радостью приодела ее и дала денег на дорогу домой.

Через день или два поехала в Тарасовку. Отец Александр повел меня на солею, усадил на лавочку за большими образами, и я ему поведала о главном событии в моей жизни. Весело было глядеть, как он обрадовался!

Оказывается, он уже ответил на мое письмо. Вот что он писал:

Дорогая Зоя Афанасьевна! Спасибо за поздравление, за память.

Бесконечно рад за Вас, что Вы нащупываете прочные внутренние стержни для жизни. Если бы я не был так косноязычен (а я именно косноязычен, когда речь идет о вещах глубинных), я бы многое Вам сказал. Хочется сказать. Но да не в словах дело! Важно почувствовать Божественное дыхание не только в мире, в облаках, в соснах, в нашем собственном творчестве, но и в течении событий, в тайниках того, что мы называем судьбой. Я всегда радуюсь, когда лишний раз остро ощущаю осмысленность, целенаправленность течения жизни, значимость встреч, совпадений, откликов, отзвуков. Именно поэтому мы можем помогать друг другу продвигаться. Ведь пересечение наших жизненных линий — это тоже часть замысла, который нужно учиться разгадывать.

Вы просите помощи, но по-настоящему помочь я могу больше всего иным, необычным путем. Я верю в таинственные токи, веяния, силы, верю в молитву и молитвенную помощь. Слова же бывают так часто тяжелые и неповоротливые, как камни. Косные. Впрочем, не поймите меня неверно. Это я так: разумеется, слова нужны, действия тоже, и если хоть в какой-то степени могу быть чем-то Вам полезен, то располагайте мною.

Что касается внешних обстоятельств, то ближайшее будущее покажет, как быть дальше. Я знаю, что Вы очень плотно себя загружаете. Но когда кончатся Ваши дела и устроятся мои, я наверное смогу приехать к Вам, чтобы наличием своей головы в натуральном виде содействовать Вашей работе. Будьте здоровы. Пусть Вас с Дашей хранят Силы Небесные.

Всегда Ваш. А.

Я, естественно, тут же ответила и вскоре получила еще одно письмо.

Дорогая Зоя Афанасьевна!
Простите, что не сразу ответил Вам. Но думаю, что дело здесь не в ответе. Как хорошо, что Вы все это написали (хотя частично о некоторых вещах Вы мне говорили). Сейчас я хотел бы еще и еще раз повторить Вам то, о чем мы с Вами говорили в последний раз в Тарасовке.

Я имею в виду необходимость некоторых веховых, стержневых моментов в жизни для того, чтобы внутренний путь был здоровым и правильным. Первое — это храм. Невзирая ни на что, он остается местом таинственного пересечения мира нашего и божественного.

Когда Вы читаете стихи любимого поэта, смотрите на картину или слушаете музыку — Вы включаетесь в тот духовный поток, который был озарен их гением, их прозрениями, их видением мира и миров. В какой-то степени это можно сравнить и с богослужением. Вживаясь в него, мы входим в духовный круг, наполненный мощным благодатным звоном древних колоколов, мы слышим голос Златоуста и Дамаскина, включаемся в цельность Церкви, которая открывается не всем и не сразу.

И, наконец, самое главное: Литургия. Тайная вечеря, когда Христос поднял священную чашу искупительных страданий, продолжается в Евхаристии. Приступая к ней, мы принимаем на себя малую долю в Его страданиях, в Его жертве за людей. Наши мысли, наши чувства, подобно живым существам, могут оказывать воздействие на мир. Незаметное, но сильное. Итак, после исповеди Вы должны прийти к евхаристической чаше. Она откроется Вам не сразу, но сразу — это бывает редко.

Второе — молитва. Возьмите себе на каждый день какое-нибудь изречение (лучше короткое) из молитвенника или Евангелия. И в этот день старайтесь думать о нем (в любой обстановке). А вечером, когда Даша ляжет спать, сядьте удобно и спокойно, приведите все внутри в тишину и внутренне попытайтесь сосредоточиться на этой фразе, на ее смысле и отношении ее к Вам лично, далее: старайтесь выучить наизусть (разобрав смысл) несколько важнейших молитв. Произносите их, вдумывайтесь в них, обращайтесь к Богу этими словами (это не исключает и своих слов). Помните, лучшая молитва — это благодарственная. За все, абсолютно за все: за небо, за воздух, за лица людей.

Пока это все (храм, чаша, молитва). Когда Вам можно будет приехать? Можно в любую пятницу и субботу к 8 утра, а в воскресенье к 10-и, кроме этих ближайших.

Мое грядущее темно. Все в худшем виде. Но так и должно быть.

Ваш А.

По совету отца Александра я стала каждую неделю ходить в церковь и ежедневно читать сначала утреннее, а потом и вечернее правила.

Первое время не давалась сосредоточенность, я по десять раз отвлекалась мыслями во время одной молитвы. Я ужасалась состоянию моей души. Казалось, грехи и отчаяние испепелили сердце. Мне нечем было верить, нечем любить Бога и ближних. В устроении мира, в событиях, в ходе истории я воспринимала только злое, разрушительное начало. В мастерскую я давно уже ходила через силу, только чтобы не умереть окончательно при жизни.

И вот подошло время первого причастия. Это было в пятницу на первой неделе Великого Поста. Перед тем я написала «исповедь за жизнь» и отдала ее отцу Александру.

Было морозное раннее утро, когда я шла к тарасовской церкви. На поле перед ней стоял молочный, низко стелющийся туман. Он был пронизан смугло-розовыми лучами восходящего солнца. По дороге через поле брели к храму люди. По пояс они были скрыты туманом, только черные силуэты плеч и голов плыли в воздухе. Обычно довольно безобразная церковь теперь, окруженная туманом, казалась огромной и воздушной, а на солнце горел крест, единственное яркое пятно в смутной размытой картине.

На исповеди я рассказала, что главная моя мука состоит в ощущении греховности всего моего состава и в том, что я не могу надеяться на милосердие Бога ко мне.

Отец Александр отвечал, что в силах Божиих обращать вспять даже химические процессы, как было сделано с воскрешенным Лазарем.

Все, что он говорил, было мудро и прекрасно, но мне в тот миг не помогло. Горе мое возрастало, и после причастия я почувствовала себя отверженной. Не было места для меня и в храме, я и здесь была чужой.

Отец Александр попросил дождаться его после службы. Я пошла с ним к какой-то старушке, которую ему надо было причастить дома. Мы не говорили о моем состоянии. Мне страшно было остаться одной и хотелось побыть рядом с этим светлым и сильным духом человеком. Он рассказывал о своих трудностях, мы говорили о чем-то постороннем, а потом о состоянии человечества в наши дни, о том, что нет никакого иного выхода людям из тупика, куда они зашли, кроме веры.

Первая острота горя прошла, отец Александр довел меня до платформы, и я уехала домой.

Дорогая Зоя Афанасьевна!

Простите, что не сразу написал Вам. Но этому мешали причины чисто внешние. Я видел в прошлый раз, что Вам было нелегко. И Вы сами должны догадаться, что самое большое, самое важное легко НЕ МОЖЕТ быть дано, завоевано, приобретено. И все-таки я уверен, что Вы сумеете даже на первых трудных этапах преодолеть все сложные препятствия. Мысленно, молитвенно я всегда с Вами в трудные мгновения. Мы все связаны невидимыми узами.

Постепенно, шаг за шагом будете Вы строить дом для Духа внутри. Очень и очень важно, что Вы смогли разобраться в основных линиях тех темных пересечений, которые препятствуют душе двигаться. Терпение, еще раз мужество и терпение. Я очень хорошо понимаю Вас, когда Вы говорите о том, что в храме Вам трудно. Но это пока, это временно, это преодолеется. И тогда Вы найдете сокровище, спрятанное под оболочками, которое стоит поисков.

Теперь о вопросах Ваших по пунктам.

1) Такая поглощенность и равнодушие ко всему имеет две стороны. Во-первых, это естественная реакция души («болезнь роста»), потом все будет проще, глубже, органичней. Но с другой стороны, христианин не может принять мира, жизни, природы, чувств, творчества и многого другого, не «отказавшись» от них. Это очень трудно объяснить. Это особая «диалектика». Принятие через своеобразное отрицание. Но прошу Вас, помните о законе, который я называю обычно законом «маятника»: одно отклонение (сильное) ведет к противоположному — сильному. Как волны.

2) Цикл молитв, который положен за правило, лучше все-таки читать даже тогда, когда они звучат механически...

3) В отношении поста, Вам хорошо бы не есть мяса, а на четвертой и Страстной неделях — и молочного.

4) Если Вам сейчас удобнее (внешне и внутренне), то, конечно, можно посещать храм в субботу...

С каждой неделей я полнее погружалась в веру. Она оказалась не раз данным состоянием, а сферой жизни, наполненной событиями, движением, областью, обещающей возможность бесконечного погружения. И всякий раз я выносила из церкви какое-то сокровище.

В одно из воскресений Великого Поста отец Александр позвал связанных с ним людей в свою церковь на Пассию. Меня он не звал, но Елена Александровна уговорила.

Настоятель и отец Александр служили в черных траурных облачениях. Я никого не знала из его знакомых, стояла отдельно и несколько отчужденно. Но великая сила его сосредоточенной проникновенности захватила и меня. В какой-то момент, как мне показалось, молитвы присутствующих поднялись одновременно в небо стройными струями и образовали живую архитектурную композицию редкого совершенства.

Но наконец подошло указанное отцом Александром время моего второго причастия. В Великий четверг я причащалась в церкви Ивана-Воина на Якиманке. Храм был битком набит народом. В полумраке тесного придела священник принимал общую исповедь. Когда он читал молитвы и мы все стояли на коленях, пришли горькие и блаженные слезы покаяния...

В вагоне метро я уставилась на носок чьего-то черного ботинка и ощутила счастье. Это чувство, ровное и легкое, было глубже, чем то счастье, какое мне когда-либо приходилось испытывать прежде, и к этому блаженству присоединилось почти физическое ощущение надежды, вкус которой я давно позабыла...

Приближалась первая в моей новой жизни Пасха. Я собиралась на Светлую заутреню к Ивану-Воину. Но в пятницу позвонила Соня Прокофьева, дочь Леонида Евгеньевича. Ей только что звонил отец Александр, приглашал к обедне в Светлое воскресенье к семи утра. Она никогда не бывала в Тарасовке и просила меня поехать вместе с ней.

В храме к нам подошла Елена Александровна. Сначала мне мешало мое положение между двумя знакомыми перед самым амвоном.

Но мало-помалу меня захватила красота богослужения. Я перестала рассматривать отца Александра глазами портретиста и отдалась чувству праздничности и светлой радости. Они казались естественными, само собой разумеющимися. И еще в это счастливое настроение входило сознание, что рушились стены, всегда замыкавшие меня в камеру-одиночку. Людям вокруг и христианам, жившим тысячу лет назад, свойственны те же переживания, только неизмеримо богаче их духовный опыт, первые крупицы которого мне предстоит собирать.

1 июня. Троица

За два дня до праздника отец Александр похоронил своего скоропостижно скончавшегося отца.

Когда я увидела его спокойное и скорбное лицо, я ощутила его боль и была потрясена состраданием. А потом мне показалось, что небо открыто и силы небесные приводят там в движение все мироздание.

Я молилась: Господи, возьми меня в Свои работники!

После службы я подошла ко кресту. Отец Александр сказал:

— Я хотел попросить Вас об одном деле. Но, пожалуй, отложим до моего возвращения из отпуска.

— Нет, не будем откладывать, я готова, — невольно улыбнулась я мгновенному отклику на мою молитву.

Отец Александр, чуть смущаясь, вручил мне толстенный, в 1200 страниц, французский «Словарь религиозных и мистических авторов» Дюкарма и попросил перевести.

1 августа

Я рассказала отцу Александру об исповеди в Загорске во время его отпуска. Там старый монах допрашивал о моей интимной жизни и наложил эпитимию. Батюшка отмел мое ощущение вины: раз я уже исповедовалась в прошлых грехах, я не обязана была говорить о них снова.

Поделилась смущением, которое вызывало у меня разное отношение к Ипостасям Пресвятой Троицы. Я реально ощущала только Сына, и это меня мучило как неполноценность и несправедливость в любви. Отец Александр подробно объяснил, почему так и должно быть, почему это нормально и естественно. Затем и воплотился Сын Божий, чтобы явить нам Отца, послать Духа Утешителя и раскрыть нам наше назначение детей Божиих. Он нам ближе и понятней, потому что жил на земле, как мы живем.

Еще я сказала, что с Божией помощью от меня отвалились самые крупные, грубые грехи (отец Александр перекрестился и возблагодарил Бога) и под ними обнаружился слой более мелких, но зато въедливых, вошедших уже в состав моего характера, и с ними бороться труднее.

Вот что он отвечал: нужны терпение и последовательность. Это подобно уборке комнаты — вроде работа неблагодарная, грязь накапливается снова, но убирать ее необходимо. Призвал к смирению перед своей греховной природой. Привел из «Дневника сельского священника» Бернаноса историю служанки, которая стремилась к абсолютной чистоте дома и храма, гонялась, надрываясь, за каждой пылинкой и тем себя сгубила.

Как с ним хорошо и легко! Он схватывает с лету и вызывает на исповеди такое доверие, будто сам Христос говорит его устами.

Отец Александр познакомил меня с Анной Ивановной. Мы целый час ждали поезда, вместе ехали в Москву и были увлечены перспективами, открывшимися с этим знакомством. Вообще нарастает ожидание моей плодотворной деятельности на этой ниве.

28 октября

26 октября похоронили Александра Иосифовича Неусыхина, отца Елены Александровны. Я помогала, чем могла, присутствовала на гражданской панихиде в Институте истории Академии наук (там был и отец Александр). Оттуда все поехали на кладбище, а я вернулась в квартиру покойного готовить поминки.

Когда народ приехал с кладбища, оказалось, что мест за столом не хватает, и я тихонько ушла домой. С отцом Александром виделись издали, ни словом не обмолвились. А время было для меня трудное: дочь уже месяц лежала в больнице с невыясненным диагнозом, были предательства близких, безденежье и прочие огорчения.

На другой день я написала отцу Александру письмо об охватившем меня отчаянье, о том, что это состояние тем тяжелей, что я ощущаю его как отступничество от веры. Через три дня начали с бешеной скоростью развертываться события, и все — положительного характера. Дочь я забрала из бесполезной больницы, и тут же нашелся блестящий специалист, велевший прекратить на год учебу и провести зиму за городом, получила заказ на надгробие, которое можно делать на даче, тем самым разрешилась проблема с деньгами. Ну и т.д.

Дорогая Зоя Афанасьевна!

Я ожидал, что Вы напишете и примерно такое, потому что видел в день похорон А.И., что Вам очень трудно (хотя внешне Вы выглядели обманчиво прекрасно). Вряд ли словами я могу помочь Вам, но хочу сказать только одно: где-то далеко-далеко (а порой и неожиданно близко) находится тот уровень нашей жизни, когда духовное начало почти целиком овладевает психофизическим. Но думать, что это придет сразу, — большая ошибка. Поэтому-то и хорошо разделять в себе эти две сферы до поры до времени.

Вы абсолютно правы, когда говорите об «оттягивании». Но видите, нападение идет со стороны внешней, чтобы подкопаться под внутреннюю. Темный мир ставит нам всевозможные ловушки и пытается выбить из колеи болезнями (своими и близких), разрывами и срывами в отношениях, разочарованиями и многим другим. И вот тут-то хорошо именно стараться поставить барьер, чтобы дым из одного помещения не переходил в другие. И тогда борьба идет в двух или нескольких планах. Потому что кесарево (то есть внешнее) требует кесаревых методов (лечение, отдых и т.д.).

На Вас сейчас навалилось. Это очевидно. Но во внутреннем плане этому нужно сопротивляться.

Простите за схематизм, но Вы поймете.

1) Постарайтесь все принимать как крест и как эпитимью. Нас всегда прощают, когда мы приходим с покаянием. Но для пользы самой души требуется эпитимья. То есть изживание через труд, томление, несение креста, вспоминайте все то, что Вы принесли в покаянии, и ощущайте все как крест. Едва только примешь, как все разрешается внутренне (а иногда и внешне!!), а 2) когда приходит «бес уныния», «отчаяния», осознайте его как чужеродную силу, как покушение на Вас и на все, с чем Вы связаны (ведь это же отражается, скажем, на Ваших контактах). Что касается конкретного, то я надеюсь, что все молитвенные и медицинские усилия Дашу поправят. Конфликт с отцом для Вас не новость. И кроме заповеди о родителях, есть и другие слова, которые заставляют нас превыше всего ставить иное родство (для пользы тех же самых родителей)...

Не помню, кто-то сказал: «Вера это крепость надежды, построенная над пропастью отчаяния». И это не потому, что вера это «убежище» или «утешение», а потому, что обезображенный и страшный мир поистине может внушить чувство ужаса. И лишь вера срывает с мира маску и обнажает сокровенную красоту Сущего. В этом и только в этом смысле мир, внушающий отчаяние, — нереален. А действителен только Реальный. Дай Вам Бог мира и примирения.

Ваш А.

7 декабря

В понедельник 24 ноября приехала в Семхоз по просьбе отца Александра поработать с ним. Переводила с листа французские и английские статьи, а он сидел за машинкой и записывал нужное ему для работы. Но на этот раз работали мы недолго.

— Какие у вас на сегодня планы? — спросил батюшка.

— Да никаких особенно.

— Тогда одевайтесь.

Мы пошли к электричке. Он ничего не объяснял, я не спрашивала. Мне нравилась эта таинственность. Я направилась было к платформе, где останавливаются поезда на Москву. Он удержал меня.

Приехали в Загорск. Туман скрадывал детали и земные основания, из которых вставали очищенные и облагороженные формы Лавры и мягко светились золотые купола.

Предельно одухотворенная архитектура так ясно объясняла мне мое место на земле, назначение и связь с Богом.

Мы оба были приглушенные, мягкие, светло-печальные. Вошли в Лавру и подошли к решетке, ограждающей Академию.

— Подождать вас здесь? — спросила я.

— Идемте.

Он твердо взял меня за локоть и ввел в маленький темноватый холл. Попросил раздеться, забрал мое пальто и шапку и исчез, оставив в обществе важного швейцара в золотых галунах. Потом появился в черной рясе с крестом, повел меня по старинной лестнице и коридорам мимо учебных классов.

Наконец открыл какую-то дверь, и мы оказались в пустом темном зале, где тускло поблескивали золотом непонятные предметы и кое-где горели лампадки. Отец Александр не дал мне оглядеться, мы пересекли зал, он открыл ключом массивную резную дверь, взял меня за руку и быстро провел через длинную анфиладу темных комнат.

Поставил у стены и щелкнул выключателем. Помещение залил электрический свет. Я стояла перед дивной древней иконой.

— «Одигитрия», Византия, IX век, — провозгласил батюшка, явно наслаждаясь произведенным впечатлением.

Так началась эта удивительная экскурсия по залам академического музея, недоступного широкой публике. Я была единственной зрительницей, а моим гидом был непревзойденный знаток этих сокровищ.

На обратном пути батюшка вышел в Семхозе, а я ехала в электричке, по-новому переживая свою причастность к Церкви, и просила Бога позволить мне ей поработать.

А 30 ноября — солнце и ликование по случаю первого прихода в церковь новой души Л.В.В., княгини В., вдовы князя В. Ее золовка, княжна Мария Николаевна, сестра Н.Н., зарабатывает машинкой и кое-что печатает для отца Александра. Живут они на Арбате, я бывала у них по делу, и Л.В. пожелала брать у меня уроки французского. Занятия переходили в долгие беседы о вере.

И вот настало время везти ее к отцу Александру. Дней десять назад мы сели в электричку, и тут в вагон вошла Елена Александровна. Собеседница она неутомимая и увлекательная. В какой-то момент я случайно глянула в окно, а перед глазами надпись: «Тарасовка».

— Бежим скорей, Тарасовка, — закричала я.

Мы сидели недалеко от дверей и успели выскочить. Но тут Елена Александровна спохватилась:

— Перчатки забыла! — и вскочила в вагон, следом за ней зачем-то кинулась княгиня, двери захлопнулись, поезд тронулся, и я осталась на платформе одна.

Рассказываю батюшке про наше приключение, а он улыбается:

— Хрестоматийный случай, обычные уловки сатаны. Не огорчайтесь. Если она не передумает, приезжайте с ней 30 ноября.

А они не сразу догадались выйти, попали в перерыв поездов, одним словом, оказались в Тарасовке у запертых уже дверей церкви.

И вот наконец я привезла трепещущую, смятенную женщину к отцу Александру. А после их разговора с ним увидела совсем нового человека — окрыленного, ликующего, просветленного!

Год 1970

Дорогая Зоя Афанасьевна! Поздравляю Вас с праздником. Если Вы свободны — то приезжайте с Дашей. Мы пойдем на елку в Академию, а Вы заодно еще раз побываете в нашем музее. Надеюсь на Вашу помощь по [вырезано] *вопросу.*

Ваш А.

Мы с отцом Александром отправились в Лавру во главе ватаги из восьми—десяти ребятишек. Елка была устроена для детей духовенства в актовом зале Академии. Семинаристы и «академики» давали концерт, выступали и детишки. Два болгарина в черных рясах исполняли древние знаменные распевы по «крюкам». Пели колядки, носили рождественскую звезду, в зале был устроен отличный «вертеп». Но отец Александр не дал мне насладиться непривычным зрелищем и увел в музей. Однако за нами тут же двинулись другие взрослые, несколько знакомых ему священников и попросили его провести экскурсию, что батюшка и исполнил безотказно.

Возвращались веселые, с гостинцами, в приподнятом праздничном настроении.

Наконец состоялся долгожданный перевод отца Александра из Тарасовки в Новую Деревню, 13 февраля он впервые служил на новом месте.

Дорогая Зоя Афанасьевна!
...Сегодня первый раз служил в новом месте. Тарасовка покинута. Теперь я обитатель сверхкрохотного деревянного храма. Местечко очень глухое, но на шоссе.
Чувствую огромное, давно не испытанное облегчение. Как будто жернов с шеи свалился...

Храм действительно был крохотный, деревянный и так безвкусно расписан, что московские прихожане о. Александра окрестили его «смерть эстетам». Но батюшка был несказанно рад.

Как-то Елена Александровна попросила меня помочь вычитать после машинки «Магизм и единобожие» отца Александра, II том истории мировых религий. Книгу в 600 страниц разделили на четверых, но потом оказалось, что остальным некогда, и вся книга собралась у меня.

Я убедилась, что труд этот нуждается в серьезной редактуре, по разрешению отца Александра сделала пробную правку на пятом экземпляре, и он ее с энтузиазмом принял. Потом дал мне III и IV тома. Так началась моя работа в качестве редактора всех его книг.

Дорогая Зоя Афанасьевна!
Бесконечно благодарен. Вы первый человек, который мне реально помог.
С наступающими святыми днями.
Ваш А.

Эта записка была написана перед Пасхой 1970 года. А на Пасху отец Александр подарил мне Библию в недоступном тогда для мирян патриархийном издании с надписью: «В знак благодарности за неоценимую помощь. А. Мень. 1970». Вообще он был неистощим в выражении благодарности. У меня несколько полок заняты подаренными им книгами. Многие с подобными же щедрыми надписями.

Отцу Александру.
Про излюбленные странности Вашего письма (краткая памятка)

1. Дорогой Иван Иванович! — *запятую перед именем ставить не надо, все это* — *обращение.*

Но: Здравствуйте, дорогой Иван Иванович! — *запятая ставится перед обращением.*

2. Хорошо бы научиться писать без ошибок. Научиться — *инфинитив, отвечает на вопрос: что делать? или что сделать? пишется всегда с мягким знаком.*

Мой учитель научится, конечно, писать без ошибок. Научится — *будущее время, отвечает на вопрос: что сделает. Пишется без мягкого знака. Кстати, «пишется» без мягкого знака, вопрос: что делает?*

3. Потому что — *всегда пишется раздельно.*

4. В общем — *пишется раздельно.*

5. Расти. Отсюда: вырастать, нарастать, обрастать и т.д.

6. Те, кто сердится, тоже бывают правы. Те бывают (множ. число), кто сердится (единств. число). (У Вас обычно: кто сердятся).

7. Если по смыслу нет отрицания, а есть усиление или перечисление, то пишется не НЕ, а НИ: Ни Саша, ни Шура, ни Алик не знали, как писать отрицания.

Как бы то ни было, несмотря ни на что — *усиление.*

8. Истинный, подлинный — *2 «н».*

Если в корне есть Н — *истина, линь, то прилагательные с суффиксом НЫЙ имеют НН. Если в корне Н нет, то в прилагательном одно Н: комар* — *комариный.*

Пример: Надеюсь, что эти замечания для Вашего самолюбия не более, чем комариный укус, они писались с истинным к Вам уважением.

З.М.

22 июня

Перед отъездом в отпуск отец Александр написал мне письмо.

Дорогая Зоя Афанасьевна!

...Хочу Вам наметить основные мысли, которые должны определять своего рода цикл молитвенных размышлений. Они могут быть рассчитаны на неделю.

Первый день посвящается обычно противопоставлению суетности и вечности. Это то чувство, которое остро пережил Толстой (в «Исповеди»), то, что запечатлено в Екклезиасте. Все проходит, течет, распадается. Только высшее, духовное — бессмертно. Одним словом, день проходит под знаком выявления подлинного в жизни и отделения его от мишурного.

Второй день показывает нам, как мало мы сделали для этого подлинного, как безнадежно мы утопали в грехах и привычках, которые нас тянули на дно. Это переживание грехопадения в его общем смысле как отхода от Бога и от света.

А третий день — это осознание плодов греха: немощь, паралич духа, богооставленность, то есть ад при жизни. Тогда мы видим, что Христос — единственный, кто может нас оттуда извлечь. Мы стоим на краю бездны, в которую смотрим.

Четвертый день посвящаем Ему. Вновь обращаемся к Евангелию, к Его жизни, ко всему, что вносит свет в наше существование. Словом, проследить все: от Вифлеема до Голгофы. Этот день с НИМ.

Пятый день — это Христос в таинствах, в Церкви. Это крещение, это Чаша и Прощение грехов. И суббота — день благодарения.

Для этих молитвенных размышлений хорошо брать Евангелие, Фому Кемпийского, наш молитвенник и мысли из Франциска Сальского. Я на всякий случай оставляю его Вам вместе с Паламой.

Обнимаю Вас, шлю Вам с Дашей Благословение Божие и самые лучшие пожелания.

Ваш А.

В первый же понедельник после того, как я получила эти наставления, приступила к молитвенным размышлениям. Каждый день я делала записи в дневнике, а по возвращении отца Александра показала их ему.

Он читал и при мне комментировал записи. На мое замечание об удивительных противоречиях Екклезиаста батюшка сказал:

— Есть даже мнение, что Екклезиаст писали два разных человека.

— Нет, по-моему, это разные состояния одного автора. Человек не может долго оставаться на слишком большой глубине отчаяния.

— Я тоже думаю, что это выражение разных состояний одного автора. Екклезиаст — завершающий итог дохристианского сознания. Я недаром поставил Фому Кемпийского рядом с Екклезиастом. У них много общего.

— Да, и мой протест против Фомы Кемпийского связан с этими элементами дохристианского мироощущения.

Далее я писала, что иногда целыми днями напролет живу спиной к Богу. От меня зависит усилие, но подлое это слово. Разве для того, чтобы общаться с любимым, нужно усилие?

— А если между любящими кирпичная стена? Надо делать усилия, надо взять кирку и долбить стену.

— Но тут-то стены нет.

— Нам кажется, что нет. Более того, когда мы долбим кирпичную стену, в ней остается отверстие. А тут стена из нашей греховности, просвет снова затягивается нашими грехами, и нужны новые усилия. Это большой душевный труд.

Я потому так подробно останавливаюсь на этих репликах отца Александра, что они накрепко запомнились и много раз помо́гли мне потом. Может быть, пригодятся и кому-то другому, идущему тем же путем.

Дана сия
ОБЪЯСНИТЕЛЬНАЯ ЗАПИСКА
путешествующей девице Дарье

В том, что она не своей волей задержалась в темных безднах Семхоза, но по воле туземных обитателей, которые с пристрастием наполнили ее пищей и ублажили ее играми и культмассовыми мероприятиями. К сей грамотке прилагается и сама девица в целости и сохранности.

Выдана для представления в родительский комитет.

Иулия в лето 1970 в день единнадесятый.

А.Мень

20 октября

Во второй половине октября мне удалось на недельку уехать в Абрамцево и пожить уединенно во времянке.

Гуляя по пустынному кладбищу, я читала имена на надгробиях, молилась и думала вот о чем. Те, чьи скорлупки тлеют здесь в могилах, стали совсем иными. Их души умерли, потому что умерли их тела, с которыми они связаны. Уцелели крохи духа, если у кого они были. Но Дух единороден, для нас непостижим, и только в Духе можем мы соединяться с умершими. А что душа? Душа — это орган, воспринимающий отзвуки земного мира, это наше конкретное Я, связанное с телом и его метаморфозами, Богом данные сознание и подсознание, зависимые от времени и обстоятельств.

Жизнь Духа для нас непостижима. Он обитает на таких запредельных высотах, откуда все земное тоже, наверно, представляется непостижимым. А души, может быть, и истлевают понемногу после смерти (потому что я их иногда ощущаю, но сумеречно, как в Аиде или Шеоле).

А что, если и Шеол — правда, и рай и ад — правда? Первый для души, вторые — для духа? Но знать мы ничего не можем. Им не понять нас, нам их. Разлука всерьез. Если и встретимся, то, по Лермонтову, в новом мире друг друга не узнаем.

21 октября

Ну вот. Польза иметь духовника, да еще такого!

Вчера с двух до девяти была в доме отца Александра. Сначала занималась французским с его женой, потом помогала отцу Александру переводить с английского для книги о пророках, которую он пишет. После работы, когда мы сделали передышку в ожидании ужина, я ему рассказала о своих мыслях на кладбище.

— Вы во всем правы, — сказал он, — кроме одного. Дух в людях не однороден, а глубоко личностен. Он и составляет наше истинное Я.

Батюшка нарисовал оболочку — тело, внутри его душа, на которую тело оказывает сильное влияние, а внутри души дух, на который воздействует душа, а тем самым и тело.

А потом очень просто, опять на ходу изобретая схематический рисунок, рассказал о духовной эволюции каждого человеческого Я в отдельности и человечества в целом.

Существует резервуар еще спящих, но уже неповторимых «Я». В какой-то момент одно из них призывается к жизни, происходит как бы вытяжка семени. Дух обретает тело, душу и жизненную среду. Пройдя определенный путь развития, дух освобождается из тела. Какое-то время душа пребывает в состоянии распада, более медленного, чем распад тела.

Именно потому контакты с душами происходят всегда на низком уровне — психофизический мир наш, душа, лишенная духа, больше тяготеет к бренному телу. Для духа же тут какое-то время возможны разные переходные состояния чистилища, преисподней и прочие, пройдя через которые, он должен прийти к высшему состоянию Нового Адама.

Однако на этом эволюция не кончается. Всю полноту дух может обрести, лишь снова облекшись телом, но уже иного порядка, на иной, высшей основе (Воскресение мертвых). Это произойдет, когда все спящие «Я» Ветхого Адама пробудятся, пройдя земную жизнь, и перейдут в стадию Нового Адама.

В тех случаях, когда душа, выйдя из первого резервуара, по каким-то причинам не пробудилась (смерть во младенчестве, болезнь мозга или просто — человек ел, пил, но не более того), она возвращается в этот первый резервуар. Перевоплощение душ отец Александр отвергает.

25 октября

В этом мире мы все жертвы зла. И Христос ею был и остается в Евхаристии. Если мы думаем, что Царствие Божие бывает на земле, то имя его сострадание, то есть все-таки страдание.

Ясный свет в глазах отца Александра это отчасти радость добровольной сестры милосердия в бараке с ранеными. В истоке этого света — страдающая любовь.

Год 1971

В январе 1971 года у меня развилась серьезная сердечная болезнь, я была на краю.

Отец Александр навещал, причащал, молился обо мне, и я понемногу начала выздоравливать.

Дорогая Зоя Афанасьевна!

Поздравляю Вас с наступающим постом. Хочу надеяться, что он будет Вам в помощь.

Общую схему на пост я написал и передам Вам при первом же удобном случае. Приложение выправил и тоже передам Вам.

Заглянул сегодня в III т., почитал Ваши заметки и понял, к своему ужасу, что почти все должен переписывать. Трудно было с этим смириться, но это неотвратимо.

Всегда Ваш благодарный А.

Как-то, возвращаясь из Новой Деревни, ко мне заглянула расстроенная Елена Александровна. Оказалось, отец Александр получил большое разносное письмо о его книге «Сын Человеческий» от одной важной православной дамы, шекспироведки Е.Н., водившей дружбу с архиереями. Можно было предположить, что они знакомы с ее отзывом.

Ответ отца Александра, еще не отправленный, был подробный и по существу дела, но чувствовалось, что он задет: какие-то фразы звучали резко и могли обидеть его корреспондентку. Елена Александровна боялась, что батюшка наживет врагов не только в лице этой дамы, но и среди тех иерархов, чье недовольство молодым богословом просвечивало в письме Е.Н. Елена Александровна оставила мне копию ответа отца Александра, и я внесла некоторые поправки, которые меняли только интонацию, но не суть дела. Вскоре батюшка приехал ко мне. У меня была приготовлена для него огромная кастрюля вкуснющего компота. Он всегда поглощал много жидкости, и такой компот был для него большим лакомством.

Я лежала, по моей просьбе он принес закрытую крышкой кастрюлю, громадную чашку и половник из кухни и поставил все это на табуретку возле кровати.

После этих приготовлений я приступила к делу и попросила внести в письмо нужные изменения. Он хмурился, сердился, наотрез отказывался. Тогда я налила компот в чашку, он потянулся к ней, но я отвела руку.

— Исправьте «уважаемая» на «многоуважаемая», получите компот.

— Вы не змей, а я не Ева, — возмутился батюшка.

— Прекрасно. Останетесь без компота, — твердо отвечала я, готовясь вылить содержимое чашки в кастрюлю.

В глазах его мелькнула веселая искорка.

— Ну что ж, это, пожалуй, можно поправить, но больше менять ничего не буду, не надейтесь.

Мало-помалу смехом и шутками, преодолевая его отчаянное сопротивление, я уговорила его принять изменения. Допивал он кастрюлю, уже весело хохоча.

Дорогая Зоя Афанасьевна!

Терпеливо жду, когда Вы приедете. Посылаю Вам две книжки для Даши (ее жду на той неделе) и французскую книгу, которую взял временно. Елико возможно (без цитат) переведите, пожалуйста, главу (стр. 68—79). Если трудно, то конспективно.

Е.А. покажет Вам письмо нашей корреспондентки, и Вы посмеетесь неожиданным результатам Ваших с ней (Е.А.) стараний.

Всегда молюсь о Вас обеих.

Ваш А.

Суть нового послания Е.Н. сводилась к следующему: читая письмо батюшки, она испытала умиление, на нее снизошла благодать, она поняла, что отец Александр истинно христианский смиренный пастырь, согласна с его доводами и снимает свои обвинения. Чтобы не покинуть поле боя совсем побежденной, она оставила за собой претензии к стилю, слишком, на ее взгляд, современному и не соответствующему возвышенности предмета.

В марте по благословению отца Александра меня повезли на поправку в глухой литовский хутор к замечательному священнику, францисканскому монаху отцу Станисласу Добровольсclass="у (Добровольскому). Я присутствовала ежедневно на мессах, беседовала с отцом Станисласом и совершила для себя открытие: от католицизма нас по сути ничего не отделяет, наши перегородки до неба не доходят.

Даша все это время жила в доме отца Александра. Через 17 дней я вернулась в Москву здоровой.

Наслушавшись восторженных рассказов об отце Станисласе, батюшка решил сам съездить к нему, познакомиться. С ним собирался ехать Сергей Желудков, но перед самым отъездом заболел. Связи с Семхозом не было, и он привез мне свой железнодорожный билет.

Объяснив про болезнь отца Сергия, я сказала, что могу сдать его билет, но, если отец Александр благословит, готова поехать вместо него, тем более что знаю, как добраться. Батюшка благословил.

Поездка эта совершалась втайне — не хватало, чтоб на отца Александра вешали собак еще и за связи с католиками!

В Паневежисе мы нашли легковую машину, в Крикенаве отец Александр с женой остались осматривать дивный готический собор, а я поехала в Пабярже, предупредила о визите отца Станисласа, вернулась в Крикенаву и привезла батюшку с женой.

Священники сразу нашли общий язык. После обеда, щелкая за столом орехи, любимое лакомство отца Станисласа, я воспользовалась тем, что нахожусь в обществе ученых богословов, и задала трудный вопрос:

— Христос говорит: «И отцом себе не называйте никого на земле: ибо один у вас Отец, Который на небесах», почему же священников называют отцами? Вот и к вам я обращаюсь: отец Станислас, отец Александр.

Я остановила взгляд на родном батюшке. Он не знал ответа и, чуть улыбнувшись, попросил ответить нашего доброго хозяина.

Отец Станислас обосновал это последним обещанием Христа: «Не оставлю вас сиротами». То есть на священниках лежит благодатная обязанность выражать Отцовство Бога по отношению к Его чадам.

Потом мы обсудили с батюшкой ответ отца Станисласа и пришли к выводу, что он удовлетворителен лишь отчасти. Ведь все же сказано совсем определенно: «Никого не называйте». Скорее просто не находится другого слова, а, в общем-то, это не дело.

Вечером перед мессой мы отдыхали у дома на лавочке перед огромным заросшим оврагом, на дне которого струилась чистейшая речка. Все цвело и благоухало, щелкали соловьи. Потом мы остались с отцом Александром вдвоем, я не выдержала и затронула больную тему — проблему его эмиграции в Израиль. Отец Александр говорил жестко и отчужденно о том, что он здесь не нужен, устал преодолевать вражду, ему, еврею, ничего не сдвинуть в омертвелой Русской Православной Церкви.

К счастью для паствы, этот кризис разрешился благополучно. Батюшка остается. «Куда Господь воткнул, там и торчи», — с улыбкой говорил он.

С августа 1971 по март 1973 года я не вела дневник. Уцелели письма отца Александра за это время. Это в основном деловые записки.

Год 1973

Дорогая Зоя Афанасьевна!

...Вы не хуже меня знаете, что у Св. Писания есть своя тайна. Оно может открываться или оставаться закрытым. Это книга емкая и многослойная. Недаром ведь она — Слово Божие, хотя и сказанное через людей.

Апостолов было много, но Церковь ввела в Библию писания лишь немногих, в том числе и св. Павла. Это значит, она придает ему особое значение, и мы должны подходить к его Посланиям не просто как к религиозной книге, а как к Откровению. Но оно может остаться закрытым. Многие люди, хорошо зная Библию, остаются глухи к ней. Для того чтобы открылся смысл — нужный для нас, следует подходить не с толстовской меркой: «это мне подходит, а то — нет». Чтение Апостола требует благоговейного подхода. В противном случае слова закроются.

Вы столкнулись с темой нелегкой. Однако она не может быть понята без этого подхода в смирении. Если что-то вызывает смущение — нужен не скоропалительный протест, а внимательное и благоговейное углубление в тему.

Я уже говорил Вам, что язык ап. Павла трудный и несколько субъективный. Нужно стараться вдуматься в то, что он нам (Вам!) хочет сказать. Это ведь слово, обращенное к каждому.

Вас смутило слово «ненависть», но тогда должно было смутить это слово в евангельском изречении об отце или матери, которых нужно «возненавидеть». Библия имеет свой язык. В данном случае эти слова имеют иной смысл, нежели в обычном употреблении.

Иаков и Исав — в Библии означают два родственных народа. Бог избирает для Своего дела один, но вовсе не потому, что он старше или лучше. Здесь тайна избранничества, которая нами не может быть сведена к каким-то логическим вещам. Об этом Вы можете найти в хороших комментариях, которые я Вам дам.

И главное, не торопитесь и не отталкивайтесь. Это худший из способов понять. Понимание — не есть лишь умственное «усвоение».

Я сам, если сталкивался в Библии с такими трудными местами, говорил себе: ты еще не дорос до понимания, подожди. И действительно, приходило время и неясное открывалось, так что я удивлялся, как мог раньше не понимать.

Теперь о ребятах. Вы хорошо знаете, как трудно бывает сделать статую. А ведь человек складывается с еще большими трудами. У всех есть периоды метаний, заблуждений, колебаний. К этому нужно относиться терпеливо. И если не получается, не впадать в отчаяние.

Я понимаю, что это нелегко. Я сам иной раз бываю глубоко огорчен и разочарован. Но может быть, если все наши усилия приносили бы немедленный и явный плод, мы легко возгордились и смотрели бы на людей как на «дело рук своих».

Еще раз повторю Вам, что уже говорил: будем трудиться, не рассчитывая на зримые результаты. И побольше терпения. К тому же я думаю, что иные глупости мальчики могут сказать в пылу задора и полемики. Это результат ненужных разглагольствований на религиозно-моральные темы. Лучше говорить о литературе или о чем-то в этом роде, а духовное — осуществлять. А то все уйдет в язык, да еще и извратится на языке в силу его «бескостности». Многие причины, субъективные и объективные (все они Вам известны), мешают сделать нечто сплоченное и действенное. Об этом у нас был с Вами разговор у о. Станислава. Но это не повод для опускания рук. Будем делать то, что возможно в этих условиях и с этими людьми.

Вы мне последнее время не нравитесь. У меня впечатление, что Вы постоянно нездоровы. Так ли это? И что ме-

шает Вам заняться этой стороной дела всерьез? Ведь состояние «плоти» так сильно действует на дух. Желаю Вам в новом году поскорее приходить в норму, всегда молюсь за Вас и прошу Ваших молитв.

Ваш А.

Очень дорогой отец Александр!

Поздравляю Вас с днем рождения!

...Спасибо большое за письмо. Все в нем очень верно и впопад.

С ап. Павлом отношения у меня налаживаются. Очень ободрило меня 1 Кор, 1, 25 и дальше. Это прямо про нас. А насчет ненависти к Исаву я пока не понимаю. И сравнение с евангельской ненавистью к отцу и матери меня не убеждает. Евангелие обращается к человеку, призывает его освободиться от сковывающих земных уз и посвятить себя Богу. Здесь для меня «возненавидеть» никогда не значило ничего иного, как «порви изнутри, стань свободен для Бога». А сама мысль, что Бог может возненавидеть безвинного, мне кажется кощунственной. То, что Вы пишете о свободе Его избранничества, о тайне Его — мне было сразу понятно. Бог есть Любовь, нарушающих ее заповеди Он может карать.

Любя всех, Он может возлюбить кого-то больше. И слава Ему за эту неравномерность, только благодаря ей я чувствую Его личностное к себе отношение, совершенно необходимое условие для живости моей веры.

Но как можно думать, что Он до рождения уже ненавидит человека или народ, осуждает его безвинно — это покамест много выше слабого моего понимания. Но подождем.

Что до «ребят», то и тут Вы во всем правы. Я чувствую свою непригодность для той роли, которую не брала на себя, которая не от меня зависит. Я только удивляюсь и покоряюсь воле Его.

Ежедневно звонки от самых неожиданных людей с просьбой обсудить с ними что-нибудь важное, новые люди в моей орбите, а старые — в новом качестве. Все это без малейших моих усилий, помимо моей воли — идет само. Они ищут общения с христианским началом во мне, и мне очень страшно. И я ежедневно ожидаю, что прогневаю Бога тем, что я такой негодный инструмент в Его руках. Готова к тому, что вот сегодня уже никого не будет, и удивляюсь, что Он пока не передумал.

Конечно, все это можно было бы объяснить проще: у меня теперь отдельная комната, где можно разговаривать, живу на перекрестке, располагаю досугом, старше многих. А люди так одиноки и часто по-детски растеряны!

Не знаю и не хочу думать об этом, просто нельзя же отказать человеку, просящему прийти посоветоваться и что-то обсудить. Перед приходом и во время разговора стараюсь молиться о вразумлении.

Интересно, что перерывы в этом потоке бывают тогда, когда я сильно выхожу из формы (например, с того момента, когда я, исповедовавшись, не подошла к Чаше, и до следующего причастия). И что мне самой может быть плохо, а человек все-таки уходит утешенным и воодушевленным. Обычно и мне легчает в результате.

А 23 января исполняется четыре года со дня моего обращения. Оно связано для меня с днем Вашего рождения. Я напомню. 22 января 1969 г. Елена Александровна сказала мне, что у Вас день рождения, что Ваша мама едет к Вам, и спросила, не хочу ли я передать с ней поздравление. Я написала Вам и упомянула, что между мной и Целью начали падать преграды, но рубеж не перейден.

А 23-го утром я встала на колени и начала молиться о ниспослании мне веры. И она тут же была дана, как я понимаю, по Вашей молитве, возможно, творимой в те же самые минуты. И с тех пор Вы представляетесь мне пароходом, плывущим в бурном море, с него сброшен трос (это Ваша молитва), а я уцепилась за него и потому лишь не тону.

Как же мне не благословлять день Вашего рождения, как же не просить для Вас остойчивости, непотопляемости, хорошей крейсерской скорости и курса по румбу.

С благодарной любовью.

З.М.

13 марта. Чистый вторник

В пятницу на Масленой с 11 до 2-х общалась с отцом Александром. Мы ездили с ним в Духовную Академию. Он познакомил меня с ректором владыкой Филаретом, отдали ему пять экземпляров моего перевода «Словаря мистических и религиозных авторов» Дюкарма, и я получила деньги за работу.

20 апреля

Пишу в электричке, еду от отца Александра, к которому сорвало меня сегодня утром — сказать, что все хорошо... Я просто приняла происшедшие перемены, как он когда-то меня учил, и все разрешилось... Как нам весело и хорошо было сегодня! Мир, доверие, нас прорвало обоих, и мы впервые за долгое время могли говорить, как прежде.

23 апреля. Великий понедельник

Итак, в пятницу 20 апреля я решила, не откладывая, ехать к отцу Александру. Домчалась на такси к концу службы. В церковь не вошла, осталась во дворе. Он коротко взглянул на меня. Я легко и свободно улыбнулась. Он снова взглянул — и понял. Повел в кабинет, закрыл дверь, притянул меня и обнял. Я уткнулась головой в его плечо. Мы сели, он взял мои руки в свои. Не понадобилась звучавшая в голове дорогой фраза: принимайте беглую дщерь — в ней было слишком много пафоса. Он молча, улыбаясь, смотрел на меня и все-таки ждал.

— Ну, в общем, все хорошо, — сказала я.

— Вот и прекрасно! Теперь можно праздник как следует встречать. А то куда это годилось!

Я рассказала, что все разрешилось одной строкой от Матфея. Мы обсудили разные текущие дела. Когда он переодевался в цивильное, продолжая через стенку разговаривать, я весело спросила:

— Могу я быть вам чем-то полезной? — обычный мой вопрос в добрые старые времена.

Он немного подумал и радостно сказал:

— Мы с вами вместе будем работать над... — и рассказал над чем.

Мы вышли на шоссе и шли, пока он не поймал такси. Подробно рассказывал о своей работе, о трудностях, мы договаривались о ближайших делах.

Был весел, добр, то клал руку на плечо, то гладил рукав. Видно было, как радовался. Я уехала с ощущением, что прорвался нарыв. В Вербное воскресенье 22 апреля по крайней мере часть проповеди отца Александра относилась ко мне. Он говорил, в частности, об унынии, о том, что мы безрадостно выполняем то, что считаем своими религиозными обязанностями, это признак маловерия, ведь общение с Господом — праздник.

Когда я подошла ко кресту, он как-то особенно покропил меня святой водой и лицо его, всю службу спокойно-сосредоточенное, озарилось удивительно нежной улыбкой, какую я первый раз у него видела.

Даже страшно, что он так свободен перед множеством вперенных в него взоров.

2 мая. Светлая среда

В Великую пятницу я была на выносе Плащаницы. Нет службы, которая так волновала бы меня, как эта. Для меня она — кульминация покаяния, сокрушение о том, что я способствую крестным мукам и смерти Христа...

Потрясенная живыми похоронами Бога моего, я подошла в очереди со всеми под благословение к отцу Александру, который, как я чувствовала, переживал нечто близкое. Он шепнул мне, чтобы я его подождала.

Он дал мне ряд поручений. Я не собиралась на Светлую Заутреню в Новую Деревню, но отец Александр настоял на том, чтобы я приехала. Да и по делам вроде так выходило, хотя передать результаты его поручений можно было и с Дашей. Он снова засыпал меня просьбами.

Весь вечер пятницы и всю субботу я трудилась как могла, молясь о том, чтобы успеть, — и успела!

Это был самый лучший подарок к Празднику, истинное к нему приготовление. Ибо делалось важное для веры дело, и мне дано было приложить к нему руку. В этом примирении со всеми и в этой работе было предчувствие праздничного ликования. Отец Григорий, начавший было служить вместе с отцом Александром, вскоре плохо себя почувствовал, и наш батюшка дальше служил один, так,

будто храм полон причта. Чувствовалось, он торжеству-
ет, ликует, мужественно сдерживает переполняющую
радость. Какое-то пророческое вдохновение вспыхивало
в его глазах, когда он восклицал в толпу: «Христос воскресе!» — и мы мощным единогласным хором отвечали:
«Воистину воскресе!»

22 июля

В конце исповеди батюшка попросил меня остаться
после литургии, чтобы подробней поговорить о моих проблемах. Я сказала, что вижу замысел Божий в том, что Он
хочет оставить меня одной — для Себя. Весь план моей
жизни таков, так Он ее строит, а я противлюсь Его воле.

Отец Александр задумчиво, как бы и не ко мне обра-
щаясь, несколько раз сказал:

— Вы можете. Можете. Можете. Когда вы решитесь,
вы не будете одна, стоит принять, и все разрешится,
рассеется даже.

13 сентября

12 сентября именины отца Александра, день св. Александра Невского.

Для батюшки все эти годы день этот был каторжной
нагрузкой. Толпы в церкви, поздравления, отсиживание
за праздничным столом с причтом. Мучила его невоз-
можность пригласить всех жаждущих домой, ответить
каждому на изъявления любви, необходимость урегули-
ровать самолюбия, притязания и, наконец, долгое застолье дома со все прибывающими и прибывающими,
несмотря ни на что, гостями, которых просто некуда
усаживать. Тосты, от щедрости которых его, бедного,
корежит.

А сейчас, вдобавок, грозная, тяжкая обстановка.

И вот я решила избавить его хотя бы от себя. Тем более что ежегодно он заранее приглашал меня на этот
день, а тут приглашения не было. В воскресенье 9-го я
передала ему с Лялей письмо, в котором поздравляла
его и писала, что не приеду.

Но 12-го проснулась с мыслью, что ему сейчас тяжело, трудно, а что, если все так поступят, каково ему
будет почувствовать свое одиночество, особенно по кон-

трасту с прошлыми годами? Ну, просто отстою обедню, буду за него молиться.

Он служил необычайно проникновенно, торжественно, сильно и сосредоточенно. Знакомых действительно почти совсем не было. Когда я подошла к кресту и поздравила его, он сказал:

— Вы не уходите. Посидим тут немного и поедем к нам.

В домике готовили именинный стол. Церковные женщины косо посмотрели на нас, прошедших в его комнату. Оказалось, Елене Александровне они объявили, что за столом места для нас нет. С мамой отца Александра нас было пятеро.

Наконец он освободился от треб в храме. Встретили его пением хора и огромными снопами цветов. Он шутил, что встреча архиерейская, только светильников не хватает.

Елена Александровна объяснила ему ситуацию. Он нахмурился. Выход нашли в том, что Елена Семеновна, снимающая рядом дачу, уведет к себе Елену Александровну с ее мамой. Еще одну прихожанку он быстро отпустил. Я хотела вернуться домой и вечером приехать в Семхоз, но он не согласился. Оставив меня в своей каморке, отправился за стол, занявший сплошь всю соседнюю комнату.

Вскоре в стену стали стучать, вызывая меня. На такой способ приглашения я не реагировала. Стали звать через стенку. Я не двигалась. Наконец пришла женщина и вежливо меня пригласила.

За столом сидели староста, хор, алтарница, псаломщик и т.д. Меня продвинули поближе к отцу Александру. Бедный он, бедный! Сколько и тут самолюбий, ревности, интриг!

Регент церковного хора из Тарасовки Всеволод, обладатель прекрасного тенора, устроил общее пение, все пели «Двенадцать разбойников», потом регент исполнял по заказу именинника старинные романсы.

Наконец встали, спели: «Благодарим Тя». Пока отец Александр с регентом Всеволодом ходили за машиной, наш псаломщик, он же единственный мужчина в хоре и самый там образованный — учитель русского языка и пения, — успел рассказать мне свою биографию.

Ехали мы вчетвером, была еще Елена Семеновна.

Дома я сразу отправилась на кухню помогать Наташе.

Мужчины (был еще один священник, отец Сергий Хохлов, с которым батюшка служил в Алабине) поскучали и стали пить. Вскоре из летнего кабинета донеслись музыка и топот: отец Александр танцевал с дочкой.

За столом мы сидели рядом. Я таким никогда его не видела. Он танцевал, пел под гитару, был пьян и удивительно хорош.

А подо всем этим крылся трагизм ситуации, о которой никто не подозревал.

— Спасибо за то, что понимаете, — шепнул он.

Каким-то чудом я оказалась тем единственным другом, которому он мог адресовать свое состояние. Водка сняла его обычную сдержанность и обнажила мужество, одиночество, мученичество и нежность. Бедный мой, бедный и прекрасный друг!

Прибывали гости. Зажгли огромную свечу и потушили свет. Он отошел к окну, я стояла на другом конце комнаты у двери. Он выглядел печальным, готовым к жертве, не защищенным ничем, кроме веры, и через комнату мы молча смотрели друг на друга. Не умею сказать. Меня залила, затопила жалость и любовь к нему.

Когда прощались, он поцеловал меня. Он прощался перед неминуемым, казалось, арестом на долгие годы, — быть может, навсегда. Боже, сохрани и помилуй отца Александра! Убереги его от всех бед и напастей! Сохрани его нам на многая лета.

МОЛИТВА О ПАСТЫРЕ

Боже сил и всякия плоти! Благодарю Тебя за раба Твоего Александра, за то, что Ты избрал его и вывел на путь священства. Благодарю за милости Твои к нему, за силы, которые Ты ему даруешь, за свет, которым его просвещаешь, за все те души, которые Ты дал ему привести к Себе.

Благодарю Тебя за любовь его пастырскую к своему стаду, за то тепло, которое Ты ему даешь, чтобы согревать наши черствые сердца.

Даруй отцу Александру, Господи, мир глубокий, светлую радость, крепость необоримую. Не оставляй его ни на мгновенье Своей любовью, пусть будет он для многих и многих поводырем, выводящим из мрака в Твой свет, Господи. Сохрани его на многая лета. Аминь.

25 сентября

В воскресенье работала над поручением отца Александра и угрызалась: зачем работаю в воскресный день, можно бы и отложить. Кончила. А в одиннадцатом часу вечера звонок: работа срочно понадобилась, и ее тотчас у меня забрали.

Год 1974

9 марта

Итак, вчера день у отца Александра. Мы сидели в его кабинете. Он спросил, как дела, я ответила, что если начну рассказывать, то и работать не придется. Отложим.

Все-таки, отыскивая нужную книгу, он задал вопрос о первой неделе поста. Я ответила, что прошла она очень тяжело, особенно начало, вплоть до бунта против Бога, и я отказалась от намерения провести пост строго, прескверно чувствовала себя физически, но итог, как мне кажется, был стоящий, хотя и неожиданный. Пришла к мысли, что надо предавать себя в волю Божию до конца: поскольку не грешить я не могу, то хочу принимать свои грехи из рук Бога, только бы от Него не отрываться, только бы не было раздвоения внутри. Это не означает, что я охотно соглашаюсь грешить, раскаяние нисколько не ослабевает, но полное преданье себя в Его волю приносит мир, возможность как-то себя терпеть.

Отец Александр озадачился, задумался и ответил, что такая позиция возможна, она известна и существует, — вроде одобрил ее для меня.

Потом мы работали. Мне казалось, что он рад мне, ему приятно видеть меня и вот так трудиться вместе. Подарил книгу, для Даши — статуэтку Божией Матери.

Но временем мы были очень ограничены — в нижней половине дома за столом сидели и ждали его приехавшие в гости родственники жены.

Часа через полтора он ушел вниз, а мною завладела Ляля, которая собиралась на день рождения к девочке.

Ляля на приколе, ибо ведет себя плохо. В доме — военное положение. На день рождения подружки она со скандалом и слезами отказалась идти, потому что ее хотела проводить мать.

Мне она призналась, что собиралась вовсе не на день рождения, а на свидание. Ревет и злится. В общем, я задержалась надолго.

Я предложила такой выход: попробовать как эксперимент рассказывать все до мельчайших подробностей отцу, не боясь признаться в грехах — ими его не удивишь, — в обмен на свободу. Жизнь наладится, когда восстановится доверие. Пусть родители проверяют, но с тем, чтобы признать за ней право грешить и ошибаться. Мучительнее всего для них обман и неизвестность, от которых возникают самые страшные предположения.

— Пусть партия выйдет из подполья и перейдет на легальное положение — с этого начнется твоя достойная взрослая жизнь. А что вы тут можете потерять? Вдруг выйдет? Начнешь врать, снова окажешься под замком, удержишься — получишь свободу. А мальчиков своих приводи в дом.

Она не верила, что с ее родителями это выйдет — начнут все подряд запрещать, но под конец попросила поговорить с отцом. Неожиданно это оказалось самым трудным. Он сказал, что все это было, но она неизменно обманывала доверие. Я попробовала объяснить, что это не то же самое, что не Ляля это придумала ради обретения свободы, которой она собирается злоупотреблять, а я.

— Она не верит, что с вами это получится. Риск, конечно, есть, но и терять вам особенно нечего — при первом обмане снова посадите под замок.

Он упирался, и я перестала настаивать. С Наташей мы тоже поговорили, найдя взаимопонимание в наших сходных огорчениях с дочерьми. Попутно выяснилось, что Даша, видимо, прогуливала школу чаще, чем я думала, и тайком встречалась вместо уроков с Лялей, тоже сбегавшей из школы. И это при расстоянии в семьдесят километров между ними!

Условились, что в воскресенье я приеду в Семхоз с ребятами, которые собираются у нас по субботам, и устроим вечер (без Даши, конечно, поскольку девочкам запрещено видеться).

Когда я перед уходом разговаривала внизу с Наташей, отец спустился и активно включился в нашу беседу.

Сколько любви к дочери прорвалось у отца Александра, когда она, опустив голову, пробежала с глазами, налитыми слезами.

— Ну что ты бегаешь от нас, как дикая Бара? — В голосе его было что-то заставившее ее остановиться.

Тут я произнесла речь на тему: родители вовсе не жаждут твоей крови. Они говорят тебе, что хотят твоего счастья, а ты про себя думаешь — не надо мне такого счастья, катитесь с ним подальше. Но если ты вдумаешься как следует, то увидишь, что твое представление о счастье и их — не так уж сильно расходятся, есть разногласия по форме, не по существу. И если обе стороны потрудятся и пойдут на небольшие компромиссы, то ваши понятия о твоем счастье притрутся и исчезнут поводы для войны. Но надо вернуть их доверие. Ты его нарушила, ты и восстанавливай, а они помогут. И все еще наладится.

Отец Александр поддерживал меня. Наташа пошла провожать, мы говорили очень дружески.

Господи, помоги нам всем смотреть друг на друга с любовью, пониманием, состраданием — вот так, как смотрел в тот миг на дочь отец Александр.

11 марта

Вчера был вечер с молодежью у отца Александра. Поскольку за два дня до того Мени говорили, что некого звать, никого, кроме двух девочек, у них не будет, я взяла с собой четырех молодых людей и одну девушку, кроме того, пригласила Сашу В., который приглашение принял, но добирался своим ходом и с согласия отца Александра привел еще одного друга.

Но там, кроме четырех членов семейства, нас ждали еще семь человек.

Вечер был перенасыщен стихами и несколько однообразен. Наши ребята читали прекрасные стихи, со вкусом и в меру. Ляля болтала и смеялась с хорошеньким мальчиком, которого кто-то туда привел.

Но вечера как такового не вышло, все пока еще не знакомы между собой, не перемешались. Однако наши остались довольны, даже счастливы — из-за возможности общаться с отцом Александром, который обещал в следующий раз рассказать про йогу, а ею многие интересуются. Что же это за «наши ребята»? Когда дочь подросла и ей захотелось обзавестись компанией, я поняла, что для нее и для Ляли лучше всего собирать молодежь у нас дома. Проблема была в том, что вокруг почти не было молодых людей подходящего возраста. С большими трудами, одного за другим, я находила их, знакомилась, привечала. Сначала сложилась группка пишущих стихи, первые вечера были поэтические. Они приводили своих знакомых, и молодежь стала собираться. Каждую субботу приходило от десяти до двадцати пяти человек. Стало действительно интересно и весело.

Справляли вместе праздники, приглашали каждый раз то барда, то знаменитого путешественника, то писателя. У нас читал Марк Поповский главы из своей книги об архиепископе Луке Войно-Ясенецком, отец Александр устраивал «викторины», то есть отвечал на любые вопросы. Со временем почти все они пришли в Церковь. Ляля не часто участвовала в наших вечерах из-за дальности расстояния. И вот я предложила устраивать подобные вечера в Семхозе.

21 марта

За исповедью отец Александр сказал, чтобы я осталась для разговора.

Мы говорили о наших девочках и утешали друг друга.

Спросила отца Александра о «не мечите бисера перед свиньями». Он говорил, что относится к этому тексту легко, никаких затруднений он у него не вызывает. Я сказала, что меня смущает необходимость судить, кто свиньи и псы, кто — нет, то есть кто достоин воспринять Слово, а кто не достоин. Он ответил: свиньи — это те, кто еще не готов. Надо сначала подготовить почву, потом сеять, иначе можно принести вред, отбросить неподготовленного человека далеко назад.

По поводу моего состояния батюшка сказал, что я прохожу огненное испытание.

По его мнению, мой натиск насчет Ляли был полезен. Интересовался, как идет работа над переводом книги Барро «Евангелие в наши дни».

25 марта

— Наша вера слишком ничтожна, «как пылинка», — сказал вчера в проповеди отец Александр.

Замечательная была проповедь! И кое-что прямо про нас с Дашей. Потом я присутствовала в домике при общей беседе. Один из гостей стал рассказывать о своей книге, и вышла живая и содержательная дискуссия на тему, что значит «любите врагов ваших», «не убий» — для военных и «не противься злому».

Отец Александр привел всех к согласию, сказал, что в постижении этих требований нужна ступенчатость, как в приобретении знаний в науке, например.

Перед уходом, оставшись наедине, мы говорили о моих трудностях с Дашей. Я искала причину в себе.

— Давайте специально об этом поговорим, вместе подумаем, поищем. Я тоже несовершенный человек, но ведь один несовершенный человек может помочь другому несовершенному человеку.

И он назначил встречу через двенадцать дней.

Год 1975

31 марта

Вчера в воскресенье мой крестник Яша должен был передать отцу Александру о том, что я заболела. Я рассчитывала, что он скажет об этом отцу до службы и за литургией обо мне помолятся.

В ночь на воскресенье признаки болезни разыгрались вовсю, утром температура была 38°, а на протяжении дня без видимых причин (лекарств я не принимала, для естественного окончания болезни было слишком рано) я стала стремительно выздоравливать. Температура к вечеру упала до 37,5°, самочувствие стало хорошим, прекратилась головная боль, мучившая меня уже две недели. Более того, в те же дни прекратились внутренние мучения, сопутствовавшие моей духовной жизни с самого начала, то, о чем отец Александр говорил: «вы проходите огненное испытание», «вы знаете ад при жизни».

Наступил новый благодатный, радостный этап. Трудности были, но отчаяние отступило, и основным фоном стала радость о Боге.

21 июля

Вчера отец Александр произнес потрясающую проповедь. Я слушала, скорчившись, защищая голову руками, и мне казалось, что он хлещет нас словами, как бичом.

— Большинство людей в нашей стране неверующие, — говорил он. — Кто в этом виноват? Думаете, власти? Вы виноваты, вы, стоящие здесь! Люди приходят в храм, видят и слышат вас, видят вашу низость, мелочность, злобу и думают: это христиане? Нет, такими мы быть не хотим! Это вы преграда между Христом и теми, кто видит в вас представителей Его учения. Ваши близкие потому неверующие, что знают вас!

31 июля

Произошло удивительное внутреннее событие: я ощутила себя отданной Богу, как бы приняла постриг. Но постриг особого рода, для служения в миру. Совсем незадолго до того отец Александр говорил со мной об этом. Он отверг для меня путь формального пострига, но сказал, что все происходящее со мной — призыв к безоглядному посвящению себя Богу.

В этом особом состоянии я пошла пешком из Абрамцева в Троице-Сергиеву Лавру, молясь в пути преподобному Сергию о принятии меня в его воинство.

Проходя Семхоз, бросила в почтовый ящик отца Александра записку, в которой просила его благословения.

11 августа

Третьего дня мой духовник, которому я с изумлением говорила о не прекращающемся столько времени благодатном состоянии, выражал опасение, как бы мне не низвергнуться, и говорил о необходимости покаяния. Я отвечала, что рада бы, но чувствую себя прощенной, обеленной, чуть согрешу — тут же покаюсь, и опять мне все прощается. А он говорил, что покаяние необходимо.

И вот вчера произошла ужасная ссора с родным братом. На фоне непрерывных даров свыше так безобразно согрешить! Благодать не переродила меня, я та же, что была.

Но я поняла, что это согрешение и последовавшее сильнейшее раскаяние — тоже дар от Бога по молитве отца Александра.

20 августа

Вчера на Преображение отец Александр произнес замечательную проповедь о Свете, где все говорило моему уже знающему сердцу, и о словах праздничного тропаря: «Яко можахом». Видеть этот Свет можно сердцем, но по-разному, «яко можахом», то есть насколько можем. Зависит это от нашей чистоты, прозрачности, ясности.

Он говорил, что для этого нужно воздержание, внутренняя тишина, незамутненность страстями. Тогда в нас проникает Свет Христов и мы видим невидимое.

21 августа

Очень верующий человек представляется мне совсем не угрюмым изможденным аскетом (хотя я ценю аскезу как средство укрепления — а не ослабления! — и духа и тела человека). В моих глазах это человек здоровый, бодрый, деятельный, спокойный и уравновешенный, очень светлый и радостный, тесно связанный с миром, от которого он, однако, свободен изнутри. Он часто улыбается, подает руку с открытой ладонью, смотрит в глаза доверчиво и доброжелательно.

Он перемежает периоды созерцания и ухода в себя (в Бога!) с пристальным вниманием к окружающему, покой и мир сочетает с активностью.

На него приятно смотреть, и к нему тянутся за сокровищем, которым он обладает, а он охотно им делится.

16 сентября

В пятницу были именины отца Александра. Мне весь день было хорошо, я чувствовала себя в храме и у него дома как рыба в воде, была счастлива.

А через день состоялась свадьба его дочери. Отец Александр сам венчал Лялю с Володей. Тот же храм и тот же дом и отчасти те же люди.

Среди всеобщей радости мне почему-то стало так плохо, что я вышла из комнаты, тихонько оделась и уехала домой. Что случилось?

28 октября

Вчера поздно вечером, возвращаясь в электричке от отца Александра, я продолжала читать «Откровения бл.

Анджелы», книгу, переведенную Карсавиным и изданную в 1918 г. Это был первый выпуск задуманной им «Библиотеки мистиков». Книгу эту без всякой моей просьбы мне принесли за два дня до того. Я восприняла прочитанное как весть от Бога.

Вчера мы говорили обо всем этом с отцом Александром. Я очень недоумевала по поводу бесчисленных совпадений записей о моей внутренней жизни с бл. Анджелой. То — святая, а то — я. Батюшка отвечал, что все дело тут в любви Бога к людям и в их ответной любви, а не в их качествах. Мой случай — подтверждение этой близости Бога к нам, Его готовности каждому открыть Свои объятия.

19 ноября

Господи, я все время ощущаю Твою поддержку. И в том... и в том... и в том, что рядом чувствую отца Александра. Его совет и молитва всегда со мной.

2 декабря

Господь говорит: «Царство Небесное подобно закваске, которую женщина, взяв, положила в три меры муки, доколе не вскисло все». Что же все-таки закваска?

Я хорошо знаю человека, которого безошибочно можно назвать закваской. Это мой духовник. Он — сильная, характерная индивидуальность и вместе с тем — орудие Божия Промысла. Я не знаю, какая химия внутренних процессов превратила его в закваску. По всем признаком предназначение проявилось в нем уже с младенчества. Но думаю, что закваской его все же сделало активное соединение его воли с волей Божией.

Если соединение это истинное, возникают новые молекулы качественно нового вещества. Первоначальная проницаемость души для действия Св. Духа в какой-то момент придает ей способность вступать в таинственное соединение с другими душами, с другими сердцами. Это совсем не похоже на расхристанность души под действием алкоголя. Такой человек-закваска может быть сдержан в общении, он целомудрен, умеет воздействовать на чужую душу, совсем не изливаясь в откровенностях.

Не всегда понятно, как человек-закваска действует. Просто попадаешь в поле его излучения и чувствуешь, что в тебе что-то меняется. В этом излучении есть и святость, и любовь, и свет. Более того, в нем действует сам Христос — и в мире от этого происходят величайшие изменения.

Быть христианином и значит стать такой закваской. В Нагорной проповеди закваска называется солью, но это одно и то же требование к нам. А без этого мы не христиане вовсе. Я лично знаю только трех таких людей, все трое священники: отец Александр, отец Станислас и отец Таврион. А мы все — лишь тесто, чуть-чуть начинающее подыматься, мы еще не христиане в истинном смысле слова.

Год 1976

22 января

Сегодня день рождения отца Александра. Увы, из-за обменных дел (сегодня наконец получать ордера) нельзя поехать к нему, поздравить и кое-что передать.

Господи, одари его Своими дарами — за всех нас, за тех, кого он привел в Твое стадо и пасет, себя не щадя, вливая новые живительные соки в Твою Церковь. Мой долг ему вручаю Тебе, а Ты отдай его Сам.

Все силы, растраченные на меня и на всех нас, верни сторицей. Все время, отданное нам, умножь днями его жизни, восстанови его нервные клетки, огради от бед, опасностей и искушений...

15 февраля. Сретенье

Вчера был пресветлый сияющий день. После туманного морозного утра блистало жаркое солнце на искрящихся снегах, и в воздухе веяло весенней свежестью.

Я привела своего взрослого младенца в Твой дом, а роль Симеона исполнял отец Александр. В небе пели ангелы. И так же светился радостью отец Александр — вернее, через него-то мы и воспринимали эту радость, царившую на небесах.

11 марта

В начале этого Великого Поста мне удалось снять на неделю комнату в Новой Деревне.

Совсем недавно отец Александр сказал на исповеди, что теперь главным словом для меня должно стать «мост», то есть соединение того, что Господь дает мне узнать о Нем в моих домашних молитвах, с моей жизнью...

Я явственно ощущала Твое присутствие в храме, то, что священник с Чашей являл Тебя.

Эта близость церкви и каждодневные службы представляются мне сказочным счастьем.

Читаю толстую биографию св. Терезы Авильской, подаренную отцом Александром, и чтение это действует на меня необычайно плодотворно.

Св. Тереза, будь моим небесным другом, наставницей, представительницей!

Я сейчас очень ясно поняла назначение отца Александра. Это вот так выглядит:

Вверху Бог, внизу слева отец Александр, справа — крохотное отпочкование — я (одно из очень многих, отпочковавшихся от него). И мне тоже надо расти лучеобразно до такой зрелости, чтобы через меня тоже зажигалась подобная же жизнь в других, а через них еще и еще в других.

Вот так конкретно проходит один из этапов Божиего труда над восстановлением мира.

Мне виден крохотный участок, но закон всюду один: соединение воли человеческой с волей Божией рождает состояние Божественной любви, пронизывающей некий участок мира и содействующей возникновению новых источников. И это не между людьми только происходит, а освящается в какой-то зоне вся материя.

Как прекрасно освободиться от своей воли и предпочесть волю Бога! Какая легкость, свобода, высота, подвижность! Я могу мгновенно оказаться в любом месте.

Сейчас войду в дом отца Александра. Он сидит в кабинете за столом, листает что-то, отмечает карандашом. Отец Александр, здравствуйте! Он встрепенулся. Я хочу вам сказать: подумайте, чем я могу быть вам полезна. Вы мой пастырь, я вам абсолютно доверяю, и волю Божию хочу принимать от вас.

На следующий день отец Александр попросил меня сделать для него перевод.

Когда запели Херувимскую, мне представилось, что все пространство алтаря заполнилось небесными силами. Я понимала каждое внешнее и внутреннее движение отца Александра, всю реальность — не символичность — богослужения, совершаемого в живом присутствии небесных сил.

Я знала, что Ты вошел в него, и видела в нем Тебя. А на Чашу было нестерпимо смотреть. От Твоего присутствия в храме дух стал как бы материальным, осязаемым. Ты Сам был в храме, и значение этого события невозможно до конца понять.

После службы ко мне зашла знакомая. Я ее покормила и проводила к автобусу. Возвращаясь мимо церкви, подумала, что надо бы спросить батюшку, как быть с воскресным причащением. Он разрешил мне причащаться постом еженедельно, но здесь так часто неудобно. Остановилась на перекрестке и залюбовалась прицерковным домиком, над которым высился голубой куполок заслоненной им церкви. Был ослепительно солнечный мартовский день — с лужами, ледком и снегом. На безоблачном свеже-голубом небе голые вершины тополей у домика казались уже по-весеннему зелеными.

И вдруг увидела издали отца Александра. В пальто, накинутом на плечи поверх рясы, он прогуливался мимо домика. Мне жаль было прерывать немногие минуты его покоя на этой очень трудной для священников неделе, и я хотела незаметно улизнуть, но он окликнул меня. Мы несколько минут походили вместе.

Последовавшая затем всенощная была, наверно, самым сильным и значительным моим переживанием в храме. Никаких образов и мыслей не было. Было почти сокрушительное по силе и ощутимости действие Святого Духа.

Я знала, что то же испытывает и отец Александр. Каждое слово службы сверкало, как драгоценность. Я поражалась тому, что богослужение — это знание Царства, присутствовать на нем — невероятное счастье, возможность стоять с ангелами и святыми у самого Престола. Небо во всем блеске славы сошло на землю.

Возникло потрясающее чувство единения со священником, с молящимися, со всем человечеством, с миром, с Богом.

Вчера в воскресенье по указанию отца Александра я причащалась в незнакомой мне церкви Николы Угодника в селе Пушкино. Это было первое воскресенье Великого Поста, выпавшее «на Евдокию». Большой храм был битком набит, и чуть не все причащались. Все происходило мирно, обыкновенно, без подъема, без сильных переживаний, но чисто и естественно.

Толпа надолго зажала меня неподалеку от Чаши, и я слышала, как священник без конца повторял одни и те же имена: причащались Евдокии, Пелагеи, Евфросиньи, Марии, Ксении. Между нами не было никаких преград, это были сестры, мне хорошо было сознавать, что я такая же русская баба и верую, как они.

В Никольском храме я была на ранней обедне и оттуда на перекладных автобусах успела добраться к своей церкви в тот момент, когда звонили в колокол и пели «Верую». Второй раз за утро я присутствовала на Евхаристическом каноне и смогла ощутить разницу в богослужении.

Там в самый важный момент литургии, во время Пресуществления, шло отпущение грехов после общей исповеди, священник громко читал разрешительную молитву, люди двигались, разговаривали — внимание раздваивалось, было трудно собраться.

Здесь я вступила в тихие священные воды, окунулась в них с головой, ощутила сошествие Святого Духа.

Потом отец Александр с почерневшим от усталости лицом говорил проповедь о православии. Я под каждым словом подписывалась сердцем. Была бы так одарена, как он, сама могла бы от себя ее произнести. Не только мысли, но слова, форма, образы — просто мои.

Постараюсь не терять времени даром. Как оно драгоценно — это Твое время. Подумать только, еще не так давно мне казалось, что живу я слишком долго, что жизнь тянется бесконечно! Все изменилось.

21 марта

Запишу главное, что отец Александр сказал на исповеди. Он снова повторил слово «мост». Все, что мне дается, должно послужить перестройке души. Дело не в том, чтобы уничтожить в себе какие-то дурные свойства, а в том, чтобы преобразовать их. То есть упрямство можно превратить в твердость и так далее. Очень важно сейчас собрать все силы в кулак для решающей борьбы, иначе все можно растерять. Нужны большие усилия.

22 марта

Читаю о том, как жили кармелитки в первом монастыре, основанном св. Терезой Авильской. Такое блаженство! Просто мечта золотая — при всей суровости устава. Но времена иные, и иные у Бога методы. Созерцание дается для действия, — считает отец Александр.

5 апреля

Уже подряд два понедельника (это день, когда я езжу домой к отцу Александру) вынуждена по нездоровью сидеть дома. Да и в Новой Деревне давненько не была. А сегодня вдруг неожиданное исцеление. Тяжелый грипп преодолен без всяких лекарств. Думаю, это произошло по молитве отца Александра. Два дня назад получила от него хорошенькую открытку с надеждой на мое выздоровление и приглашение на сегодня. Видно, батюшка, заметив мое отсутствие, как следует помолился.

27 апреля

В Пасхальную ночь наш маленький деревенский храм гремел торжеством, дышал уверенностью и силой, и когда отец Александр во время проповеди предложил нам повторить обет крещения, из множества уст единогласно вырвалось: «Отрицаюсь!» (сатаны) и «Сочетаваюсь!» (со Христом). Дело Христово ширится и растет, новые души тянутся к Богу, и я хотела бы внести свой посильный вклад в дело повторного крещения Руси.

20 мая

Я было уже опасалась, что мне подарен только один необыкновенный благодатный год, что такое чудо не может продолжаться. Но близость Бога превращает жизнь в блаженство вопреки всем трудностям.

Здесь, на земле, главную роль в этом играет мой духовник. Есть ведь разные виды духовности. И его — так точно мне подходит, что я с радостью, легко и свободно поддаюсь его формирующему труду.

И мне кажется, что иногда удается помогать ему молитвенно, порой даже объединять наши духовные заряды для единого действия. Он для меня проводник Божественной энергии и воли. Чем отблагодарю? Веселой покорностью, энергичной работой, горением души...

Дорогая Зоя Афанасьевна!

Поразмыслив, я понял, что все-таки нам было бы удобнее встретиться дома (машинка, книги), хоть это и дольше для Вас. Но если можете, то в пятницу же жду Вас к 2-м часам (если это удобно для Вас). Буду мучить Вас не более полутора-двух часов.

Ваш А.М.

5 июня

Ты един и единороден, Господи. Это мы лишь, будучи не в силах воспринять Тебя как целостное единство, делим и дробим Тебя по признакам-проявлениям. Ибо и Мысль, и Любовь, и Созидание, и Свет, и Красота, и Добро — одно и то же.

Это у нас не круглые, а граненые души, и мы подставляем Твоему Свету то одну, то другую грань, по-разному преломляем его и потому воспринимаем дробно.

Но я знаю, впрочем, человека круглого, как сфера, включающего в себя все и потому удивительно гармоничного. Он способен на охват-средоточение. Таким его сделала великая любовь к Тебе и Твоя к нему. Была бы я умна и способна, стала бы изучать его и очень много узнала бы о Тебе, Господи. Он — плод Твоей любви. Во всяком случае он — повод принести Тебе горячее благодарение. Особенно потому, что он перед глазами, и я могу в нем, капельке, видеть Тебя — Солнце.

Дорогой отец Александр!

Приближается Ваш отпуск. Наконец-то Вы отдохнете! Посылаю Вам часть редактуры. Мне осталось уже немного, надеюсь до Вашего отъезда кончить и Вам передать. Я себя за уши оттаскиваю от работы. Редактирование Ваших книг вообще меня ужасно увлекает, но этой!.. Дивная книга, несмотря на все гадости, которые я Вам пишу.
Ваша З.М.

19 июля

Мы с Дашей гостим у отца Станисласа в Пабярже. В субботу наш батюшка должен бы приступить к служению после отпуска. Так важно, чтобы новый настоятель не чинил помех, а еще лучше — помогал бы.

Сегодня, лежа перед алтарем с крестообразно раскинутыми руками, молилась об этом. Мне кажется, что на земле происходят небывалые события — весь этот подъем веры, одухотворение людей.

7 августа

Мы уже в Москве. Печальная новость: в первый же день в Крыму отец Александр ушиб ногу, лежал десять дней и сейчас очень мучается: видимо, трещина в кости большого пальца. Нужен покой, а настоятель в отпуске, и ему приходится ездить в церковь почти ежедневно и подолгу служить на ногах. Завтра я его увижу. Расскажу ему, как неожиданно начала лечить, и если он согласится, попробую помочь с ногой. Но лечить будешь Ты, Господи. Не посрами веру мою, помоги отцу Александру. А сегодня попробую сделать это издали.

11 августа

Три дня подряд была в Новой Деревне. В воскресенье — на литургии, затем в понедельник, в день св. Пантелеймона Целителя, исповедовалась и причастилась, вчера, во вторник, беседовала около двух часов с отцом Александром. Во все три дня шла непрерывная молитва, и я ощущала мощную энергетическую заряженность.

Рассказала отцу Александру о поездке с Дашей в Спасо-Преображенскую пустынь к отцу Тавриону, в Пабярже — к отцу Станисласу, про отдых в Паланге и об опыте лечения руками. Батюшка на это сказал, что такое лечение дело вполне нормальное и естественное и в будущем сменит фармакологию. У него была дореволюционная книга о таком лечении, недавно подарил одному врачу.

Подобным умением обычно овладевают с большим трудом, но бывают случаи, когда человек наделен этим даром от природы, как, видимо, обстоит дело со мной. Это сродни чтению через закрытый конверт, телепатии и т.д.

Я сказала, что очень молюсь при лечении, взываю изо всех сил к Богу о помощи. Он ответил, что в том учебнике, о котором он говорил, так и сказано — если человек верующий, то он может при этом молиться.

То есть я поняла, что это нечто вроде концентрированной передачи какой-то особой энергии вроде праны. Батюшка говорил и о том, что Христос Сам исцелял и посылал апостолов не только проповедовать, но и исцелять. В моем случае это харизматический дар, так как раньше способность эта никак не проявлялась и обнаружение ее связано с моим духовным развитием. Однако обращаться с этой способностью надо осторожно. Во-первых, нельзя никому об этом говорить. Во-вторых, есть две опасности: превозношение и другая — как это может быть воспринято людьми, падкими до всего внешне непонятного и таинственного.

Род людской и поныне требует чудес, как и во времена Христа. Сам отец Александр отказался от попыток исцелять, хоть его не раз просили.

— Представляете, каким бы я дураком себя чувствовал, что бы вокруг творилось!

Я предложила попробовать полечить его ногу, но он сказал, что почти все прошло и не нужно.

17 августа

Три дня назад я красила старый письменный стол в комнатушке отца Александра при церкви. Он уже уходил, когда я вспомнила, что надо ему вернуть книгу, прочитанную Дашей, и попросить другую. Но он сказал: «Выберите сами», — и указал на книжные полки. Окончив работу и помолившись перед иконами, от которых шел как бы ток, очень мощный и отчетливый, я стала просматривать полки и остановила выбор на тоненькой книжке о святом Джузеппе Коттоленго, которая называется «Безграничное упование».

Прежде всего меня поразило, что он принял сознательное решение стать святым еще ребенком, когда был наделен природной вспыльчивостью и раздражительностью. Этот удивительный человек до конца, во всем, полагался на Промысел Божий. Без всяких средств и возможностей он создал в Турине целый город милосердия. Основал общины и монастыри, движимый любовью к Богу и состраданием к людям.

Ну, а мы? Миссионерство, вот что нужно от нас здесь и сейчас Господу, но в каких-то новых, эффективных формах. Преподобный отче Иосиф, моли Бога о нас.

18 августа

Вчера редактировала в саду порученный отцом Александром перевод. Никаких событий, только радость, чистота, энергия.

Завтра Преображение, один из любимейших моих праздников.

27 августа

Сегодня, Господи, особый день. Мне впервые предстоит применить Твой дар лечения руками не для снятия головной или зубной боли, а к больной, признанной неизлечимой. Это мать батюшки Елена Семеновна. У нее давний цирроз печени, считается, что жить ей осталось недолго, ее мучает ужасный зуд по всему телу и язвы на голенях.

Она святая душа и дорога и нужна многим. Знаю, что с ней особенно происходит все по Твоей воле, и хочу надеяться, что и мое вмешательство тоже входит в Твой замысел о ней. Я попытаюсь стать проводником Твоей любви к ней. Зачем я нужна? Но требуется же зубная щетка, чтобы почистить зубы. Верю, что это нужно и что Ты все сделаешь Сам.

31 августа

Всем существом моим, самым глубоким его центром благодарю Тебя за Елену Семеновну.

15 сентября

Все яснее мне становится, что моя личная религия, всецело включаясь в общехристианскую церковную и, в частности, православную веру, обретает свои характерные черты. По-видимому, они проистекают не столько из моих индивидуальных особенностей, сколько оттого, что я живу в последнюю четверть XX века, в какой-то мере наследую духовный опыт человечества и особенно нашей эпохи, выраженный в личности и трудах отца Александра.

Попробую собрать эти черты воедино.

1. Отношение к миру. Я не отвергаю его как исчадие ада, а принимаю как творение Божие. Я знаю, что он глубоко болен, но хочу не бегать в здоровые зоны для единоличного спасения, а трудиться вместе с Богом над его исцелением.

2. Отношение к аскетизму. Человек не должен быть рабом физиологических функций, но ему следует разумно считаться с ними, ибо они созданы Богом.

Аскеза прекрасное средство для установления власти духа над материей, но материю надо не подавлять, а утверждать в подчинении духу.

3. Три монашеских добродетели: целомудрие, бедность, послушание — тоже требуют «рассуждения».

а) Целомудрие — великая сила. Но если все будут соблюдать, скажем, половое воздержание (целомудрие гораздо шире этого частного случая), то через сто лет на земле не останется людей. Можно и нужно посвящать себя Богу и в браке. Другое дело — воздержание от излишеств, но это уже область разумной аскезы.

Целомудрие родственно понятию чистоты. Чистота же проявляется в мотивации поступков: если они исходят из любви к Богу и людям, а не из эгоизма, то они чисты.

Стремление к целомудрию помогает различать в себе разные маски себялюбия и страстей.

б) Бедность я понимаю как свободу от привязанности к вещам и деньгам. Это путь к духовной свободе. Но той же свободе способствуют и достаточные жизненные удобства. Если они не становятся самоцелью и человек в любой момент может легко отказаться от всего, что имеет, то он может кое-чем и владеть, лишь бы не стремился к богатству.

в) Послушание. Ради сближения с Богом нужно научиться не просто подчиняться воле Божией, но желать того же, чего хочет Бог.

Промежуточной ступенью может послужить послушание духовнику, чьи советы и указания мы добровольно соглашаемся считать идущими от Бога. Но нам недаром даны разум и свобода, и в конце концов Бог научит нас слышать Его голос и охотно Ему повиноваться.

Как бы критически я ни относилась к церковным властям, но я знаю, что Церковь возглавляет Христос, и не хочу пренебрегать ее предписаниями.

4. Страх перед Богом вытеснен любовью и доверием. На первом месте не ужас перед карой, а боязнь огорчить Бога.

5. Я не верю в вечные муки грешников. Бог милосерд и не может за временные прегрешения карать вечными страданиями.

6. Терпимость к инаковерующим, сострадание к неверующим не позволяют никого исключать из числа ближних.

Время действительно обновляет ветшающие представления. Жизнь средневекового подвижника и жизнь нашего батюшки внешне не похожи, но и то и другое — подвиг во имя дела Христова. В центре жизни вечно новая, цветущая Благая Весть, стремление к соединению с Отцом через Христа, к освобождению мира от власти зла. А формы и средства достижения этой цели меняются. У нас есть мерило — Церковь с ее богатейшим и разнообразным духовным опытом и, постоянно сверяясь с нею, живя с ней одной жизнью, трудно впасть в ересь.

Но обогащать и обновлять ее духовную сокровищницу можно и надо.

Мой путь я выверяю, как по компасу, по духовнику. Я не только исповедуюсь, но часто и подолгу беседую с ним, он читает мой дневник. До сих пор не было никаких возражений. Более того, думаю, что такой характер моей духовности сложился под его прямым воздействием. А он пастырь, избранный Богом для возрождения православной Церкви, к которой мы оба принадлежим.

Мне кажется, что эти отличительные черты моей личной религиозности связаны, быть может, с более целостным и вместе с тем непосредственным восприятием Бога, мира и себя, свойственным многим верующим нашего времени, тем, кто получил кое-какие научные представления о мироздании и его общих законах и обладает более демократичными и гуманными нравственными понятиями. То есть в синтез включен ряд элементов, прежде не очень свойственных религиозному мироощущению.

Христос остается в центре, но калейдоскоп со стеклышками несколько повернут вокруг той же оси, и узор получается новый.

25 сентября

Поставлен чистый эксперимент с Еленой Семеновной. Анализы показывали, что печень не функционирует, она практически разрушена.

Три недели лечения биотоками, возникающими в моих руках во время молитвы, дали разительные результаты.

Зуд практически прекратился. По ночам она спит спокойно, а если просыпается, то не от зуда. Вчера впервые кожа у нее оказалась совсем белой, даже следов обычной желтизны, впадавшей уже в коричневатость, не было. При всем том я исполняю лишь роль провода, по которому в больную идет целительная сила.

8 октября

Читаю о подвижниках, наблюдаю отца Александра и думаю, что у святых бывает очень большая инициатива. От их поисков, находок и открытий, от характера их усилий очень многое зависит в жизни, в истории, в судьбах мира. Конечно же, святые — это самые исполнившиеся, самые свободные люди из нас. Для того, кто до конца предан Богу, все благодать.

11 октября

В конце воскресной службы в храме дико закричала кликуша. За все годы, что я хожу в церковь, при мне это случилось впервые. После службы меня обступили незнакомые женщины, почему-то связавшие меня с кликушей и решившие, что она и я еврейки.

Они окружили меня враждебным кольцом и возбужденно спрашивали: зачем это я, еврейка, хожу в православный храм.

Я отвечала, что я не еврейка, но если бы была еврейкой, то гордилась бы, что принадлежу народу, давшему нам Деву Марию и апостолов. Они страшно возмутились.

— Подумайте, еще гордится тем, что она еврейка! Гнать ее из храма!

Круг вокруг меня сужался. Одна, крича в самое лицо, потребовала ответа:

— Как это могло случиться, что ваш еврей Иисус Христос пролез в нашу православную веру?

Меня хватали за руки, намереваясь вывести из храма. Бедный, бедный батюшка! Он ведь постоянно с этим сталкивается. Если мне нехорошо до омерзения, чуть не до рвоты, то каково ему, еврею, нести служение в православной Церкви, зараженной антисемитизмом!

Он только что отслужил литургию, сказал замечательную проповедь и теперь должен был слушать гадкие крики: «Пархатые в нашу веру крестились!»

Разве Ты Сам, Господи, не поднял бы бича? А батюшка ни слова не сказал, только резко побелел и, когда кольцо вокруг меня вдруг распалось, молча ушел в алтарь. Мне стыдно за весь род людской.

15 октября

Во вторник я встретилась с моим духовником и стала рассказывать о диких событиях, разыгравшихся у нас на даче. Едва услышав, он весь встрепенулся:

— Когда, вы говорите, это было? Ну, конечно, в воскресенье!

И рассказал, что в этот день испытал ужасное чувство: ему казалось, что демонические силы гуляют на свободе, что справляется какой-то шабаш. Он ощущал необычайную подавленность, все шло из рук вон плохо. Нужные предметы ломались, все расстраивалось, не получалось. Надо знать его обычную светлую бодрость и складность!.. Он с большим интересом расспрашивал. Его отвлекли, а когда вернулся (хотя перед тем мы уже перешли на другую тему), спросил:

— А вам не приходило в голову, что это похоже на порчу?

Именно, что приходило! Мы не нашли источника, тем более что он носил не личный характер, а общий: многие были заражены им в тот день.

Раскачавшиеся волны, как он и обещал, понемногу улеглись.

1 ноября

Вчера, в воскресенье, я причащалась. После литургии служили благодарственный молебен за значительное улучшение в состоянии здоровья Елены Семеновны.

Предивны дела Твои, Господи!

Зуд мучил ее более пяти лет. Лечили ее и профессора, и гомеопаты, и травники, она долго лежала в Боткинской, ей доставляли прославленные лекарства из-за границы — ничто не помогало. И вот теперь зуда практически нет. Уменьшились боли в печени. Через три недели после начала лечения сделали анализы, и врач констатировал, что печень справляется.

Селезенка на ощупь стала значительно меньше, раньше колом торчала, теперь я должна нащупывать ее в глубине живота. На голени были багровые пятна, кожа лопалась и покрывалась корками вроде экземы. Эти места особенно зудели, и оттого, что больная срывала корки расчесами, образовывались струпья.

Теперь все зажило, пятна побледнели, иногда совсем исчезают, тогда их можно обнаружить только по шероховатости кожи, а главное — прекратился зуд.

И это все Ты, Господи! Я ведь ничего не знаю, не умею, не понимаю, как это происходит! Иногда я приезжала к Елене Семеновне измученная, выдохшаяся, никакой энергии в руках, казалось, и не было, а зримые улучшения все равно наступали!

Мы с Еленой Семеновной всегда молились, зажигали лампаду. Я усаживала ее лицом к иконам и в ходе лечения многократно становилась перед ними на молитву.

Это Твои дела, Врач наш и Целитель, я временами прихожу в ужас от своей дерзости.

23 ноября

Радость о Господе и вчера, и сегодня почти превышает мои силы.

Вчера провела вечер в доме моего духовника. Он часто бывает в подобном состоянии, и мы вдвоем производили вихри этой радости. Остальным домашним было, мне кажется, от этого очень хорошо. Никаких слов про это, конечно, не произносилось, просто Господь был с нами, и мы ликовали.

11 декабря

Господи, помоги! Умирает мой отец.

Я знаю, что через меня к нему идет Твоя благотворная сила. К моей обычной нагрузке прибавились ночные дежурства в госпитале, который к тому же находится за городом, в Красногорске. Если Ты не дашь сил, я не выдержу. И если только можно, поверни его душу к Себе!

21 декабря

Прежде всего об отце. Несмотря на то что его лечащий врач отказал в надежде, папа стал поправляться. Без особого желания, ради меня, но все же принял артос и крещенскую воду. Однако перегрузка кончилась для меня кровоизлиянием в левый глаз, и вот вчера я оказалась в больнице. Уже через несколько часов Ты дал мне снять у соседки головную боль от очень высокого давления.

Мне мирно, покойно и радостно с Тобой в больнице.

Год 1977

9 января

Итак, я уже одиннадцатый день дома. В конце декабря настали морозы, и в больничной палате температура упала до +8°. Я сильно простудилась и, оборвав лечение, выписалась с температурой 38,5°.

Лежала дома без врачебной помощи. А 2 января произошло новое кровоизлияние в тот же глаз. Сама виновата: с высокой температурой стала возиться по дому. Дело в том, что я ожидала батюшку со Св. Дарами, а квартира из-за болезни была очень запущена.

Сосуд лопнул за 20 минут до его прихода. Отец Александр исповедал меня, причастил и энергично взялся за медицину.

В подобных случаях больных немедленно госпитализируют, а я только что под расписку досрочно выписалась из больницы, и мое состояние не позволяло меня перевозить. Да и не хотелось в этот ледник после того, что я там простудилась.

Часа четыре батюшка дозванивался до врачей, выясняя, что надо делать, кто будет лечить и т.п. А в промежутках шутил, смешил, всячески веселил.

— Сидит тут, понимаете, в позе Клеопатры, — говорил он по телефону кому-то из общих знакомых, добиваясь нужной справки и лукаво на меня поглядывая, — и делает вид, что больна. А на самом деле прекрасно выглядит, хоть на ярмарку невест.

Лечить меня взялся врач, с которым я познакомилась в больнице. После ухода батюшки я нашла конверт с внушительной суммой денег.

30 января

Вчера испытала особую радость: впервые после болезни была в церкви, да еще в моем родном храме.

Когда отец Александр, приступая к каждению храма, увидел меня, лицо его засветилось от радости. Он ведь очень молился о моем выздоровлении. Со мной была знакомая женщина, которая впервые пришла к причастию. Я, конечно, тоже причастилась.

Потом батюшка отслужил благодарственный молебен. Он сделал это очень торжественно, особым полным голосом, как служит только в большие праздники. Когда настало время читать Евангелие, он отошел от аналоя и положил книгу мне на голову, чего, в отличие от многих священников, обычно не делает. Читал он текст о десяти прокаженных, я чуть не заплакала от смущения, благодарности Богу и радости.

А потом мы еще долго беседовали в прицерковном домике. Обычно привыкаешь и не так ценишь чудо воцерковленности. Я знала, что в моем храме регулярно молились обо мне за все время болезни. Но радостно было ощутить и понять, что Господь исцелил меня по молитвам моего пастыря и соприхожан! Так дорого это наше единение во Христе!

31 января

Мне почему-то кажется, что сейчас настает новый этап в истории Откровения, который повлияет на судьбу мира. Мне мерещится нечто вроде разделения вод, которые потекут в разные моря. Сейчас добро и зло, вера и неверие смешаны в людях чуть не до однородности, а произойдет размежевание. Как бы малая репетиция Страшного Суда. Люди станут перед четким выбором: с кем ты? чего ты хочешь?

В какой-то части малого стада появятся праведники, и они будут явлены миру. Их праведность сделается человеку судьей и поставит его совесть перед выбором. Нельзя будет сказать: все так живут, все грешат, я — как все. Ибо будут не такие, как все.

Они встанут наверху горы и будут светить миру, и никто не укроется от их света. Они будут жертвами-судьями. Мир должен будет прозреть через то зло, которое им причинит, но от этого только ярче разгорится Божественный Свет.

Через муки прозрения, стыда и раскаяния, огромные толпы людей придут к Тебе, Господи. Перед каждым будет неотступно стоять вопрос: кто ты? И ответ можно будет дать один: Богов или дьяволов.

Появятся пророки с громовым голосом. Как бы люди ни затыкали уши, он в них проникнет. И от этого поляризация сил Света и тьмы дойдет до предела и выльется в форме катаклизмов. Как бы не войн! Господи, убереги людей от того чудовищного преступления, каким является каждая война! Для этих битв войн не надо. Но все придет в движение, и произойдет какая-то ужасная схватка огромных сил. Мало, кто не будет вовлечен и останется в стороне.

А сейчас происходит завязь этих грядущих событий, подготавливающих вселенский катаклизм. Спаси мир, Господи!

10 февраля

Смотрела в окно на покрытый свежим снегом крутой берег Москва-реки, у которой я живу. По нему в разные стороны проходят причудливыми цепочками следы прохожих. Сегодня первые прохожие растерянно оглядывали снежную целину и, проваливаясь в снег, с трудом выбирали себе пути.

Те, кто шел за ними, чаще отказывались от выбора и ступали след в след, повторяя все случайные извивы предшественников. Что же, люди экономят силы, их можно понять. Трудно идти первым, но зато они творят дорогу. Нередко они выбирают для нас и направление, и сами цели.

Под снегом часто отыскиваются старые тропы, и их отлично можно использовать, лишь бы они совпали с нашим собственным путем.

Мне кажется, вот так молодая Россия отыскивает прежние пути к Богу и прокладывает новые.

Мой духовник из этих первопроходцев, уже толпы идут за ним, укатывая путь. Порой мне кажется, что Сам Христос взял меня за руку и непосредственно ведет к Себе, но потом обнаруживается, что это то же самое направление, по которому шел он и многие до него, только изменилась планировка местности, и новому поколению верующих легче ступать вслед первопроходцам. А тропинок к Цели должно быть много, ибо люди идут к ней из разных исходных позиций.

19 февраля

Снова больница. Завтра Прощеное воскресенье. Все годы после обращения я ездила в этот день в нашу церковь. Я очень люблю его очищающее покаянное воздействие на душу в преддверии Великого Поста. У нас там особая атмосфера сосредоточенности, чувства вины всех перед всеми, любви, слез и прощения.

Но, увы, после третьего кровоизлияния глаз ослеп, и вот я опять отрезана от мира.

20 февраля. Прощеное воскресенье

За полчаса до отправления в больницу я говорила по телефону с моим духовником и попросила его вот о чем: я хотела, чтобы после того, как он причастится за сегодняшней литургией, он тут же принял Св. Дары за меня, а я мысленно причастилась бы в больнице.

Вчера вечером я приготовилась к исповеди и прочла молитвы, положенные перед причащением. Сегодня, проснувшись, я прочитала утреннее правило, а потом тщательно умылась, оделась и пришла в этот тихий уголок в конце больничного коридора, где перед окном стоят большие кадки с растениями.

Сев в кресло, я принесла Господу покаяние в моих грехах и просила их отпустить. В том старинном молитвеннике, который со мной, нет, к сожалению, текста литургии, но зато очень много молитв перед причащением. Я читала их одну за другой, пытаясь глубже вникнуть в их смысл, лучше понять происходящее. В какой-то момент я прервала чтение, потому что мне показалось, что в моем храме происходит Пресуществление Святых Даров. Я мысленно пала перед алтарем в земном поклоне. Потом снова стала читать, пока не почувствовала, что поют «Отче наш». Я пропела его в уме вместе со всеми.

Дошла до «Вечери тайные днесь» и взглянула на часы. Было 10 часов 15 минут, время, о котором мы условились с духовником. Благоговейно сложив руки крестом, я в мыслях опустилась на колени перед Чашей и приняла Св. Дары.

Было чувство полной реальности происходящего. Я и сейчас чувствую себя причастницей — тихой, чистой, праздничной, благоговейной.

Но хотя я прощена и очищена этим духовным причащением, я все же участвую в чине прощения и в мыслях прошу простить меня всех знакомых, родных, друзей, духовника за мои вины перед ними.

На следующий день после предыдущей записи умер мой бедный отец. Прими с миром его многострадальную запутавшуюся душу, Господи. Прости ему его глупое, детское упрямство. Вмени ему ту веру, которую он имел до шестнадцати лет, и тот артос с крещенской водой, который он принял тогда в Красногорском госпитале. Не отвергни его бедную душу, Господи!

26 марта

Позвонила Людмила Федоровна Окназова с сообщением, что наконец после долгого перерыва причастилась в Новой Деревне. Беседовала с отцом Александром, он уверен в благополучном исходе моей болезни, непрерывно молится обо мне. В храме не раз упоминал во время службы мое имя. За меня молится много людей.

28 марта

Вчера, в воскресенье, был первый выход в церковь за два месяца, всего второй за три с половиной месяца болезни. Неужели я снова включусь в поток церковной жизни, в работу, в общение с духовником? Какое неоценимое счастье!

Отец Александр хоть и знал, что я приеду, но явно обрадовался. Мне удалось без помех поговорить с ним.

Он наделил нас с Дашей смешными, свойскими дарами: дефицитнейшей сейчас отличной картошкой, полкочаном капусты, начатым батоном хлеба и еще на дороге вытащил пакетик с жареной рыбой. Сверток развернулся, рыба упала на землю. Все это, наверно, дары прихожан, но вместо того, чтобы отвезти их домой, решил, очевидно, что мы умираем с голоду, и все нам отдал.

Это было так трогательно и забавно, что я даже не вернула мелочь, которую он и наши спутники насовали мне в автобусе на билеты, а оказалось, что кто-то их уже взял на всех.

— Это называется кусочничать, — смеялась я, тщетно пытаясь отдать деньги. — Ну что ж, по этой системе я живу уже четвертый месяц, отлично срабатывает.

— А что же делать, так сейчас и надо, — в том же тоне ответил батюшка.

Действительно, заботами друзей мы с Дашей ни в чем не терпим нужды.

3 апреля. Вербное воскресенье

Вчера, в Лазареву субботу, я причастилась в моем храме, а потом отец Александр совершил отпевание моего отца и еще моего школьного друга, погибшего девятнадцати лет от роду в 1941 году.

А позавчера вечером я получила письмо от отца Александра.

Дорогая Зоя Афанасьевна!
...Сейчас хочу для Вас одного: покоя. Это нужнее всего. Я знаю, что момент неспокойный. Но нужно подняться над всем. Все как-нибудь устроится...
Как сейчас Ваше самочувствие? Что принимаете? Есть ли улучшение?

*Каждое утро в 9 часов буду выходить с Вами на мыс-
ленную связь.*

Храни Вас Бог.

Ваш пр. А.М.

Я давно обратила внимание на то, что всякий раз,
когда мы видимся, он очень сосредоточенно расспраши-
вает меня о состоянии больного глаза, о форме, размере
и расположении черных пятен крови, которые я вижу
перед собой. Я заподозрила, что получаю от него особую
помощь в лечении. Недаром врачи говорят, что такой
хороший исход после третьего кровоизлияния с полной
потерей зрения бывает один на тысячу. Мне не раз казалось, что по утрам Бог посылает мне особую целитель-
ную энергию, а передатчик ее отец Александр.

Полчаса назад, в 9 утра, лежа в постели с закрытыми
глазами, я стала молиться ко Св. Духу, чтобы Он вошел
в батюшку, отпускающего сейчас грехи после общей
исповеди, и освятил всех в храме.

Я заметила, что изменяется цвет перед закрытыми
веками. Потом, как бы над напором тока, загудела щи-
товидная железа и при этом пульсировала, как часики
тикают. Затем то же самое произошло в области солнеч-
ного сплетения. А главный сгусток крови в центре все
больше разреживается — после нескольких недель не-
пробиваемой плотности. Сейчас от него отделились мел-
кие частички и, как мушки, плавают отдельно. Пятно
продолжает светлеть и рассыпаться.

Господи, возлюби отца Александра, его близких, паству и благослови в нем нашу Русскую Православную
Церковь!

8 апреля. Страстная пятница

Сегодня, Господи, Твоя казнь, смерть, положение
во гроб, вершина Твоих страданий.

Как бы мне хотелось прийти сегодня на вынос Плащаницы, поцеловать Твои пробитые ноги и тихо поло-
жить к ним белый цветок. А я пока прикована слабостью
к постели. Но вот настало девять утра, время заочной
встречи с отцом Александром. Вчера ему передали о рез-
ком ухудшении в моем общем состоянии. Вот что я заме-

тила в эти четверть часа. Меня охватил покой, тело расслабилось, захотелось спать. Черное облако в больном глазу, сильно поредевшее в последнюю неделю, вне всякого сомнения, еще посветлело и уменьшилось. Сквозь него сегодня я вижу предметы, на которые оно проецируется. Мне кажется, сейчас я могу и даже должна заснуть после бессонной ночи с вызовом «скорой помощи».

9 апреля. Великая суббота

Свершилось! И Твоя смерть уже приносит великие плоды. Я верю, что многие духовно мертвые люди воскреснут с Твоим воскресением. Ты во гробе, и Твоя Жертва уже производит спасающее действие, не дожидаясь Великого Праздника.

Проснулась со светлым ощущением перелома в болезни. Давление идеальное.

Господи, возблагодари отца Александра за его молитвы обо мне, о всех нас и о мире. Вот истинный посредник между Творцом и нами. Воздай ему за неусыпные труды мощной радостью грядущего Воскресения. Христос Воскрес!

27 апреля

Сегодня в преддверии молитвенной встречи с отцом Александром меня пронзило какое-то особо ясное понимание того, что сейчас произойдет.

Любовь Бога есть единый источник всякой энергии, а формой энергии является колебание, волна, или вибрация (что одно и то же). Успешное действие этой энергии требует открытости всех каналов. Разгул распада, болезни, смерти стал возможен потому, что тварь закрылась от Творца.

И вот молящийся обо мне отец Александр берет на себя функцию передатчика Божественной энергии в мое пораженное тело, выправляя там нарушенные биоритмы и вовлекая их в жизнетворные ритмы Источника. Заодно он сам должен исцеляться во всех своих слабых точках. Это благотворно действует не только на него и на меня, но и на промежуточную среду, сквозь которую проходит этот усиленный импульс Божественной творящей силы.

Помимо биологических и физических изменений происходит наше возрастание в духе. Возникнет некое необратимое родство с Источником, материя становится насквозь проницаемой для Духа, духовной.

Я прислушивалась к тому, что происходит в моем теле в эти мгновения, и мне показалось, что никакого тела нет, а есть такая конденсация духовной энергии, такая ее плотность, что она образует видимое тело.

Господь содержит Своей любовью весь отвергающий Его мир! То, что происходит сейчас между отцом Александром и мною, что происходило между мною и его матерью, когда я ее лечила, между мною и папой в госпитале, — средство к спасению мира, ибо эти единичные акты имеют значение, превосходящее наше понимание.

Мгновение равновесия, гармонии, обретенного смысла. Да охватит оно с тем же всемогуществом и отца Александра! Я возвращаю ему его усилия в таком переработанном виде.

30 апреля
Все лучшее и истинное во мне отрывается от худшего и навязанного в этом мощном, неодолимом устремлении, в основе которого лежит Божественная энергия, полученная только что через посредство отца Александра.

25 мая
Наконец-то выбралось немного свободного времени. А то с раннего утра, едва проснувшись, берусь за редактирование книги о Тебе [работа шла над уже вышедшим в Бельгии первым изданием «Сына Человеческого»]. Она так нужна ищущим Тебя, стольким уже помогла! И, работая над ней, я тружусь для Тебя, жертвуя радостью длительной молитвы.

4 июня
Все хорошо. Сегодня поеду на дачу, завтра причащусь. Работа над книгой кончена. Буду жить уединенно, молиться, ходить в церковь, потихоньку делать перевод для денег.

6 июня

Уже неделю мне нездоровилось. Лежа, кончала редактуру книги. Позавчера решила поехать на дачу, мне там всегда становится легче.

Едва электричка отошла от станции, произошло сильнейшее кровоизлияние в больном глазу. Через несколько минут глаз перестал видеть. Через два часа после кровоизлияния я была уже в глазной больнице. Лежу в том же отделении, что и прошлый раз.

16 июня

Дела мои до этого шли неважно. Мне неудачно назначили одно лекарство, постоянно вызывавшее небольшие кровотечения в больном глазу. А 12-го произошло довольно сильное кровоизлияние, и глаз потерял ту одну сотую зрения, с которой я поступила в больницу.

Еще вчера чувствовала себя плохо, до прихода отца Александра лежала без сил. А сегодня вижу! Накануне не могла сосчитать пальцев врача у самого лица, а сегодня прочитала две верхние строчки таблицы. Расслабленности как не бывало, голова ясная, готовая к работе.

Я спрашивала отца Александра, не следует ли мне уйти в затвор ради того, чтобы сосредоточиться в молитвенном единении с Богом? Не свидетельствуют ли те записи, которые я ему прочитала, о том, что Господь хочет от меня служения миру молитвой? Общение же вместе с работой поглощает много сил и времени, и часто приходится, можно сказать, не впускать Господа, стучащегося в дверь.

Общение это, конечно, не пустое, я стремлюсь помогать людям идти к Богу, но у каждого свое предназначение — и не состоит ли мое в молитве? Мне хотелось бы одного: выполнять волю Божию обо мне как можно точнее.

Он сразу сказал, что надо соединять, необходимо и то и другое — молитвенное уединение и отдача людям: подобно смене дня и ночи, сна и бодрствования.

Снова, как несколько лет тому назад, смотрел на меня и задумчиво повторял:

— Вы можете... вы можете... можете...

22 августа

На Преображение я простояла службу снаружи у окон храма. В бочку из жестяного водостока время от времени падала капля, разбивая отражение неба с белоснежными облаками, затем отражение восстанавливалось и вскоре разбивалось вновь. Тут же в двух шагах начинаются ограды могил маленького прицерковного кладбища. Огромная рябина роняла оранжевые бусины на замшелый асфальт. Из открытого окна доносилось каждое слово службы. Я стала на колени и молилась о преображении мира...

На следующий день я рассказала отцу Александру о двух искусительных и кощунственных мыслях, почему-то недавно пришедших в голову. Первая возникла в церкви. Я вдруг увидела разительное сходство храма с театром. В самом деле: алтарь — сцена, солея — авансцена, запрестольный образ — задник, иконостас — кулисы, ризница — костюмерная, клиросы — ложи, паникадила — люстры и т.д. Есть и актеры, и статисты, и зрители, и сценарий, и декорации, и реквизит.

Отец Александр сначала отвечал, что так и есть, театр произошел от мистерий и не весь же опошлился, в силах нести важную духовную функцию.

На это я возражала, что разница вот в чем: для меня церковь была местом прорыва в истинную реальность, по сравнению с которой мир и моя жизнь в нем менее реальны.

Представление о театре, если его принять, производит инверсию, и я этого не хочу. Поэтому, как только пришла эта мысль, тут же стала придумывать такой храм, который не напоминал бы о театре.

Отец Александр сказал, что на Западе дело к тому идет. Во многих огромных соборах пышные алтари оставлены, где-нибудь в углу, в сторонке, ставят стол, молящиеся стоят вокруг него, и на нем совершается Евхаристия, в которой все участвуют. У нас же народ любит старые пышные формы, и вообще изменения пока невозможны.

Но вторая мысль была еще ужаснее. Мне подумалось, что Бог ведет с людьми некий вселенский флирт. Что слово «любовь», составляющее основу обеих Христовых заповедей, приводит в действие массу различных чувств, объединяемых этим словом, и во многих случаях происходит подмена.

На это батюшка резонно возразил, что дело не в Боге, а в людях. Но от этой, бесспорно искусительной, мысли не следует отмахиваться. Напротив, надо углубиться в нее, чтобы научиться различать подмены. Огромную роль тут может сыграть психоанализ, поставленный на службу религии.

Разговор продолжился в его комнатке при церкви. Он говорил о том важном месте, которое должен занять психоанализ в религиозной жизни, помогая отделить душевное от духовного.

Привел пример Кьеркегора. Оказывается, у него в детстве был жестокий, деспотичный отец. И благоговение перед ним, смешанное с ненавистью и отчаянием, он впоследствии перенес на Бога. Кьеркегору очень мог бы помочь психоанализ.

Я думала при нем вслух на эти темы. Почему мы так боимся «душевного»? Прочла ему запись от 18 августа о трихотомичной гармонии тела, души и духа, к которой мы должны стремиться.

Отец Александр сказал, что это в идеале, так когданибудь и будет, мысль об этой гармонии верная и важная. Но пока надо уметь различать подмены и бороться с ними.

— Вот религию называют опиумом для народа, — сказал он. — Зачем отмахиваться? Это обвинение в адрес некоторых явлений можно хорошо использовать. Не надо ей быть опиумом. Ведь многие люди ходят в церковь ради эстетических переживаний, ради мира, возникающего в душе, им приятно, они ловят некий «психологический кайф».

— Забывая, что верный это воин Христов.

— Об этом многие даже не думают. И разделяется в них жизнь на независимые друг от друга мир и тихий закрытый остров духовных услаждений.

Мы еще о многом говорили. Вот истинный воин Твой, Господи! Дай мне помочь ему в битве за Твое воцарение в людских сердцах.

24 августа

Искушение словом «флирт» Господь премудро использовал, чтобы вызвать во мне желание другой, «законной», окончательной связи с Ним. Я принесла «брачные обеты».

5 сентября

Последние дни много общалась с отцом Александром. Он назначил встречу на 2 сентября, чтобы поговорить об одном деле. Обсудив необходимое, я прочла ему запись о «брачных обетах». Он отнесся к этому очень серьезно, сказал, что это «духовное пострижение».

— Вы же этого хотели, вы ведь к этому шли, — сказал он. — Но главное остается прежним: надо сочетать молитву и деятельность, находить время и для созерцания, и для работы, и для молитвы. Это самое важное.

Мы долго беседовали, потом вместе шли пешком к станции, продолжая разговор.

На следующий день я причащалась.

На исповеди он сказал, что нужен «монастырь», то есть четкий распорядок жизни с регламентированным чередованием молитвы, работы, отдыха и общения.

А вчера после воскресной службы я попросила его составить для меня «устав». Он обещал его продумать.

К отцу Александру я испытываю абсолютное доверие, он хорошо знает и понимает меня, и общность наших взглядов делает его руководство не обременительным, а желанным.

9 сентября

В тот день, когда я рассказала об этом обете духовнику, он дал мне машинописный перевод замечательного романа Кронина «Ключи Царства».

Это рассказ о том, как надо бы жить христианину, отдавшему себя Богу.

Для меня герой этого романа отец Чишольм — живой человек, как и сельский священник Бернаноса.

Что же, образец есть. Сколько угодно поражений на пути, но, Господи, даруй мне конечную победу: верность Тебе до конца.

19 сентября

Сняла комнату недалеко от новодеревенского храма. Угнетают материальные заботы.

Я говорила с духовником, однако он сказал, что, по счастью, выбора нет, если вернусь в Москву, кончится слепотой. Я, конечно, слушаюсь и больше говорить об этом не буду, но мучает, что он снова собирается дать мне денег. Это не выход. Господи, пошли заработок! Мне самой мало нужно. Совсем не стыдно было собирать вчера картошку, просыпанную с грузовиков по обочинам шоссе. Но долги! Ты всегда помогал, Господи, помоги и теперь!

7 октября

Неделю назад во время исповеди сказала отцу Александру, что, по существу, никогда не вела борьбы со своими грехами, только просила о ниспослании любви, и Господь щедро проливал благодать. А когда благодать отходит, оказывается, что мое сердце — гроб повапленный. Отец Александр обрадовался.

— Я давно ждал чего-то подобного, — сказал он. — До сих пор все заливал свет благодати, но не следует поддаваться ощущению даруемой им чистоты. Она реальна тогда, но это не ваше свойство и заслуга. Борьба с грехом на всю жизнь, до самого конца.

Мы решили, что я буду вести отдельную тетрадь для исповедания совести.

10 октября

С месяц прожила на зимней квартире в Новой Деревне. Там было тесно, сыро, холодно. Хозяйка увеличивала, чем могла, неудобства, и возникла угроза нового кровоизлияния.

А теперь я, можно сказать, во дворце! Одна, без хозяев, в чистом, просторном, благоустроенном доме в трех минутах ходьбы от храма! На меня одну три комнаты и кухня, вторая половина дома тоже не заперта, и я могу принимать там гостей, если понадобится. Но даже не это главное, а та необъяснимо легкая и радостная атмосфера, которая царит в доме. Каждая вещь благожелательна и добра, в отличие от сухой, сдержанной враждебности того дома.

Здесь хочется молиться, писать, работать. Читаю «Пастыря» Ермы.

18 октября

Жизнь рядом с отцом Александром вовлекает меня в периферию его невообразимой активности. А еще чтение, редактирование, четыре урока в неделю. Сегодня надо непременно взяться за перевод.

31 октября

Позавчера была необычная исповедь. За несколько дней до нее я отдала покаянные записи отцу Александру. Я пришла первой из исповедников и ничего не говорила, а отец Александр отвечал на мои записи. Говорил он более получаса! За все годы не было подобной исповеди.

Он говорил о драгоценности видения своих грехов, о том, что это тоже благодать и очень важный этап в духовной жизни, что необходимо некое равновесие между скорбью о грехах и радостью о Боге.

Он объяснил необходимость безрезультатной, казалось мне, борьбы с греховностью, но не обещал успеха. Он как бы стал на мою позицию, развивал и углублял мои трудные мысли, не отстраняя их, а вводя в их глубину и сквозь них проводя.

Я сказала, что от меня в какой-то мере зависит — направлять свое внимание или на покаяние или на благодать, но у меня не получается то и другое одновременно.

— Что же все-таки ставить впереди?

— Все же благодать, — ответил он, — но непременно с памятью о грехах.

Отец говорил о величайшей красоте смирения, о том, что каждая личность значительна в глазах Бога, но это должно раскрыться не теперь, а в посмертной жизни.

На мои сетования, что я, оставив скульптуру, так ничем и не стала в профессиональном смысле, он ответил, что у нас одна профессия — быть христианами. А то, что у одних есть специальные способности, а у других они рассредоточены, не столь важно.

После этой исповеди и причастия что-то произошло, ибо исчезли мучившие недомогания, вернулись легкость и праздничность существования, веселость и любовь к окружающим, однако в новом виде — с памятью о моей неизбывной греховности.

Во время исповеди родилась простая, но важная мысль. Надо различать согрешения и греховность. С согрешениями — бороться, а греховность — осознавать. Праведник от грешника не отсутствием греховности отличается, а острым ее видением и состоянием борьбы. Грешник же, напротив, своей греховности не чувствует.

5 ноября

Вчера представился случай прочитать некоторые записи моему сверхзанятому батюшке. Перед тем я рассказала ему, что накануне ночью летала во сне, и не как обычно — в вертикальном положении и низко над землей, — а высоко и очень свободно, как бы танцуя в воздухе.

Выслушав запись, он долго молчал, потом сказал:

— Вот поэтому вы и летаете во сне. Это очень серьезно. А ощущение греховности было необходимо. Это похоже на лук. Самый лук — как бы греховность, выгнутая в дурную сферу. Все это для того, чтобы произошел выстрел, чтобы стрела далеко полетела. Что-то в вас растет. Индусы, возможно, сказали бы, что третий глаз... Какой-то орган образуется.

Я посетовала, что в записи как-то розово все получается, недостает выразительности.

— Это неважно. Можно так или иначе выразить важное событие, сущность.

Я пожалела, что не удается читать ему хотя бы самое главное по свежему следу. Он отвечал, что все это не может потерять значения, прочтет позже, в перепечатке.

14 ноября

Три недели пролетели, как три дня. Они были заполнены людьми, людьми, людьми и всякими экстренными работами для отца Александра.

Кроме того, я непривычно часто хожу в церковь. Никогда еще я так не жила — в постоянной радости, наполненности и все же, несмотря на загруженность, в молитве. Чувствую себя гораздо крепче, даже сплю лучше, чем обычно.

Вчера на литургии мне представилось, что Христос держит в руках мое маленькое темное сердце, в котором горит неяркий оранжевый огонек. А рядом с ним загорается источник белого пречистого неземного сияния и включает в себя и мое плотяное сердце. Мне кажется, что источник белого свечения — Свет Христов, горящий в сердце моего духовника, разгорание его — это любовь к Богу, воспламененная в сердцах моих собратьев по Церкви, и мой маленький, недостойный желто-оранжевый огонек сливается с этим общим свечением.

17 ноября

Никак не могу освоиться с дарованной Богом способностью лечить руками. Через два дома от меня умирает от рака желудка старая верующая крестьянка тетя Паша. Ее терзают страшные боли. А молитвенное наложение рук уменьшает их, облегчает страдания!

Недавно я попросила отца Александра сказать, что он думает о природе этих явлений. Оговорившись, что христианской литературы на этот счет нет, что он не имеет мнения, а лишь некоторые предположения, он сказал следующее.

Эта энергия проявляется на первых ступенях духовности. Поскольку она может быть использована и для черной магии (Гитлер, например, прибегал к ней), то нет оснований считать ее энергией Св. Духа. Ее можно использовать по-разному. Оккультисты сознательно ее добиваются в своих целях. Она может появляться спонтанно как следствие духовного устремления к Богу, тогда можно пользоваться ею, но это, конечно, не самоцель.

Крестное знамение, жест благословения, молитвенное воздевание рук, рукоположение — связаны с передачей и распределением этой возникающей в молитве энергии. Она может концентрироваться в предметах — иконах, крестах, святой воде и т.д.

Вот и установка.

29 ноября

Продвигаюсь по новому варианту «Сына Человеческого» медленно, с напряжением, въедаясь в каждую строчку. А сделала примерно одну пятую работы. Очень устала.

Но эта книга так нужна, и мою работу, насколько я понимаю, никто не сделает. Темпы тоже не мною задаются, я и так работаю много меньше, чем до болезни. Я молю Тебя, Господи: помоги мне завершить это дело. И не только это: том VI тоже на мне, и Тейар, и моя собственная книга, и все, что еще будет писать отец Александр.

5 декабря

Я выжата, Господи. А впереди трудный день. Надо дочитать английскую книгу по Новому Завету и перевести то, что отмечено батюшкой. Кончу английскую книгу — лежат на очереди три французских журнала по библеистике, из которых тоже нужно сделать срочные переводы. Пока стоит даже «Сын Человеческий».

Наполни меня силами, Родник мой!

Опять выпал снег, шел еще час назад, но сейчас яркое солнце бьет мне в глаза. Наполовину заснеженное окошко в ледяных узорах искрится радужными огоньками. Тишина, покой. Сотворенное утро.

В каждом из пяти окон иной участок Твоего созидания. Справа — яблоня в снегу с ее таинственной зимней жизнью, солнце над самой крышей соседнего дома, освещенная им снежная пыль носится в воздухе.

В других двух окнах деревенская улица и старое Ярославское шоссе с безмолвно скользящими грузовиками, автобусами, легковушками. На улице сразу за моей калиткой колонка, где соседи чуть не целый день качают воду. Отсюда ее берут и для нашей церкви.

В двух других окнах густой малинник, укрытый почти сплошным одеялом снега, забор и двухэтажный дом за ним. Скоро я оденусь потеплее и пойду в близлежащий лес. Я там гуляла позавчера и иногда падала на колени от благодарности за нашу землю. Она всегда другая, всегда поражает новой красотой, если желать ее видеть.

15 декабря

Вчера после многолетнего перерыва я вернулась к лепке. Пусть портрет отца Александра останется после нас людям. А там можно и вовсе оставить скульптуру.

Может, он на всю Россию один такой подвижник, и я бы хотела послужить этим портретом бедной моей родине и дорогой мне Церкви.

Я отвыкла лепить, да и задача для меня непомерно трудна. Если выйдет хорошо, это будет значить, что не я справилась, а Господь все сделал Сам.

22 декабря

Вчера исповедалась, причастилась и имела потом беседу с отцом Александром.

На исповеди я рассказала о странном выпадении из веры, случившемся недавно: я ненадолго почувствовала себя совершенно неверующей.

— Поскольку вера не только область духа, — отвечал он, — но и охватывает нашу душевную, психофизическую сферу, то они связаны. Такие вещи случаются как следствие накопившейся усталости или чрезмерного долгого напряжения. Душа попадает в некую воздушную яму, или в мертвую зыбь. Тут ничего не надо делать, просто ждать. Когда мы кого-то любим, — продолжал он, — случается нечто подобное — мы вдруг видим перед собой совершенно чужого нам человека. Надо просто лечь в дрейф и переждать.

— Не грех ли это? — спросила я.

— Ни в коей мере, — отвечал он решительно.

В его кабинетике я рассказала о том, как руководят в Лавре Наташей Г.

— Увы, сейчас стремительно развивается неомракобесие, — отвечал батюшка. — Мне все это слишком хорошо знакомо. Это самый легкий путь. При этом можно прекрасно жить в миру, строить карьеру, хоть академиком стать. Важно одно: вернувшись с работы, почитать Добротолюбие и молитвенное правило подольше, ходить в церковь, поститься, и человек квит с Богом и миром. До мира и его состояния ему дела нет.

— Они говорят: спасись сам, и тогда тысячи вокруг спасутся, — вставила я.

— Как они не понимают, что это неотрывно, что ни на каком этапе нельзя ни дня, ни часа спасаться одному!

— Кроме того, там культивируется вражда ко всему католическому. По словам Наташи, священник в проповеди объявляет народу, что на католиках нет благодати. Она показала мне тетрадку, разграфленную пополам: налево — как у православных, направо — как у католиков.

— Ну и что там? — спросил отец Александр.

Я рассказывала, а он приводил опровержения.

— Они считают, — сказала я, — что в христианстве одно православие хранит истину, а в православии — одна Лавра, да и в Лавре, как я поняла, — горстка избранных.

Отец Александр рассказывал о своих старых знакомых и друзьях, с которыми иногда встречается после долгого перерыва.

— Смотришь, и уже у него на глазах шоры. Направо не смей посмотреть, налево не смей, смотри только так, как предписано!

Мы говорили о трудностях дела Христова, о том, что вокруг отца Александра люди немощные.

— Орлов нет. Нет орлов, — говорил он, улыбаясь. — Но я уповаю. Ведь в немощи нашей сила Божия совершается. А неомракобесием руководит зависть к католикам. Все-таки они как-то шевелятся, действуют, живут. Этим все и объясняется.

26 декабря

Прошлую неделю, кроме понедельника, ежедневно, хоть иногда и недолго, общалась с отцом Александром. Теперь, через десять лет знакомства, отношения приняли характер надежной глубокой дружбы, большого доверия. Он вынужденно одинок в силу своей исключительной общей одаренности, огромного интеллектуального превосходства над всеми окружающими. И конечно, я ему не друг-ровня, об этом не может быть и речи, хотя он смиренен и, кажется, не осознает своей исключительности. Но вместе с тем я знаю, что занимаю в его внутреннем мире какое-то свое небольшое, но прочное место и нужна ему.

Он вообще очень дружелюбен и открыт по натуре, но в сравнительно внешнем слое. Глубины закрыты от постороннего взгляда. Однако иногда он вводит меня в некоторые из этих закрытых областей.

Мне хочется написать книгу о нем. Господи, это была бы книга о Твоем действии в нашей реальной жизни, о Твоем явлении миру через этого пастыря и его подвиг.

29 декабря

Вчера отдала отцу Александру большое письмо, написанное в связи с десятилетней годовщиной нашего знакомства. Пусть оно доставит ему удовольствие.

Мне так приятно было видеть его стол, заваленный моими рабочими заметками. Знаю, что и сейчас, вот в эту минуту, он трудится над ними. Эта тесная связь между нами для меня прообраз церковных отношений между людьми, постоянное чувство совместности, некое непрестанное «памятование».

31 декабря

Разве без болезни решилась бы я на эту крутую и такую благотворную перемену в жизни: поселиться в деревне, рядом с моим храмом, в близости к духовнику?

Кажется, никогда еще не было столь плотного, столь глубокого и дружественного единения с ним.

Встречаю Новый год в разгаре редактирования книги о Тебе, Господи. Да одного этого достаточно, чтобы быть счастливой. А тут еще стол завален подаренными мне батюшкой бесценными духовными книгами!

Год 1978

2 января

Вчера после новогодней литургии пошла в кабинетик отца Александра. Говорили о «Сыне Человеческом», рассказали друг другу, как встречали Новый год.

— Вы так торжественно написали, — сказал он вдруг по поводу моего длинного благодарственного письма.

— И все правда, — сказала я.

Отец Александр отслужил в своем кабинетике благодарственный молебен. Потом сказал несколько добрых слов об этих десяти годах.

— И огромное вам спасибо, — отвечала я.

— Ну, вы тоже немало потрудились. Были сделаны прекрасные работы.

— Благодаря вам.

Так просто и вместе с тем прочувствованно отметили мы эту дату.

Пока отец Александр был занят в церкви, меня попросили сняться. Перед тем фотографировавшая женщина никак не могла уговорить его стать перед фотоаппаратом. Но тут он сам подошел ко мне и сказал:

— Снимите нас вместе. Сегодня для этого есть особый повод.

Снялись у храма и у церковного домика.

11 января

В Сочельник перед праздничной всенощной меня позвал отец Александр и даже тогда, когда мы обговорили все насущное, не отпускал. Обычно он распределяет каждую минуту, а тут я мирно сидела, смотрела, как он разбирает книги и бумаги, мы неспешно перекидывались фразами о том, о сем. Получила в подарок бесценную «Симфонию на Ветхий и Новый Завет».

На следующий день после Рождественской литургии у меня разговлялись знакомые. Разговаривали о серьезном, но и много шутили. В середине дня заглянул на часок отец Александр, что всегда само по себе праздник.

Вечером Даша засела на кухне писать исповедь, а я не спала, молилась о ней. Более четырех лет она не ходила к отцу Александру. Главная причина — дружба с его дочерью. Они обе переживали переходный период становления со всякими вывертами и каверзами. Все проделки устраивали сообща, и исповедоваться представителю свергаемого клана родителей, да еще отцу подруги, было совсем не просто. Все эти годы она не имела духовника. К предложенному батюшкой священнику она так и не пошла и потому причащалась редко, за исключением краткого прибалтийского периода в прошлом году. Я уже и мечтать перестала, что она вернется к отцу Александру.

Это были именины настоятеля, и службу начали почему-то на час раньше. Оказалось, исповеди не было, потому что не было исповедников. Я передала отцу Александру записку в алтарь.

Вышла она от него после долгой исповеди с совершенно счастливым, преображенным прекрасным лицом. Ее затопляли волны радости.

Всю службу мы стояли рядом, а когда в конце я отошла приложиться к иконе и снова подошла к ней, она шутливо проворчала:

— Где это ты пропадаешь по часу? Ищешь тебя, ищешь.

Дома мы устроили пир. Я прилегла отдохнуть, и мы запоем разговаривали. Даша стала размышлять вслух:

— Нехорошо возвращаться к отцу Александру. Он так занят, а у меня проблемы простые.

Я осторожно ее разубеждала. Мне ужасно хотелось поделиться с отцом Александром переполнявшим меня счастьем. Я нашла предлог и сбегала к нему попросить что-нибудь почитать для Даши. Он тоже был очень рад, это я видела еще в церкви. Во время молебна он даже отошел от своего места, стал рядом со мной (с другой стороны была Даша), и я чувствовала, как горячо он о ней молился.

16 января

Продолжается работа над «Сыном Человеческим». Желая не создавать задержки, я работала чрезмерно по моим подорванным силам. На последнем этапе уже чувствовала, что могу поплатиться. Потом непрерывные гости с ночевками, службы, три вечера подряд чтение Псалтыри над телом бедной тети Паши, с непривычки требовавшее большого напряжения, а в промежутках гонка с редактурой. И здоровый человек свалится.

23 января

На праздник Богоявления почему-то все шло кувырком. Без конца бились бутылки и банки с крещенской водой. В доме толчея, сутолока, беспорядок, и более всего тяготила С., днями и ночами торчавшая безвылазно у меня. Хотелось хоть немного побыть в тишине одной. Я не терплю насилия, а ее бесцеремонное поведение представлялось бездушной эксплуатацией. И вот я набралась решимости и в предельно мягкой форме объяснила, что нуждаюсь в отдыхе, иначе произойдет беда, и прошу временно приезжать без ночевок.

На исповеди батюшка сказал мне, чтобы я разрешила С. приезжать, как прежде, с ночевкой, но с тем, чтобы она сама заботилась о своей постели, еде и прочем (в моем немощном состоянии уход за ней стал мне непосилен). Я должна предупредить ее о необходимости сократить разговоры.

— С ангелами каждый может общаться, — пожурил он меня.

На другой день приехала С., которой я сказала, что ничего менять не будем, произведем реформы изнутри, чтобы облегчить бытовые проблемы.

Вчера был день рождения отца Александра. Я его поздравила, отдала подарок «от нас с С.». Мы общались секунды, но от него шли волны любви.

Сегодня девятая годовщина моего обращения. Девять лет назад был такой же морозный, солнечный, торжественный день. Стоит тишина какого-то неземного свойства, и все пространство полно без зазоров ангелами... Временная или вечная, не знаю, но Твоя абсолютная победа, Господи, — нигде ни тени, один Свет.

27 февраля
Снова болезненные признаки переутомления. Вчера на исповеди решили с отцом Александром, что дверей дома я все-таки закрывать не буду, просто стану пассивной, буду отключаться, когда устану.

После литургии до шести вечера опять народ, чаепитие, разговоры и прочее. К тому же получила новую порцию работы.

Ну, ничего, кончим «Сына Человеческого», авось легче будет.

2 марта
Наконец-то осталась дома одна, без людей. Молитва перешла во внутренний диалог с Богом. Вот из него отрывок.

— Не стремись любой ценой к равновесию.

— Но, Господи, Ты же давал мне чувство гармонии!

— Я тебе цель показывал, одну из ее сторон.

— Но есть же гармонические натуры, как отец Александр.

— Все относительно в вашем мире. И каждому свое. Он могучее орудие другого калибра, чем ты. Ему большое дело поручено. Помогай ему.

— Дело устоит? Плоды будут?

— Даже если не устоит внешне, плоды будут, и большие.

— Чем я могу помочь ему?

— Вот этим прежде всего: живи для Меня. И всем тем, что понадобится.

— Я ему действительно нужна?

— Пока да. Вместе вы сильнее. Людей помогает много, но вы устойчивое сочетание, молекула. Не бойся, что мало сил, будет больше, но иначе: через бессилие, через незаметное, будничное с виду страдание.

— Что Ты скажешь нам обоим?

— Действуйте. Будьте смелее, дерзайте. Я с вами. Вы под покровом. До времени, пока не понадобится другая форма служения, другое проявление любви.

29 мая

Хозяева дома на Центральной летом живут там сами. И вот позавчера я переехала в другой дом в нашей же деревне. Наконец-то передышка. До того шла спешная работа над «Сыном Человеческим», я ходила на все церковные службы, постоянно общалась с прихожанами, выполняла всякие поручения отца Александра.

Этот дом подальше от церкви, быть может, жизнь переменится. С наступлением лета отпадают уроки, подходит к концу работа над книгой, возможно, народу будет приходить сюда меньше: на дачах неподалеку поселятся несколько семей из нашего круга, отвлекут к себе общих знакомых.

3 июня

Позавчера вернулась из поездки в Москву. Моя мастерская разгромлена. Уничтожены все скульптуры, рисунки за 25 лет работы. Разорвана в клочья и осквернена или расхищена большая часть моего архива: дневники, письма, стихи.

Ты этого хотел, Друг мой? Освободить меня для Себя от груза прошлого, от лепки и живописи? Тогда я принимаю! У меня странное чувство еще одной смерти-рождения. А тут в деревне заканчивается почти полуторагодовая работа над «Сыном Человеческим», поглощавшая все умственные силы. Тоже расчищается поле. Людей вокруг сейчас поменьше.

Что Ты задумал обо мне? Мне хочется досуга, молитв с тетрадью, творчества, свободы. Но не как я хочу, а как Ты, — говорю высшим сознанием, попирающим протесты усталости. А разгром мастерской был в чем-то прекрасным событием — как драматизация судьбы, придание вещественной формы главной ее идее. Так важно проходить по жизни в щедрой самоотдаче, без всякой собственности. Скульптура и прочее — это лишь черновики, подлежащие уничтожению. Беловик моей судьбы правишь Ты Сам.

5 июля
Размышляю о роли чувства собственного достоинства в религиозной жизни.

Гордость унижает человека, как бахвальство и ложь. Сколько истинного достоинства в смиренных, не гордых людях: в отце Станисласе, отце Таврионе, отце Александре. Их внутренняя красота вызывает восхищение, простота их подобна царским одеждам. Мы — дети Божии, это высочайший ранг для всей твари в этом мире.

25 июля
Все время сталкиваюсь с обнаженным эгоизмом наших прихожан. Кончается год жизни в деревне глубоким разочарованием. Как мало меняет нас наша вера! И пример отца Александра на нас не действует. Бедный он, бедный!

Я говорила с ним о своем желании уединиться, однако он считает, что я должна оставаться среди людей, делать все, что делала. Но он, наверно, не знает о глубине моего кризиса. Мне кажется, я не то и не так делаю. Отец Александр говорит: то и так. Сеятель должен сеять, а будут ли плоды, не от него зависит. Но он уверен в себе, в своей правоте, ибо делает свое дело. А делаю ли я свое? Не взялась ли за чужое?

4 августа

Господи, благодарю Тебя за то, что Ты не дал мне пасть духом, настойчиво внушал желание превратить неудачу в достижение, вселял надежду, заставлял думать и искать.

И вот подарил счастливую мысль! Наши христиане живут разбросанно и разобщенно в языческом мире. Объединяет их только богослужение, причем каждый приходит туда со своими мыслями и проблемами, молится молча, и все расходятся, каждый в свою сторону. Достигнутое молитвенное единение никак не реализуется в жизни.

А ведь «по любви между собой узнают, что вы Мои ученики», — сказал нам Господь. Но как осуществить эту любовь?

У меня много знакомых верующих, однако отношения с ними случайные, с длинными перерывами, неопределенные, необязательные и неустойчивые. Никаких действительных уз любви между нами не существует.

Вместе с тем из-за обилия этих связей душевные силы распыляются. К тому же тут то пусто (в нужный момент), то густо (и тогда обижаются те, на кого недостает внимания). Никого нет в постоянном поле зрения, все отношения аморфны и мало результативны, хотя отнимают много сил.

А нужны духовные семьи. В них-то преимущественно и будут осуществляться Твои заповеди, Господи. Здесь мы будем учиться «носить бремена друг друга», служить друг другу, делиться радостями и горестями и возрастать в вере. Это должна быть жизнь по Евангелию, под Твоим взглядом.

В центре Ты и Твое учение, размышления о том, как претворить его в жизнь в данной конкретной ситуации.

Вчера у нас с отцом Александром состоялся долгий разговор. Был солнечный жаркий день, он в белой легкой рясе и я в летнем платье гуляли, разговаривая, вокруг храма. Я рассказала ему про новую идею. Он слушал, широко улыбаясь.

— У нас с вами настоящая телепатия! — воскликнул он. — Я сам об этом непрерывно думаю, кое-что уже набросал. И наметил на одиннадцатое августа... (Что наметил, не сказал.)

От радости у меня выступили слезы. Я так боялась услышать, что это «искусственно».

Конечно, трудности большие, народ вокруг него состоит из «персонажей», как он выразился, все сплошь индивидуалисты, пришедшие к вере, противостоя атеистической семье и государственной идеологии. Причем делятся на две категории: на тех, кто шел к нему за интеллектуальной пищей, заумных книжников, и на неврастеников или даже душевнобольных, это те, на кого он действует целительно.

Еще трудность в том, что мало «делателей», «диаконов», людей инициативных, способных сплотить «семью» (он дал другое название — «очаг»).

Мы перебирали наши кадры. Я обратила его внимание на то, что «делателей» он всегда ищет только среди мужчин.

— Разве? — удивился он.

— Ни одного исключения.

— Я этого не замечал. Наверно, это невольная реакция на преобладание женщин в Церкви. Вот и резерв нашелся.

— Но я берусь, — сказала я. — Я чувствую такое горение, что могу зажечь этой идеей несколько человек. Можно ведь начинать и двоим. Это же то, чего каждый в душе более всего хочет, о чем мечтает: иметь несколько верных друзей во Христе.

— Кого бы вы себе хотели? — спросил отец Александр.

— Я бы, конечно, могла сама выбрать, но мне не хотелось бы. Если что-то не будет ладиться, я стану думать, что дело в неудачном выборе, вот этого человека надо бы заменить. А ведь семью не выбирают, в ней рождаются и принимают ее такой, какая есть. Если выберете вы, я сочту это за волю Божию, и внутренне все упростится.

Он согласился, хотя сказал, что это самое трудное. Еще мы говорили о практической стороне дела. Пока не все ясно, однако главное — он не только принял мысль, но она оказалась для него встречной идеей, как бы откликом на его собственную потребность. И то, что я сама пришла к тем же мыслям одновременно с ним, он воспринял как знак одобрения свыше.

11 августа

Сегодня, наверное, сейчас отец Александр сидит дома за столом, размышляя над идеей «семей», или «очагов», компануя их состав, набрасывая мысли. Помоги ему, Господи, сейчас, в это мгновение. Озари его, наполни надеждой.

Вчера мы опять разговаривали с ним об этом. Он предупреждал о трудностях, говорил, что это конечная цель, идеал, а дорога очень трудна. Мне даже кажется, что он не очень верит в успех. Укрепи его, Господи! Вчера ко мне пришла моя крестница Л. и говорила о том же разочаровании от жизни здесь, на даче, среди христианских семей, что и я испытываю. Я ей рассказала про новую идею. Ей тоже хочется воплотить евангельское учение в жизнь, однако у нее естественные сомнения. Но я верю и чувствую, что Ты этого хочешь и поможешь. На человеческом лишь уровне это невозможно, но с Тобой?! Знаю, время настало, и полна такой уверенности, что, думается, с Твоей помощью — смогу. Да будет воля Твоя, а не моя в этом деле.

Я хочу прикасаться к Тебе через единомышленников, хочу строить новое сознание и новый тип отношений между людьми — отвечающий Твоему учению. Наполни жизненными соками наше хилое и слишком спиритуалистическое стремление к Тебе. Веди нас, слепых, к Себе!

15 августа

Удивительная история произошла со мною вчера в церкви на Первый Спас.

Из-за того, что всю предыдущую неделю была на людях, стояла работа над очередной книгой отца Александра. Вчера взялась за нее пораньше, работа спорилась, и потому пришла в храм только к чтению Евангелия.

Там я сразу заметила Н., молоденькую прихожанку, с которой давно не видались. Мы дружны, но последняя встреча вышла неприятной.

Это было в самый напряженный день работы над «Сыном Человеческим», накануне сдачи, намеченной автором. Требовалось доставить мне последнюю часть книги, как только отец Александр закончит над ней работу. Поскольку я знала, что Н. будет в эти часы с ним, я попросила принести мне эти страницы. Она вскинула голову и ответила: «Только через отца Александра!» Это означало, что я не могу попросить ее непосредственно, а должна сначала обратиться к нему. Вот тебе на! Мы знакомы несколько лет, столько было задушевных разговоров. Н. так и не принесла листы, сделал это другой человек.

И вот после того случая я вижу ее впервые. Начинают петь «Верую». Пою и придумываю язвительный ответ — при встрече она поздоровается, а я скажу: «Здравствуй» тебе через отца Александра отвечать?»

И тут я почувствовала резкий удар в солнечное сплетение. Тело похолодело и облилось холодным потом, в глазах потемнело, в голове громко зазвенело, ноги подкашивались, и я, чтобы не упасть, быстро вышла из храма. Наконец спазм прошел, и я вернулась в церковь. Уже шло причастие.

Вскоре отец Александр стал говорить проповедь. Тема была одна: христиане оказались недостойны великой святыни — древа Креста, на котором был распят Христос, — и утратили ее.

— Многие из вас стоят в церкви, крестятся и кланяются, но мысли полны злобы и обиды. Лучше бы они не стояли здесь, лучше им быть в другом месте. Они оскорбляют святыню, и Бог отнимет ее у них.

Когда служба кончилась, Н. бросилась мне на шею.

— Простите меня!

— Ты прости меня!

Мы обнимались и целовались в празднике раскаяния и примирения.

После службы рассказала отцу Александру о случившемся. Странная у него была реакция: он страшно обрадовался, обнял меня и поцеловал. И рассказал, что собирался совсем о другом говорить проповедь, даже назвал тему находившемуся в алтаре священнику, и вдруг неожиданно для себя заговорил, «как Валаамова ослица».

21 августа

Тяга к духовному как будто вырвалась из-под спуда и ширится с огромной скоростью. Обращения учащаются в геометрической прогрессии. Десять лет назад я не знала, что существуют верующие интеллигенты, а теперь? Пусть это лишь тонкая образованная прослойка, пусть главным образом в Москве, но ведь это начало процесса... Господи, дай веру России и всему миру. Сотвори из человечества Церковь.

Я снова крестная. Те, с кем я говорила об идее «семьи», встретили ее с жаром.

30 августа

В ходе разговора с отцом Александром узнала три новости, означавшие три разочарования.

Одна из них, в частности, заключалась в том, что он держал совет о «семьях» с В.Н., к которому я испытываю необъяснимую антипатию.

— Мы ведь еще два месяца назад назначили с ним создание их на первое сентября, — говорил батюшка.

А я горю этой идеей и знаю, чувствую, как это надо делать.

Мы сидели в его кабинете, мирно разговаривали, больные темы проходили как бы вскользь, и вдруг я опять почувствовала спазм в солнечном сплетении. Отец Александр встревожился, принялся качать в меня прану, но внезапное недомогание все усиливалось. Мне стало плохо.

Всю ночь не сомкнула глаз. В полчетвертого начала писать ему большое письмо. Бесчисленные внутренние и житейские проблемы казались неразрешимыми, вся жизнь воспринималась как провал.

После бессонной ночи с письмом в кармане пошла на исповедь и вкратце рассказала содержание письма.

— Все это не так, не так, — говорил отец Александр. — Вы просто устали, вам нужно отдохнуть.

У креста батюшка попросил зайти поговорить. Пока ждала в «предбаннике», он, проходя мимо, незаметно показал кулак.

Но народу было много, и на меня осталось лишь несколько минут перед всенощной.

Я прочла ему письмо с купюрами, не хотелось слишком огорчать его. Он слушал во все уши, прерывал, жестикулируя, вскакивал.

— Это все ночное сознание. И у меня так бывало, когда во всем видишь одни неудачи. А потом оказывается, тут не так уж плохо, там... Ну как вы можете думать о бесплодности своей жизни! Сколько прекрасного сделано! И книги мы с вами делаем не потому, что это какая-то моя прихоть. Вот сейчас комментарии к Евангелию [для Брюссельской Библии, готовившейся издательством «Жизнь с Богом»] предстоят — ведь это нужно!

— Да, но сколько голодных глаз смотрят на мою работу. Меня легко заменить.

— А работать будут единицы. Да и то никто не сможет это делать на таком уровне, ни один человек. Это я вам с полной ответственностью говорю. Это на сто процентов так! Вы устали, вам нужно отдохнуть. Это я виноват, я быстро работаю и замучил вас. И вчера не надо было звать вас вечером, вы устали, вымотались за день...

В письме моем были конкретные вопросы о том, как мне сейчас устраивать жизнь в связи с бесчисленными житейскими проблемами. Он пытался ответить, но все это действительно сложно, времени не было, и он перенес разговор на субботу, пообещав все продумать и решить.

7 сентября

В субботу отец Александр вложил в меня немало сил, хотя сам, бедный, измотан, отпуск ему только еще предстоит. Было решено, что я продолжу свою жизнь здесь.

В самом деле, от добра добра не ищут. Главное — ничего ни от кого не ждать, никаких результатов. Отец Александр говорит, что если что-то получается, в ком-то происходят какие-то добрые перемены, то он удивляется этому, как чуду.

— Мы в ассенизационной трубе работаем, — сказал он.

— Это я вас, вас мало использую! — восклицал он в изумлении.

— Да ведь я имею дело в основном с бумагами.

— Но ведь книги мои выходят так быстро только благодаря вам, и на уровне гораздо более высоком, — неужели это так мало!

— Но лучшее во мне, самые ценные мысли, находки, озаренья — не находят выхода, никак не реализуются, перегорают.

— Так пишите же!

— Пишу. Кто это читает, кому нужно?

— Я же сказал вам, что после отпуска дам вам вашу книгу со всеми пометками. Сделаем ее, дадим читателям.

— Наверно, надо ехать в Москву. Жизнь моя здесь потеряла смысл, деятельность исчерпалась.

— Это до самого конца вам дело! Здесь у вас консультационный центр, это важно и нужно. Путь должен быть прямой, как стрела, — добавил он.

Относительно «семей» он сказал, что просто нет у меня терпения.

— Все будет, но дело сложное. Вы видите цель, а я — те трудности и препятствия, которые лежат на пути к ней. Но делать будем.

И он поручил мне составить молитвенное правило для совместной молитвы.

Я ничего не сделала, чтобы выкарабкаться из спада. Ты, Господи, все это сделал через моего духовника. Я снова люблю жизнь, она просторна и солнечна, я полна желания действовать, и Ты даешь мне эту возможность.

21 октября

Поскольку здесь, в деревне, никакими силами не набирается больше трех учеников и денежные дела мои из рук вон плохи, а отец Александр не отпускает в Москву, я решила взять сколько-то учеников в городе и жить ча два дома. Но уроков в Москве набралось всего на 60 рублей в месяц, и утомительные поездки себя не оправдывают.

Вчера в Москве был тяжкий гипертонический криз, еле добралась к урокам в деревню.

23 октября

Конечно, отец Александр удивительный, потрясающий человек, но кое-что меня огорчает. Загруженность его все возрастает. Не знаю, какой тут может быть выход, но люди долгими часами томятся у его кабинетика в очереди на беседу. Не раз он говорил мне:

— Что я могу поделать, пришлось отпустить ни с чем трех человек, просидевших в ожидании шесть часов.

Литературная работа страдает, все более нуждается в редактуре, доделывании, домысливании.

Готовлюсь написать ему об этом письмо. Я слишком его ценю и люблю, чтобы на все это смотреть спокойно.

Позавчера вечером отец Александр позвал меня, чтобы передать комментарии к Евангелию. Народу было много, и я предложила:

— Вы дайте мне, и я уйду.

Но он настоял, чтобы я пришла еще раз попозже. Оказалось, работу требовалось сначала перепечатать, это был предлог.

— В чем дело, что случилось? — допытывался он.

— Ничего особенного, просто спад.

— Вы меня за дурака считаете? Разве я не вижу?

Он говорит, что я просто устала, что всегда живу на несколько ступеней выше, чем возможно, и нижний слой души, не получая удовлетворения, паразитирует на высшем.

— Когда со мной такое случается, я делаю что-нибудь совсем обыкновенное, маленькое — смотрю книжки про животных, иду в зоопарк. И вам надо что-то такое. То, что с вами происходит, я называю пустыней. Нельзя же все время летать. Надо просто переждать и отдохнуть, это пройдет, — говорил он. — Вы создаете температуру на несколько градусов выше нужной, но это ваше свойство, и время от времени немножко надрываетесь.

— Боюсь, это серьезнее, чем вы думаете.

В итоге он захотел продолжить этот разговор в другой день.

6 ноября

Итак, разговор был назначен на субботу. Вечером в пятницу я собиралась поработать, но перед тем решила сварить яблочное варенье и вымыть полы. За этими занятиями меня и застал отец Александр, пришедший пригласить меня к себе после всенощной, благо у него никого не было.

Мы говорили два с половиной часа!

Я сказала, что мне все время мерещится какой-то цивилизованный зарубежный монастырь на берегу моря.

— Ну, Зоя Афанасьевна! Молодость вашей души меня поражает! Нет этих монастырей. Состояние Афона таково, что посещающие его люди задаются вопросом: какое отношение имеют эти черные во́роны ко Христу и Евангелию?

На мое смятение: там ли я, то ли делаю, что надо, он ответил целым обзором социально-духовных процессов, происходящих в стране.

— Люди устали, — говорил он. — Еще десять лет назад все диссиденты самых разных толков были едины, теперь полный разброд и наступление реакции. Реакция наступает в Церкви в виде черносотенного обрядоверия. Должны же мы оставить после себя хоть трех людей, понимающих, что к чему, и готовых трудиться!

Я изложила ему содержание письма, лежавшего у меня в кармане. Высказала свои огорчения по поводу внутриприходской работы.

— Я понимаю, вы — пастырь и не можете никого оттолкнуть, поэтому наплыв людей неизбежен. Но внутри прихода надо строить Церковь из тех, кто хочет работать. Надо создавать новый тип христианина — ответственного, самостоятельного, зрелого, деятельного. А рядом с вами взрослые становятся детьми, мы все рады, когда вы с нами нянчитесь.

С этим он согласился и сказал, что рассчитывает на «семьи».

На следующий день я заглянула к нему на минутку, и он сказал:

— Когда вы ушли вчера, я стал проверять себя, не нравятся ли мне эти очереди. Нет, совсем не нравятся и даже угнетают. Из-за них мне иногда не хочется ехать в церковь, приходится принуждать себя.

Говорил, что делит паству на пациентов и сотрудников. Новых людей берет только под нажимом. Каждый обычно умоляет за кого-то одного, и часто нельзя не принять. И потом всегда интересно, не окажется ли человек сотрудником.

— А вы устали, вам надо отдохнуть. И как вы можете думать, что не нужны тут? Одна литературная работа чего стоит! Раньше я переписывал книги по шесть-семь раз, теперь все это делается гораздо быстрее. И с людьми столько работаете.

— Одни неудачи, — сказала я.

— Это не так. Вы слишком требовательны к себе.

Давно мы так подробно и откровенно не разговаривали на больные темы.

В воскресенье я исповедовалась ему. Конечно, многое уяснилось, стало на прежние места, но все же какая-то смута еще оставалась.

29 ноября

Сегодня предстояло причащаться, а под утро приснился гнусный сон. Разбудил меня будильник. Под чарами этого сна я быстро оделась и через четверть часа была в церкви. Рассказала на исповеди сон, закончив словами:

— Ведь если верить Юнгу, это образ моей души.

— Почему же всей души? — живо возразил отец Александр. — Какой-то ее части. Вы за последние годы перестроили свою жизнь, свои этические установки. Но было время, когда вы жили и думали иначе, под гнетом безнадежности. И вот из вас выходят осколки вашего ранения. Вы отрубили змею голову, а она все еще шевелится, хочет обрасти телом. Это очень хорошо, что снятся такие сны. Гной выходит наружу из каких-то закоулков подсознания. А иначе вы могли бы думать, что все благополучно, и сложить руки.

20 декабря

На всенощной мною овладел подъем, какого я давно не испытывала.

В конце службы отец Александр попросил меня зайти к нему. Обычно по вечерам мы у него не общаемся, уходя домой, он заглядывает ко мне.

— Я знал, что «пустыня» ваша должна кончиться, что это ненадолго, — сказал он.

— Что делать, чтобы не было спадов и отступлений?

— Легко задать вопрос. Это самое трудное. Будут, конечно. Мы слишком зависим от состояний тела, от психики.

Он передал мне рукопись и книгу, подарил фотокопию портрета Франциска Сальского и, благословив, отпустил.

28 декабря

Благодарю Тебя, Господи! Опять преобладает чувство светлой радости. Я чувствую себя гораздо лучше. Конечно, не все всегда гладко, но опять я иду по волнам житейского моря, видя перед собой Тебя. Отчего это? Прежде всего потому, что Ты захотел. Еще потому, что делаю молитвенные усилия. И еще, наверное, играет роль общение с отцом Александром, обладающим свойством наделять благодатью, в которой пребывает почти постоянно.

Год 1979

2 января

Стояли лютые морозы. Газ, которым отапливается церковь (и мой дом тоже), еле сочился. В храме настолько холодно, что в нем установили на кирпичах «сухожарку», маленькую железную печурку, а трубу вывели в форточку.

Сейчас морозы отпустили до -24°, но зато поднялся ветер. Готовлю свой маленький подарок к Твоему Дню Рождения, Господи: кончаю редактировать том VI («На пороге Нового Завета»).

Уединение в преддверии праздника: как будто Ты нарочно отрезал меня на эти дни от мира.

4 января

Полчаса назад закончила редактирование тома VI. Прервалось оно два года назад в декабре 1976 года из-за первого кровоизлияния в глаз. И вот за две с половиной недели удалось провернуть более 300 страниц.

Это первая правка новой книги, процесс чрезвычайно трудоемкий. Хорошо еще, что передо мной потрудилась Е.Б.: поправила стиль, почистила. Я устала до такой степени, когда провоцируется болевая атака во всем теле, похожая на сильный приступ ревматизма. Вчера стала просачиваться кровь в глаз, но Господь внял моей мольбе и остановил начинавшееся кровоизлияние.

И все же я счастлива. Это не просто очередная книга отца Александра, а завершение его грандиозной серии о путях человечества ко Христу. Я счастлива, Боже, что Ты позволил мне участвовать в этом гигантском труде во славу Твою.

Господи, прими эту работу как мой маленький подарок к Твоему Рождеству. И, если можно, дай выйти из этого утомления без серьезных последствий для здоровья.

Какое это счастье — усталость во имя Твое! Благодарю Тебя за эту радость.

21 января

16 января я ушла в лес на лыжах, а вернувшись, нашла записку отца Александра: «Мама умерла вчера (15-го). Отпевать будем завтра сразу после обедни».

Всего за четыре дня до того я была у Елены Семеновны в Москве. Попробовала облегчить ей боль руками, но эффект был слабый и нестойкий. Она радовалась моему приходу, с любовью целовала на прощанье. Хотя была плоха, но в полном сознании, живая, мужественная, бесконечно добрая.

Найдя записку, я отправилась в церковь к отцу Александру. Мы обнялись.

Тот мир, с которым он принял смерть горячо и нежно любимой мамы, показался мне свидетельством необычайной высоты его духа.

Рассказал, что мать умерла у него на руках. Он прочитал отходную и вместе с врачом держал руку на ее пульсе, который все слабел и вскоре остановился. Но сама кончина очень трудна — он воочию наблюдал схватку смерти и жизни. Как я поняла, он видел что-то мистическое. Сказал, что целых три года были подарены ей после больницы, при выходе из которой ей обещали один месяц жизни.

Елена Семеновна, дорогая наша общая мама, молитесь Христу о нас, овцах вашего сына.

16 февраля

Недели две назад я шла по Москве, объятая страхом за Дашу, в ужасе перед новой реальной угрозой слепоты. И вдруг пришло принятие этих возможностей, полное доверие и покой. В этом полагании на Бога оказалась та точка опоры, от которой перевернулся для меня весь мир.

Дома я прочитала брошюрку «Духовное детство», оставленную приезжавшими к отцу католическими монахинями из «Братства младших сестер и братьев Иисусовых». В ней были прекрасно и свежо выражены те самые чувства и мысли, которые помогли мне побороть страх.

Отец Александр передал мне белый чайник и чашки его новопреставленной мамы, а с ними как бы часть ее функций: безотказно и гостеприимно всех привечать, кормить и поить.

Вчера был наш престольный праздник. Служил митрополит Крутицкий и Коломенский Ювеналий. Народу было битком, непривычная служба казалась театрализованной. После литургии в домике было устроено праздничное застолье с обильным возлиянием.

Через пять-шесть часов отец Александр зашел ко мне с несколькими прихожанами. За одиннадцать с лишним лет знакомства второй раз видела его под действием вина (впервые — на его именинах, когда над ним нависла угроза ареста). Он становится неотразимо милым, веселым, озорным. Внешне он сохраняет полное самообладание, просто раскрепощается его потребность любить и радоваться.

Стоя напротив шеренги из четырех мужчин, обнял меня, поглядел с нежностью, широко махнул в их сторону рукой и сказал:

— Их нет, они дематериализовались!

И действительно, возникло чувство близости, которое я тут же со своей трезвой головой перевела в шутку:

— Недурной способ обращаться с паствой — решает массу проблем.

— Вы думаете, главная проблема в том, чтобы паству аннигилировать?

— Ну, хотя бы временно и частично.

Прорвалась и на мгновенье блеснула одна из затаенных граней его богатой натуры.

26 июня

Я поняла секрет воздействия отца Александра на людей. Он всегда заряжен любовью. Как исповедник он знает нашу порочность, но, пренебрегая ею, обращается с нами как с любимыми и по сути своей святыми, и это создает вокруг него непередаваемо радостную и легкую атмосферу.

Наверно, человечески это бывает ему иногда трудно, но он почти постоянно на прямом проводе с Господом, и из этого Источника наполняется той самой любовью, которая так нужна и так дефицитна в мире.

Я бы думала, что такое чудо невозможно, если б у меня перед глазами на протяжении двенадцати лет не было отца Александра с его любовью к Богу и к нам.

Сейчас я только подумала об отце — и ощутила как бы некий приводной ремень, работающий между нами.

27 июня

Сегодня около двух часов читала Ингатия Лайолу, подаренного батюшкой, хотелось бы проделать эти духовные упражнения, пока он в отпуске.

2 июля

Позавчера исповедовалась. Отец Александр сказал:

— У вас есть все — взлеты, радость, восторг, все, что нужно, кроме одного: нет мира. Того мира, который дается свыше. Это очень высокое состояние. Молитесь о нем.

— Но какие усилия я сама должна делать, чтобы его обрести?

— Никаких. Это приходит как дар. Пусть хоть иногда, на мгновения, но очень важно его ощутить.

Вчера провела около трех часов наедине с отцом Александром. По пути на станцию обсуждали приходские дела, а в электричке он продолжал рассказывать мне свою жизнь. Это происходит уже в третий раз, все так же по пути к его дому, и каждый раз он рассказывает все подробнее и увлеченнее. Чувствуется, что никогда прежде этого не делал и ему самому интересно.

Шел проливной дождь, мы долго стояли под зонтами на дорожке недалеко от его дома, и он продолжал досказывать важный эпизод его внутренней биографии. Я очень рада такому доверию. Надо знать его обычную сдержанность, даже закрытость в том, что касается его личной жизни, чтобы оценить этот знак дружбы.

Я наполнена его воспоминаниями и сегодня начну их записывать. Жаль, что не записала немедленно первые два рассказа. Ну да ничего. Если что забуду, надеюсь, он не откажется напомнить.

Я ему не говорила ясно о намерении написать о нем книгу, когда-то только намекнула. Но он, возможно, догадывается.

Господи, да будет это во славу Твою. Ты сотворил этого удивительного человека, Твоего воина, пахаря, друга, — и да будет служить людям надеждой и светильником его образ, когда нас не станет.

Книга будет нужна и тем, кто его любит, и тем, кто будет изучать историю христианства в России, и тем, кто его не знает, но ищет Путь.

20 августа
Каждое лето тоска по Крыму, где я родилась и выросла, усиливается до навязчивости. Кроме того, скучаю по батюшке во время его отпуска.

Я знала, что, когда он отдыхает в Коктебеле, там проводит отпуск уйма его прихожан и просто знакомых, но сама всегда стеснялась ездить без приглашения.

В последний раз была в Крыму шесть лет назад — одновременно с ним — и поселилась с его и моей дочками совсем в другом месте, в Кастрополе.

И вот 8 июля он уехал, а через две недели обстоятельства сложились так, что я беспрепятственно, собравшись в один день, вылетела в Крым на самолете.

Это были две очень счастливые недели. Я не была в Коктебеле лет пятнадцать и, хотя сама сагитировала батюшку и его жену туда впервые поехать, даже забыла, насколько это прекрасное место!

Я отлично чувствовала себя, плавала, ходила в горы, добиралась до далекой Сердоликовой бухты. Общалась с Пастернаками, обрела новых знакомых. Почти ежедневно батюшка приглашал в гости, в путешествия, в кино...

31 августа

Дни предельно заполнены: храм, люди, беседы с отцом Александром, запись его рассказов. Он приносит мне свои детские и юношеские писания, переписку, главы начатого и брошенного романа из времени Диоклетиана.

Сколько ни узнаю его, все больше удивляюсь. Это гениально одаренный человек. Что я смущаюсь — просто гений.

И какой поразительной чистоты и внутренней красоты!

В одном из писем к Владимиру Леви он сказал о себе: «Если бывает мистика, повенчанная со здравомыслием, то это и есть моя жизнь» (цитирую по памяти). Я всегда и во всем ощущаю его богоизбранность и свободный, живой, естественный отклик на нее каждым дыханием.

Помоги мне, Господи, справиться с нелегким делом: правдиво и ясно передать людям облик этого апостола нашего времени.

Я знаю, как он одинок. Всегда на свету, на людях, открыт им — и все-таки одинок.

В Церкви почти нет единомышленников, в окружении нет даже приблизительно интеллектуально равных. Те, кому он мог бы открыть что-то личное, интимное, неизменно уходят. Столько людей добивались его дружбы, он отдавал им себя, но сокровенную свою глубину держал прочно закрытой.

К самой глубине и я доступа не имею, однако у него есть теперь желание делиться замыслами, мыслями, событиями текущей жизни.

Раньше на вопрос: «Ну, как вы жили эти дни, что делали?» — я нередко получала ответ: «Не помню». То есть он не мог сразу вычленить из потока дел, мыслей, событий, проносящихся за несколько дней, то, чем мог бы поделиться со мной.

А теперь все иначе. Вот позавчера он стал объяснять, почему не смог прийти.

— Ну, это ничего, я с миром жду, — отвечала я.

— Да я сам очень хотел прийти, никак не мог вырваться. Не подъедете ли со мной? Да? Тогда садитесь в машину (его ждало такси).

И с ходу сообщил, что задумал новую работу — словарь церковных и духовных терминов.

— Надоело, что все плавают в элементарных понятиях. Например, что такое духовник, что такое старец.

6 сентября

Когда только ему удается, отец Александр продолжает свои рассказы и приносит разные материалы. Например, записи о его развитии от года до двух лет, которые очень квалифицированно вела его тетушка. Поразительно, насколько ярко уже тогда проявлялись в нем черты, определяющие его характер и склонности!

Мы оба вдохновляемся и зажигаемся во время наших разговоров. Так, например, он рассказывает мне историю «Протоколов сионских мудрецов». Я говорю: об этом надо написать — и объясняю почему. А он через день уже приносит готовый текст. На следующий день возвращаю его в отредактированном виде.

Стоило попросить его написать, когда он читал главные книги своей жизни и когда писал свои, и уже при ближайшей встрече он принес список.

Сначала его слегка смущало внимание к его биографии, но я сказала, что любая судьба — это вертикальный срез исторических, социальных, культурных пластов, а в его судьбе особенно видно действие руки Божьей. На самом деле я его воспринимаю, ценю и люблю более всего как чудо Божиего творчества.

24 сентября

В Новой Деревне одновременно произошло два страшных несчастья — через два дома от меня муж зарубил топором жену и повесился, оставив двух детей школьного возраста. И в тот же день совсем неподалеку повесился молодой парень-алкоголик. Это случилось в отсутствие батюшки (священники служат у нас, чередуясь, по неделям). Отец С. запретил мне даже молиться о них в храме. Я все-таки усиленно молилась за несчастных и переживала ужасные вещи.

Я дала отцу Александру прочесть последние записи, связанные с двумя несчастными самоубийцами. Он читал, возвращался к каким-то местам, задавал вопросы. Потом сказал:

— Вы сделали все, что могли: сострадали, каялись, молились. Но вы правы, делать это мы действительно можем, лишь оставаясь на твердой почве. Взять на себя такие грехи в том смысле, в каком взял их Христос, нам не по силам, — слишком слабы, куда нам. А молиться в церкви можно о самых страшных грешниках. Этот вопрос изучался, и это, конечно, так. Запрет отпевать таких людей носит скорее педагогический, профилактический характер. Но это не первый случай, когда с молящимся за таких людей происходит нечто тяжелое. Вы правильно сделали, что вырулили на твердое основание. Сходить в их ад нам не нужно.

Я рассказала отцу Александру, какой мертвой, пустой оболочкой представилась мне душа убийцы-самоубийцы, когда я молилась о нем: если есть что спасти, спаси!

— Это и есть смерть вторая, — сказал он.

После разговора с батюшкой я сразу же восстановилась. Опять радость, энергия, свет пронизывают мое существование.

2 октября. День моего рождения

В воскресенье перегруженный донельзя отец Александр несколько раз передавал мне разные бумаги. В этом рассеянном состоянии вдруг вручил чудесную французскую книгу и еле слышно пробормотал: «A present». Я переспросила, он ответил, улыбаясь:

— Вы правильно расслышали.

То же было и в прошлом году перед днем рождения. Значит, при всей загруженности помнит.

11 октября

Даже неловко было на исповеди — сейчас такой период, что грехи приходится выискивать: вроде того, что не приютила привязавшуюся полубродячую собаку. Но мне все равно не разрешили бы хозяева дома.

Отец Александр все понял, сказал, чтобы я берегла это состояние, а жизнь моя действительно устроена так, что искушений мало.

23 октября

А вот вчера рассердилась на А.Р. Хоть словами и не выразила, но она должна была почувствовать. И сейчас зла на нее. Заболел отец Александр, приехал вчера с огромным трудом.

Надо понимать, — если он говорит: «Совсем плохо, еле держусь на ногах, это воспаление легких или плеврит, высокая температура, ничего не соображаю, надо лежать», — то это значит: опасность!

Я впервые в жизни слышу от него такие слова. Хоть он не раз болел, и даже воспалением легких, но все переносил на ногах, служил с высокой температурой и никогда не жаловался.

И вот я все это говорю А.Р. и прошу отложить обсуждение достаточно общих проблем, с которыми она приехала, но она идет на таран и битый час пристает к нему с вопросами. Поневоле плохо думаешь о таких христианах. Понял же другой человек ситуацию, спросил только, когда приехать, и ушел.

Но главное, чтобы батюшка вылежал и поправился. А он хочет завтра опять приехать — его черед служить.

12 ноября

Мир — вот название тому состоянию, которое я сейчас испытываю. Вот во что вылились поиски правильной позиции перед Тобой, Господи! Мир этот — Твой чистейший дар, нечто природно мне совершенно не свойственное.

И какое это дивное состояние! Покой этот динамичен, я ни минуты не остаюсь без дела. Рождают его абсолютное доверие к Тебе и Твое принятие этого доверия. Полная свобода от страхов, лихорадки, рывков. Жизнь стала очень плавной — как широкая река с мощным течением.

Не об этом ли состоянии говорил отец Александр, когда советовал мне молиться о даровании внутреннего мира?

14 ноября

Болею, лежу, редактирую «Таинство, Слово и образ», немного читаю — все с тем же миром в душе.

22 ноября

Переживаю кризис моего отношения к Русской Православной Церкви. Живя рядом с храмом, я на многое насмотрелась. Как только хватает сил у отца Александра!

— Разница между нами та, — сказал он мне позавчера, — что я живу без иллюзий. Я иду по пустыне, и если вдруг встретится крохотный живой росток, радуюсь и удивляюсь. И никаких видимых результатов не жду. А вы романтик.

Но ясно одно. Если бы РПЦ вообще никуда не годилась (а я этого не думаю!), даже и тогда строить сейчас в России можно только в ее рамках. Укрепи мою верность, Господи!

Я села за стол и написала все, что думаю о современной Церкви, об ее идеальном состоянии и вытекающих отсюда задачах. Они оказались те же: работать с людьми, подымая их духовный уровень, обращая их к евангельскому завету. Вот что получилось.

ЦЕРКОВЬ РЕАЛЬНАЯ

В настоящее время Церковь Христова далека от того образа, по которому она была создана.

Ее терзают разделения.

Она несвободна.

Учение Христа проповедуется преимущественно словом, а не делом.

Руководят ею иерархи, нередко служащие себе или властям в корыстных целях.

В РПЦ активные миряне не имеют возможности участвовать в церковной жизни.

Пастыри, как правило, этому не содействуют.

Отсутствуют все формы духовного просветления мирян, кроме проповедей священников на богослужении. Нет катехизации и духовной литературы.

Всякое творческое отношение к религиозным целям и проблемам пресекается в зародыше как в духовенстве, так и в миру. Церковь не осуществляет своей благотворительной миссии. Миряне ничем, кроме богослужения, не объединяются, и все формы объединения запрещены.

Монашество как институт фактически уничтожено, а сохранившиеся остатки служат целям карьеризма, либо являются государственным музеем для иностранцев, либо убежищем от служения миру (исключения подтверждают правило).

Все эти пороки Церкви Христовой не есть лишь порождение новейшего времени, а, как видно из Посланий апостолов и из писаний ранних отцов Церкви, были плевелами, посеянными врагом почти одновременно с пшеницей.

На протяжении двух тысячелетий на теле Церкви Христовой наросли полипы приспособленчества, карьеризма, корыстолюбия, лживости.

Сейчас я попробую представить себе идеальную структуру Церкви, а затем сформулировать для себя стоящие перед ней задачи с тем, чтобы найти свое место в Церкви.

ЦЕРКОВЬ ИДЕАЛЬНАЯ

Церковь полностью отделена от государства и независима от него.

Ее первичной основой является не иерархия, а община, объединяющаяся по разным признакам: территориальному, профессиональному, по общности религиозных интересов или форме служения и т.д.

Община устраивает свою церковь вместе с необходимыми помещениями для своих собраний и религиозной деятельности и избирает себе пастыря. Она может выдвинуть и лицо недуховное и направить его в семинарию или прямо к епископу для рукоположения, если это лицо достаточно подготовлено.

Община избирает также дьяконов, дьяконис, катехизаторов, ктиторов и т.д.

Община имеет добровольную кассу. Расходы определяются на общем собрании, перед которым отчитывается кассир.

Община живет творческим осуществлением заветов Христа. Признается свобода и за литургическим творчеством.

Наряду с традиционными формами могут существовать храмы с нововведениями (проповедью мирян и женщин, с богослужением в центре храма, с введением различной музыки, новых молитв и т.д.). Незыблем лишь Евхаристический канон.

Пастыри одной епархии избирают из своей среды епископа, рукополагаемого на срок. Он играет роль пастыря для священников.

Совет епископов данной территориальной единицы избирает из своей среды на срок архиепископа, исполняющего роль пастыря для епископов. Архиепископы сами избирают себе викариев для административной деятельности.

Совет архиепископов избирает на срок пастыря поместной Церкви — патриарха, а также административные коллегиальные органы с четко ограниченными функциями.

Поместные патриархи избирают на срок Вселенского Патриарха. При этом независимость поместных Церквей сохраняется.

Пастыри, епископы, архиепископы, патриарх могут быть женатыми или неженатыми, избираться как из мирян, так и из монахов.

Все эти саны есть не привилегия, а исключительно формы служения. Все члены Церкви от мирянина до патриарха равны. Пастыри живут личным трудом, община их не содержит. Епископы, архиепископы, патриархи получают скромное жалованье и не имеют никаких материальных преимуществ. Нормой для всех пастырских состояний, Вселенского Патриарха включая, является строгая умеренность в личном быту.

Наряду с массовыми общинными формами церковной жизни должны существовать:

    а) мирские ордена,

    б) монашеские ордена.

Мирские ордена существуют для людей, сознательно желающих служить Богу в миру. Уставы и призвания могут быть самыми разными. Могут существовать, например, миссионерские, проповеднические, харизматические ордена, ордена служения больным, одиноким, бедным, ордена подражания великим святым и т.д. Поощряются различные виды религиозного творчества, вытекающие из учения Христа. Наличие разнообразных мирских орденов в значительной мере устранило бы потребность в сектах, расширив формы и виды церковной жизни.

Члены орденов по желанию могут поселяться совместно, обобществлять имущество и т.д.

Руководство выборное.

Монашеские ордена существуют для людей, желающих посвятить себя аскезе и молитве, а также для желающих пройти школу аскезы, молитвы, духовного очищения и возрастания.

В монастыри принимаются все желающие, если они соблюдают устав, и на любой срок.

Существуют монастыри за счет личного труда монахов. У монастырей может быть «специализация» по различным аспектам духовной жизни.

Итак, исходя из этого, можно представить себе последовательные этапы приближения к этим далеким целям.

Необходимо развивать формы общинной жизни. Искать объединения, выбирать наставников, дьяконов, дьяконис, катехизаторов.

Учиться сообща и на деле исполнять заповеди Христа, вместе молиться, изучать Новый Завет.

Оказывать братскую помощь друг другу в любых трудностях.

Общины могут специализироваться на разных видах служения, просить о послании харизматических даров и т.п.

Члены общины участвуют в традиционной церковной жизни, но выносят ее и за стены храмов. Они деятельны, творчески активны, ищут новые формы служения. Основа пребывания в общине — согласие ее членов (первоначально достаточно трех человек) реально служить Христу и осуществлять такое служение совместно. Руководителем становится наиболее способный и ревностный. Он избирается на срок.

Таким образом вместо безгласной, безымянной, разобщенной и бесформенной массы верующих возникнут действенные «низы». Если верующие будут сплочены, они станут силой, составляющей основу истинной Церкви Христовой.

11 декабря

Сейчас тихое утро. Кончился снегопад, я одна в своем занесенном снегом доме.

Вчера здесь был отец Александр. Он полон мыслями о предстоящей книге об апостолах и говорил со мной о проблемах и концепциях. Уже составил план книги, работает над библиографией и написал первую рабочую страничку.

Я счастлива, что он обсуждает со мной книгу и при мне думает вслух. Так было, когда писались «Вестники Царства Божия». Трудно представить что-нибудь увлекательней, чем это вхождение в творческую лабораторию большого мыслителя, ученого, богослова, писателя.

Мы с ним собирались прогуляться пешком к станции, а потом я проводила бы его до дома. Но тут за ним приехали, чтобы везти его в Москву. Одеваясь, он медленно повторял:

— Терпение, терпение, терпение. Спокойствие и терпение.

— Сеанс аутотренинга? — спросила я с улыбкой.

— Да ведь поздно уже. Я рассчитывал приехать домой пораньше. И отоспаться надо.

Теперь я часто буду писать о нем ради будущих исследователей его жизни и творчества. И может быть, ради агиографии, кто знает? Через три недели двенадцать лет, как мы знакомы.

Год 1980

15 февраля. Сретенье

Не писала больше двух месяцев! Причин несколько. Болела, попала в больницу. Очень загружена была редактированием заново написанной книги отца Александра «Таинство, Слово, образ» о церковной жизни (на основе его старого труда «Небо на земле»). Делала переводы для его новой книги об апостолах. И наконец, непосредственное общение с ним. Никогда прежде мы так много не общались. Раньше надо было к нему пробиваться, теперь он сам проявляет инициативу. Отношения очень глубокие. Он как бы сделал меня свидетелем и соучастником своей жизни. Еще я стала учить его французскому — он занимается увлеченно.

В основном наше общение происходит по пути к его дому из деревни, чаще вечером. В конце всенощной я ловлю такси на шоссе, мы едем до станции, потом разговариваем или занимаемся французским в электричке. Еще минут десять медленно идем по дорожке и стоим на прощанье у поворота на короткую тропинку, ведущую к его дому.

Чем лучше его узнаю, тем больше изумляюсь. Прежде всего полноте и органичности жизни в Боге, естественности посвящения, открытости ко всему на свете, чистоте и терпению. Как будто в нем слились воедино две заповеди — о любви к Богу и к людям. При этом он прост, всегда весел, мужествен в самых трудных обстоятельствах и надежен, как скала. Дух его необычайно живой, творческий, подвижный. Он всегда новый, никогда не повторяется и все же неизменен.

Я догадываюсь, что он все делает во славу Божию и что он — Божий избранник.

Кроме того, я не встречала людей умней и одареннее. Правда, был еще Пастернак — они во многом похожи, — но такой самоотверженности, доступности, безотказного служения людям в Борисе Леонидовиче все же не было.

Религиозный гений — если такие бывают — вот что такое отец Александр.

Если бы я видела его пять минут в неделю, он уже насыщал бы меня мыслями, энергией, верой, светом. А я общаюсь много, часто — и просто погружена в богатство бытия.

Стараюсь быть полезной, практически почти все мое время отдается ему в помощь. Он служит Богу, я впрягаюсь в упряжку и тяну, сколько есть сил.

Но сейчас над его головой сгущаются тучи. Помимо общей мрачной обстановки, ему тайно роет яму настоятель. Человек это ничтожный и двуличный. Прячась за спиной регентши О. и хористки З., он побуждает их собирать по деревне подписи под клеветническими и глупыми обвинениями против отца Александра. Вроде того, что он хочет создать не то греческую, не то еврейскую церковь. Настоятель вступил в конфликт со старостой Ольгой Васильевной, поддерживающей батюшку, и убрал ее с помощью тех двух интриганок. А они поклялись вслед за старостой разделаться и с отцом Александром. Их ненависть к нему чисто сатанинского происхождения, для нее нет ни малейших реальных оснований.

12 февраля исполнилось 10 лет его служения в Новой Деревне. Эта дата была ознаменована собранием церковной «двадцатки», передавшей обязанности старосты ставленнице горисполкома. Кстати, она поразительно похожа на З., видимо, ее родственница. А З. ввели не только в состав «двадцатки», но и в ревизионную комиссию, в силу чего теперь она получила власть.

По просьбе отца Александра я сходила в соседнюю деревню Братовщину и навела справки в местной церкви.

Кажется, есть смысл перейти ему туда. Но для отца на первом месте воля Божия, и он решил ради паствы терпеть, пока не убедится, в чем эта воля. Боится, что там могут возникнуть новые препятствия в работе с людьми.

Терпение у него неимоверное. Недавно он заболел. У него — что-то вроде кисты, и она воспалилась. Боль была адская, температура поднялась под 40 градусов, а он служил и еще поехал в Москву на требы. Всю ночь горел, от боли не мог сомкнуть глаз и, чтоб не терять времени, работал над библиографией к новой книге.

Утром жена вызвала «скорую помощь», его увезли в загорскую больницу, вскрыли кисту, хотели оставить лечиться, а он ушел из больницы и один добрался домой. А на следующий день опять служил. Сказал, что не приедет, если только не сможет дойти до двери.

А кажется, нет человека мягче, нежнее, сострадательней. К другим, но не к себе.

18 февраля. Чистый понедельник

Вчера в Прощеное воскресенье испытывала нежелание просить прощения у настоятеля. Когда он читал проповедь, я мысленно обличала его в двуличии: говорит о любви, а сам копает под собрата. Молча поцеловала крест в его руке. А батюшке, который стоял с ним рядом, поклонилась в пояс, попросила у него прощения (он тоже попросил) и поцеловала ему руку, что делаю только дважды в году: в Прощеное воскресенье и в Страстную пятницу. Так он сам поставил дело с самого начала.

Если бы настоятель раскаялся и перестал поддерживать заклятых врагов отца Александра, я бы его охотно простила. Но так? Просить прощения за гадости, которые он делает самому светлому, терпеливому и самоотверженному своему собрату? Своим врагам легче простить.

28 февраля

Много общалась с отцом Александром. Навалилась работа: последний этап книги «Таинство, Слово, образ».

Переживаю искушение с А.Р., той самой, которая так бесцеремонно вела себя во время болезни отца Александра. Летом она много раз приходила в мой дом, когда там бывал отец Александр, со мной не здоровалась, не прощалась, в упор меня не замечала, ела, пила и уходила непременно с ним, хотя нуждающихся в его беседе всегда хватает.

И вот на днях он приглашает меня к себе и зовет А.Р. У нее в руках беловик книги «Таинство, Слово, образ». Оказывается, отец Александр включил ее в редакционную работу!

Я предложила: пусть А.Р. и Е.Б. работают без меня, у семи нянек дитя без глазу. Но отца это не устраивает. Говорит, что мы с ним делаем книгу, ее «фактуру», а они пусть занимаются внешним оформлением.

Позже отец Александр объяснил, что включил ее из жалости — из-за своего характера она несчастнейший человек, и, по его словам, ее заносчивость лишь маска. Они с мужем давно подали документы на выезд в Израиль, но им отказывают, и она на грани нервного срыва. А с ней и ему очень трудно.

Когда просмотрела отцовские поправки, которые А.Р. вписала в беловик, набралось восемь страниц ошибок (я их выписываю отдельно и потом согласовываю с батюшкой). У Е.Б. бывало гораздо меньше.

Но я хочу быть солидарной с отцом Александром в его трудах и заботах. Попытаюсь терпеть.

На исповеди батюшка сказал мне нечто чрезвычайно важное. Это было одно слово: равновесие. Равновесие между стремлением исполнять заповеди любви: с одной стороны, к Богу, с другой — к ближним. А это значит между молитвой и общением, созерцанием и деятельностью.

11 марта

В воскресенье 9-го отец Александр пришел минут на сорок, просмотрел мои соображения о приложениях к ТСО, почитал мой дневник. В этот день и утром на литургии, и вечером на пассии говорил потрясающие вдохновенные проповеди.

Провожая его домой, рассказала ему в вагоне о новом искушении. Во время всенощной с выносом креста как бы спала пелена с глаз и открылась вся условность, игрушечность церковных обрядов, искусственность годового цикла, который, буксуя на месте, совершает один и тот же круг каждый год. И возник протест: что я тут в деревне делаю, зачем так нелепо строю жизнь?!

Он говорил о византийском наследии в нашей церковной жизни, о ее статичности и пышности, перегруженности многим, что омертвело, и сравнивал с динамичностью Запада, идущего с современным сознанием в ногу и даже впереди его!

Этим он и объяснил мое искушение, а сомнения в правильности моего образа жизни счел следствием и от них отмахнулся.

Я еще сказала, что поначалу желание присутствовать как можно чаще на службах было непосредственным. Теперь же я хожу в церковь по привычке, даже тогда, когда не хочется, а это отнимает уйму времени и сил.

Он отвечал, что все же надо ходить, хоть ненадолго, это освящает остальную жизнь, вносит в ее однообразие иные интонации.

— И ведь все-таки каждый раз из богослужения что-то выносишь, — сказали мы оба в один голос.

— Я недостаточно умна, чтобы распорядиться собой с пользой для дела, — говорила я ему. — Вам иногда отдают деньги, чтобы вы употребили их на помощь нуждающимся. У меня денег нет, но есть время и силы, и я хочу отдать их вам, чтобы вы распорядились ими как лучше.

Он весь светился.

— Лады? — нарочито прозаично спросила я.

Он, улыбаясь, снова и снова клал свои руки одну поверх другой и не сразу ответил:

— Лады.

— Ну, а теперь давайте французским заниматься, — сказала я.

И опять мы стояли у его дома, и он делился со мной всем, что его сейчас волнует в связи с общей обстановкой.

Чуть не забыла записать. На днях, когда он был у меня, отец Александр сделал свое устное завещание на случай ареста или смерти.

В случае ареста никаких демонстраций, писем к Патриарху (письмо об узнике к узнику, сказал он), делать то, что реально может помочь, оставаться на своих местах и продолжать делать дело.

— Что бы меня порадовало, если бы я умер и оттуда следил за происходящим? Только одно: чтобы дело продолжалось.

21 апреля

Во вторник на Страстной, 1 апреля, отца Александра вызвали на Лубянку. Об этом никто, кроме домашних, не знал, потому что был неслужебный день, а вызов он получил только накануне. Он приехал в Новую Деревню с утра, почистил свой кабинет на случай обыска и бумаги, которые могли бы интересовать органы, в несколько приемов перенес ко мне.

Уходя на допрос, сделал распоряжения на тот случай, если не вернется, и попросил стать на молитву в три часа, когда ему было назначено явиться в КГБ. Через два часа он вдруг ясно представился мне сидящим на стуле перед письменным столом следователя. С двух сторон подошли и встали вплотную к нему два ангела. Мое молитвенное напряжение перешло в ликование и благодарность. В одиннадцатом часу вечера, как мы условились, я позвонила ему с переговорной в Пушкино. Он только что вернулся. Все действительно сошло благополучно.

Когда мы увиделись, он рассказал, как там все происходило. Угрозы со стороны следователя и опасность нарастали по восходящей, около пяти часов напряжение достигло высшей точки, а потом произошел непонятный поворот, ситуация вдруг разрядилась, допрос велся уже все спокойней, и наконец его отпустили. Но 17 апреля отца Александра снова вызывали на допрос.

1 мая

Только что закончила 25 страниц комментариев ко второй половине Деяний, к Посланию ап. Иакова и Первому Посланию ап. Петра, которые оставил мне отец Александр, уезжая в Смоленск на четыре дня. После напряженной работы гудит голова. Борюсь с тревогой. Даша впервые готовится поступать в университет, и нужны огромные деньги не только, чтобы содержать ее, но и на учителей. А тут в связи с летом кончаются уроки, да и сейчас их мало. На перевод для заработка не остается времени и сил из-за работы над комментариями. Редактирование легче сочетать с уроками, чем с переводом. Господи, пошли уроки!

29 мая

Каюсь, из-за безденежья опять думала о Москве. Но ведь и отдохнуть летом необходимо. Господи, помоги наладить заработок! Невозможно же брать деньги у отца Александра. Уже в третий раз за короткое время он дает мне немалые суммы из своего небогатого кармана.

30 мая

Сегодня ожидаю отца Александра. Это будет его первый приход после моего переезда на летнее местожительство и последний перед отъездом в отпуск. Помоги мне, Господи, ничем его не огорчить.

2 июня

Поезд с отцом Александром уже идет по моей родной крымской земле. В последние два дня перед отъездом мы провели по нескольку часов вместе. Опять он был свободен и очень откровенен со мной. Объяснил, почему особенно устал в этом году. Втянул меня в новую совместную с ним работу в необычном для нас жанре. Это перевод замечательного романа Грэма Грина «Сила и слава».

Уезжая, оставил набросанный им на скорую руку черновик перевода начальных глав. А сам на отдыхе будет переделывать комментарии к Новому Завету по моим замечаниям.

10 июня

Тихий день в уединении на даче. Переводила Грина. И вдруг перед открытыми глазами возникло море. Чистый песок, акварельные холмистые берега. Огромная тенистая маслина с седыми листьями на выходе с пляжа.

Почти безлюдно. Прозрачная синяя вода с холодными медузами. Отец Александр в темных очках сидит на песке, вытянув ноги к морю, откинувшись корпусом назад и опершись на свои крепкие загорелые руки. Смотрит вдаль. Потом встает, осторожно ступая босыми ногами, входит в воду и плывет брассом к рыбачьим сетям, развешанным между шестами. На песке остались сумка, купальное полотенце, серенькая рубашка, книга. Ощущение, что сама выкупалась в море.

Ладно, хватит! Наверно, он вспомнил и помолился обо мне, потому так ярко и вспыхнула эта картина.

Вдали прошел белый катер.

Нет, надо отключиться, это не дело. По голубой воде пляшут солнечные блестки. На кромке воды, как валки скошенной травы, лежат бурые водоросли. Волны лениво лижут гальку. Хватит же! Как я люблю мою родную землю! И так редко удается там бывать. Две недели прошлым летом, месяц — семь лет назад. Перед тем еще шесть лет перерыва...

12 июня

Сегодня закончила часть перевода, оставленную отцом Александром. Ты видишь, Господи, приходится все делать с кожей. Я посвящаю эту работу Тебе — дай способностей и терпения довести ее до конца, она нужна. Прости мне все мысленные укоры отцу Александру за его языковые промахи. Он взялся за почти непосильное ему дело. Но это Твое дело, а сделать его, кроме нас с ним, по-видимому, больше некому.

16 июля

2 июля вернулся из отпуска отец Александр — бодрый, веселый, отдохнувший. С ходу началось интенсивное общение и совместная работа.

В связи с арестом и публичным покаянием отца Дмитрия Дудко его приход практически развалился, и отец Александр остался единственным активным священником свободного, открытого направления. На него и на нас ложится ответственность за судьбу христианского возрождения российской интеллигенции.

Господи, дай ему простоту ребенка и мудрость змеи, помоги выполнить эту трудную миссию. Пошли хороших помощников и соратников. И мне дай сил и стойкости в этом служении Твоему делу.

В прошлую пятницу мы провели с отцом вместе шесть часов (нечто небывалое при его бюджете времени) и ни минуты не потратили зря. Обсуждали приходские дела, занимались переводом, французским. Он завалил меня редактурой. За два дня просмотрела сорок пять страниц правленных им по моим замечаниям комментариев к Деяниям и соборным посланиям, а еще лежит библиография к тому VI и предстоит кончать мой собственный перевод (для денег). Мне весело и хорошо жить такой насыщенной жизнью.

9 сентября

В четвертый раз перебралась в свой зимний дом.

Сделаны комментарии — огромная работа. Даже непонятно, как мы управились за такой срок.

15 сентября

Все эти дни походили на непрерывный бег. Сейчас пытаюсь отдышаться. 12-го были именины отца Александра. У меня устроили стол, весь день гости, несколько часов батюшка провел с нами.

7 октября

Вчера отец Александр был «подарочный» — домашний, неторопливый. Принес картошки, пообедал у меня, потом мы походили по продовольственным магазинам.

Рассказывал об одной вчерашней встрече. Умер биолог, с которым старшеклассником он ходил в кружок П.П.Смолина. Кажется, с тех пор и не виделись. С вдовой его он не был знаком, но она слышала об отце Александре и попросила его отслужить панихиду и устроить поминки.

Пришло человек пятнадцать коллег покойного, неверующих и батюшке не знакомых. В середине дня он отслужил для них в храме торжественную панихиду. Столик с «кануном» установил в царских вратах, потом сказал им речь. Поминки были устроены в церковном домике.

Его засыпали вопросами, и он подробно отвечал. О его неожиданном для многих переходе от охотоведения к священству среди коллег ходили всякие легенды, вроде того, что он теперь в золоте купается. Он даже изложил им свое кредо. Видимо, встреча эта была дня него важна, и он остался ею доволен. Хотя от него всегда идет свет и он заряжает людей чем-то высшим, но часто, при всей непринужденности поведения, в нем чувствуется напряженное волевое усилие. А вчера исчезло собранное самосознающее начало, он был сама естественность и простота.

27 октября

Идет редактирование (в последний раз) тома VI. В разгаре совместная с отцом работа над переводом Грина. Люди, люди, люди... Нередко приезжают целыми семьями.

Из-за отпуска настоятеля отец Александр весь месяц бывал тут почти ежедневно, и мы много общались.

Вчера, в воскресенье, с небывалой остротой ощутила любовь к России. Чувство это пронизано сильнейшей жалостью. Народ нравственно болен, пьет, погибает — и все же есть, несомненно, есть в нем нечто смиренновысокое, какая-то не сознающая себя святость рядом с этой ужасной деградацией.

В храме я вдруг почувствовала себя в православии как в хранилище драгоценных свойств русской души. Я испытываю живую, до слез, нежность к этим терпеливым невежественным крестьянкам, так тянущимся ко Христу.

Народ или погибнет, сопьется, развратится от бесперспективности, или же сохранит и взрастит нечто насущно необходимое для всего мира: смиренную жертвенную веру.

3 ноября

В субботу я провожала отца Александра домой. В электричке не оказалось свободных мест. Заниматься французским было невозможно, мы шутили, а потом он вдруг рассказал свой сон.

Ему очень редко снятся связные сны, а этот приснился дня за три, и он его запомнил.

— Сон символический. Настоящий «Сталкер», — сказал он, имея в виду фильм Тарковского, который смотрел с полгода назад. — Я пробираюсь по каким-то бесконечным коридорам, тону в болоте, лезу через зал, наполненный навозом, и так далее. Но конец хороший, победный. Я добираюсь куда-то, где стоит золотая статуя мальчика. Я что-то такое делаю, и он открывает глаза.

Дай Бог. Тем более что накануне он говорил, что потерял всякий интерес к еще не выпущенному тому VI и вообще к своим прежним писаниям.

— Быстро падает умственный уровень людей. Новое поколение неспособно читать толстые книги, как ни старайся я писать упрощенно. И в самом деле, зачем им знать, как думали и верили индусы, пробираться сквозь все эти дебри? Надо писать еще проще и гораздо короче.

— Но это очень трудно, если не в ущерб содержанию, — сказала я.

Он так посмотрел на меня, как если б я ему бросила перчатку, а он принял вызов.

5 декабря

После литургии ко мне пришла Н., пережившая ужасную смерть дочери. Рассказала, что три недели лежала в больнице. Вижу, передо мной совсем другой человек. Оказалось, за два дня до больницы получила ответ отца Александра на свое письмо. Ответ был суровый: «Вы должны сказать себе, что были недостойны того, что имели, и Бог у вас это отнял», — так она выразила суть его письма.

Сначала она расстроилась: мол, не понимает он меня. Но в больнице перечитывала это письмо ежедневно, думала и поняла его правоту и свои ошибки. И вышла с желанием измениться, служить людям, с доверием к Богу, с благодарностью к окружающим.

Мы с ней даже придумали для нее способ серьезно помогать отцу Александру в его литературной работе.

Вечером я провожала отца до Москвы. Рассказала о разговоре с Н. Про свое письмо ей он сказал:

— Я всякие подходы пробовал, ничего не получалось, и я решился на шоковый прием.

В поезде, переводя с французского, дурачились и даже, обсуждая бесконечные приходские дела, смеялись.

8 декабря

6 декабря на исповеди отец Александр говорил мне о справедливости, о том, что она непременно должна уравновешивать отношения. Иначе люди привыкают к жертвам, принимают их как должное, а им это неполезно.

— Если человек, едва с вами познакомившись, начинает относиться к вам восторженно, пылать любовью, будьте настороже. Тут что-то не то. Потому что нет оснований, и это несправедливо.

Я посетовала, что не хватает ума правильно строить отношения с людьми.

— Мудрость породила и веру, и надежду, и любовь, — сказал он. — А что ее не хватает, так об этом молитесь. Просите Бога дать вам мудрость.

Год 1981

23 января

Вчера батюшка пришел в полдесятого утра. Я поздравила его с днем рождения и весело сказала:

— За все свои злопыхания прошу прощения и беру их обратно.

— Конечно, годы идут, — отвечал он, — и я, наверно, сотни раз был сам виноват. Но не нарочно.

— Я знаю. Если б нарочно, меня бы тут не было.

Восстановились легкость и веселость, которые нормальны для наших отношений, и мы провели несколько часов в общении, насыщенном делами и обменом мыслями. Я поехала его провожать. В вагоне пришлось стоять, он делился проблемами, связанными с его новым большим трудом «Лики святых».

Я сказала, что отдала на машинку новую мою книгу по дневникам «И все продолжается...». Он отвечал, что мои книги накладывают на меня огромную ответственность: нужно им соответствовать. И рассказал про какой-то роман, в котором скульпторша сделала маску человека, изобразив его мистиком и пророком с тем, чтобы он подымался до этого образа. А он опускается все ниже и ниже. Маска висит у него на стене как страшный укор, он постоянно смотрит на нее, а сам идет ко дну. Веселенькая история!

5 февраля

Позавчера, во вторник, батюшка пришел в 9.30. Беседовал у меня с людьми, ушел на требы, вернулся, опять посидел, занимаясь всякими делами. Во все паузы я редактировала том VI. Пошла его провожать.

Он очень интересно говорил о Кюнге, книгу которого «Я христианин» только что перечитал. С Кюнгом он в основном не согласен, но тот будит его богословскую мысль. В поезде занимались французским.

27 февраля

Вчера были мои именины, но они выпали на четверг, в этот день службы у нас не полагается, да к тому же была неделя настоятеля (священники у нас сменяются по пятницам).

Я не спешила вставать, лежала и редактировала Тейара.

Вдруг звонок, глянула в окно — отец Александр! Почему-то настоятель попросил совершить за него отпевание.

Немножко поработали, потом он снова ненадолго зашел, мы прогулялись пешком до станции, я проводила его до дому.

В подарок по-свойски вручил четвертной [купюра в 25 рублей], чтобы купила что хочу.

28 февраля

Вчера весь день вращалась в орбите отца Александра. Работать нам пришлось мало, потому что приехали Пастернаки — старший сын поэта Евгений Борисович с женой Аленой. Практически они здесь не бывают.

Много лет назад отец Александр ездил со мной в Переделкино, дом нам показывал Е.Б., и они познакомились. После долгого перерыва знакомство возобновилось в 1979 году в Коктебеле: они оба жили на улице Победы напротив друг друга. Тогда по батюшкиной просьбе Е.Б. рассказал нашим прихожанам об отношениях Пастернака и Мандельштама и их переписке.

Отец Александр передал им через меня в подарок свои книги. Потом они приезжали на панихиду по Надежде Яковлевне Мандельштам.

И вот вчера приехали надолго. Принимал их отец Александр у меня, я всех кормила обедом, разговаривали, не торопясь.

Мне пришлось отказаться от предложения сотрудничать в работе над наследием Бориса Леонидовича. Что делать! Пока я завалена работой по горло, не знаю, как справиться.

Пастернакам здесь понравилось, но ездить регулярно, вероятно, не получится.

Рада, что стягиваются внешне разрозненные концы моей судьбы: Пастернак и отец Александр — ее решающие вехи.

Сегодня родительская суббота. Приедет немолодая супружеская чета, не так давно потерявшая единственного позднего ребенка: умер в девять лет от белокровия. Надо будет помочь, чем только можно.

А в свободные минуты будем пытаться работать над Грином.

5 марта

Итак, продолжаю летопись моих перенасыщенных дней. В субботу 28 февраля весь день люди. Познакомилась, в частности, с поэтессой Т.Ж. Днем на час приходил отец Александр — работали над Грином. Вечером продолжали.

В воскресенье после литургии поехали с ним в Москву. Всю дорогу, разложив на коленях бумаги, книгу, словарь, работали над Грином. Закончили намеченную порцию, когда такси остановилось у цели.

Мы были с батюшкой в гостях. Ему, естественно, задавали разные вопросы как священнику. Застолье продолжалось часа четыре. Затем он ушел, намереваясь посетить своего коллегу, а меня оставил.

В какое удивительное время мы живем! Выяснилось, что трое из гостей хотят креститься, другие — начать ходить в церковь. Засыпали вопросами — как и что, я просидела еще полтора часа.

Сегодня проснулась очень рано, взялась за редактирование Грина (за понедельник отец Александр успел перепечатать то, что мы с ним наработали — страниц двадцать плотного текста).

23 марта

Суббота. До литургии работа над Тейаром, а потом до всенощной люди. В доме все кипело: блины, чаепития, пришел отец Александр с целой программой для нас, закончившейся показом слайд-фильма. К всенощной разошлись, но кое-кто остался, и последний посетитель ушел в час ночи. Как он только доберется домой?

В воскресенье то же самое, только последние гости ушли пораньше — в десять вечера.

Что все это за разговоры и дела? Очень разные. С. плохо чувствует себя — разобрались в причинах нервного срыва, утешала, направила к знакомому врачу.

Н. рассказала, как ее обрабатывали пятидесятники. Объяснила ей, что к чему.

С.М. надолго пропал с горизонта, развел в своем кругу вредную партизанщину, надо было помочь наладиться.

Другая Н. собралась замуж за одержимого антропософа, который вдруг пожелал причаститься. Сложная, запутавшаяся душа. По просьбе Н. говорила с ним.

С членами нашего «общения» разговор шел о конкретных путях христианского преображения, наметили, с чего начинать.

В промежутках десятки более мелких дел: кому — инструкции на пост, с кем-то — о христианском воспитании детей, тому — поручить перевод нужной книжки или дать что-то почитать по волнующему его вопросу, с теми — организовать помощь отцу Александру.

В какие-то моменты требуется напряжение всех сил, и тогда я взываю о помощи к Небу.

30 марта

Количество дел и людей все возрастает. За три дня передала отцу Александру три памятные записки о текущих делах, каждая со многими пунктами.

В среду была А.С. Ее муж пьет, его изъяли из общения, пока не начнет лечиться. А он лечиться не стал, на всех обиделся и еще пуще запил. Я с ней долго говорила. Дома она его так накачала, что в воскресенье он приехал с твердым решением безотлагательно подшить ампулу. Причастился, сегодня, в понедельник, должен ехать к врачу.

У меня ощущение, что испытания, выпавшие нам в связи с уходом Х. к пятидесятникам, утроили и без того нечеловеческую энергию отца Александра, и он раскручивает все быстрее гигантское колесо духа, вовлекая в его вращение все новых людей, все новые сферы церковной жизни.

Я на периферии этого вращения изнемогаю от усталости (очень радостной, впрочем), а каково ему.

Вчера провожала его. Вылезши из такси, он улаживает шляпу на голове и рассеянно бормочет:

— Чего я ее надел? Ах, да, холодно. Не налезает почему-то.

— Это у вас за два дня голова распухла.

Он заразительно смеется:

— Очень даже может быть.

Вечером в субботу батюшка усадил меня в кухоньке церковной сторожки на три часа читать третий том воспоминаний Анатолия Эммануиловича Краснова-Левитина «В поисках Нового Града».

Это конец пятидесятых — шестидесятые годы, в числе действующих лиц полно знакомых. Несколько страниц посвящено отцу Александру. К сожалению, ошибка на ошибке. Мы с отцом хохотали над нелепостями (и бестактностями). Елена Семеновна у него почему-то занимается живописью, историк (на деле кончила филфак пединститута). Жена Наташа — блондинка (она очень темная шатенка), Григорьевна, когда она Федоровна.

Отец Александр делает попытку поступить в университет («Что я, дурак, чтобы лезть в такое скверное место», — усмехнулся батюшка), после «неудачи» едет в Иркутск поступать в Охотоведческий институт. А такого института никогда и не было: поступил в Пушно-меховой институт на охотоведческий факультет в Балашихе под Москвой, с третьего курса охотоведов перевели в Иркутский сельскохозяйственный институт.

С Глебом Якуниным, по Мануилычу, отец Александр познакомился в Иркутске, а на самом деле в электричке, возвращаясь в Москву после занятий в Балашихе.

«Шутя изучил иностранные языки» — в действительности читает лишь по-английски, в работе над Грином допускает много ошибок из-за недостаточного знания языка. Еще выучил иврит настолько, чтобы переводить со словарем Священное Писание. Французский начали с нуля, механически запоминать ничего не может, нашли единственный пригодный для него метод — переводить без словаря, сейчас переводим детские книжки.

Мануилыч пишет: «Круглый отличник». Математику и физику одолевал с трудом, одним упорством. Писать сколько-то грамотно (в смысле орфографии и пунктуации — стилист он прекрасный) выучился в процессе редактирования и после специальных занятий грамматикой с Е.Б.

Но самое смешное — «физкультурник». Отец Александр по конституции и образу жизни — рано располневший кабинетный ученый. Плавать научился лет в тридцать пять, уже на моей памяти, на лыжах до сих пор еле ходит. Правда, в студенческую пору хорошо стрелял на летних военных сборах.

После этого верь мемуаристам! А ведь Мануилыч знал его близко и много лет. Просто к старости память слабеет. Впрочем, ему сейчас нет и шестидесяти. Как хорошо, что я от самого батюшки многое о нем узнала и сразу записала!

Вчера при мне отца Александра спросили ребята, с которыми он беседовал:

— Откуда такая блестящая эрудиция в ваших книгах? Когда вы успели столько изучить?

Наверное, под впечатлением фантазий Мануилыча он ответил:

— Я никогда не был талантливым. Мне все давалось с трудом. Это упорство.

Ну, это его скромность. Я считаю его религиозным гением. Но и в других сферах одарен он феноменально. Интеллект (как и интуиция) потрясающий, память (только не бытовая, не на дела) редкостная. Наделен врожденной артистичностью, чувством юмора, прекрасно рисует, поет, одним-двумя мимическими движениями точно изображает в разговоре человека, которого почему-то не хочет называть. Огромная воля, организованность, быстрота реакции делают его день невероятно продуктивным. Он умеет ставить цели и с несокрушимой энергией их добивается. И все это в теснейшем взаимодействии с волей Божией, которую он познает мистически.

Вера в нем выражается в непрерывной самоотдаче. Надежда сочетается с терпением. Постоянная связь с Богом дает ему мир и уравновешенность. Верно угадал Мануилыч: при огромном разнообразии интересов и способностей ему присущи гармоничность и цельность натуры.

Характер легкий, хотя при глубоких отношениях с ним легко далеко не всегда. Он беспредельно открыт ко всем и ко всему, и вместе с тем что-то в нем из какого-то целомудрия почти непроницаемо замкнуто. О своей тайной мистической жизни никогда не говорит, только раз написал по моей просьбе несколько страниц, да и то очень сдержанно.

6 апреля

Кроме тех, кто ушел в пятидесятники, от нашего прихода и фактически от Церкви отпало еще человек десять из-за честолюбивого их лидера, пожелавшего подменить собой священника.

В.Н. собрал вокруг себя «головку» прихода, молодых интеллигентных мужчин. Эта группа стала переводить с английского католический катехизис. Ничего вроде страшного — я тоже переводила знаменитый «голландский катехизис» с немалой для себя пользой и никаких соблазнов не испытала. В.Н. перешел в католицизм и небезуспешно пытался увлечь за собой свою команду. Мы не раз обсуждали эту ситуацию с отцом Александром. Он объясняет поведение В.Н. «эдиповым комплексом» против духовного отца, то есть восстанием против его авторитета с целью занять его место.

Ответ на это событие — удвоенная энергия батюшки... Вчера после службы у меня было человек пятнадцать. За столом зачитала им письмо отца Александра по поводу общения с инославными. Беседовала с антропософом, причастившимся впервые в жизни. Пришедшему в упадок молодожену давала советы насчет половой жизни. Одним словом, кому что. Четверо еще сидели у меня, когда за мной заехал отец Александр и повез в Москву. Там его закидали вопросами, он отвечал на них в блестящей беседе. Из двадцати трех человек он знал всего четверых.

Как и прошлый раз, ушел, оставив меня с ними. Что за публика! Врач из лаборатории Спиркина ищет воду с прутиком. Бабуся-теософка пять лет слышит голоса, в мельчайших подробностях указывающие ей, как жить. Православная заведующая кафедрой в таком-то институте ходит в церковь, постится, при этом верит Нилусу и «Протоколам сионских мудрецов» и люто ненавидит евреев. Вопрос не праздный: отец Александр — еврей.

Зачитывали письмо с Филиппин о тамошних целителях и прочих чудотворцах. Передавали по рукам «Духовный маятник» — переведенную с английского книжку о том, как вместо оракула руководствоваться во всех вопросах обычным маятником.

Как трудно найти людям верные ориентиры в духовной жизни, по которой они изголодались за долгие десятилетия!

8 апреля

Господи, Ты приводишь меня в движение, как шестеренку, и ее зубья, вращаясь, захватывают все новые судьбы и тоже вовлекают их в работу. Я стала выдерживать немыслимые прежде нагрузки. Вчера даже отец Александр признался, что устал, и уехал домой в середине дня.

Сегодня разговаривала с журналистом, мечтающим эмигрировать [Марк Дейч]. Говорила, что негативными чувствами и идеями нельзя жить: надо что-то созидать. Он согласился, что отчасти все это — бегство от себя. Ему я навряд ли помогу, но пусть по крайней мере знает, что кроме бегства есть другие возможности.

13 апреля

Нагрузки все увеличиваются, но и сил все больше. Не могу вспомнить и половины дел и людей, проходящих через мой дом. Особенно насыщены последние дни недели.

В пятницу провожала отца Александра домой. Обсуждали приходские дела, снова говорили о переходе в католицизм группы наших прихожан во главе с В.Н. (которого батюшка в шутку называет «Кефировым»). «Кефиров» был доверенным лицом отца Александра, а кончил отпадением. Самостное желание быть во что бы то ни стало лидером в своем кругу приводит к отходу некоторых энергичных и способных людей не только от отца Александра, но иногда и от Церкви. Батюшка предельно деликатен, старается не давить, но честолюбцам рядом с ним неуютно — дорасти до его уровня не могут, а смириться с тем, что их дарования гораздо скромнее, не желают.

Рассказал, что давнее отпадение Ж.Б. началось с того, что тот стал превозносить Розанова, единственного, кажется, писателя, которого нутро отца Александра не принимает. Собирал его книги, изучал, писал о нем, всячески расхваливал. Очень захотел стать знаменитостью, а кончил отпадением и нравственным разложением. Потом таким же образом отпал еще целый ряд «персонажей». Теперь что-то в этом роде произошло с «Кефировым».

Бедный отец Александр! Трудно представить себе лучшего духовника. Полон любви, терпения, понимания. Открыт, доступен, самоотвержен. О широте взглядов, тонком знании человеческой природы, блестящем уме — и говорить нечего. Но, увы, велика слабость человеческая и сила самости, и дьявол нередко одерживает победы.

В воскресенье приехал молодой человек из той парапсихологической компании, где мы были неделю назад, привез какую-то девицу. Ничего не знают, даже Евангелия в руках не держали, так, смутно чувствуют что-то, девица чуть-чуть занималась йогой у платного (!) йога. В церковь ходить им рано. Послушала их, показала батюшкин слайд-фильм (смотрело человек двенадцать) и попрощалась.

Вечером провожала отца Александра. Он опять говорил о новоявленном католике. Видно, это его глубоко волнует, и притом он безмятежно весел и светел.

Отдала отцу Александру 45 страниц тома VI. Он поговаривает о возобновлении работы над Грином (сделана половина). Если говорить серьезно, редактуры еще на все лето.

7 мая

На Пасху ночью у меня толпился народ, ночевала жена батюшки. После литургии, которую в восемь утра служил отец Александр, ко мне ввалилось человек пятьдесят, если не больше. Пришел и батюшка. Праздник получился замечательно торжественный и светлый. Правда, за наши три стола садились разговляться в три смены. Но такой продуманной и подлинной Пасхи я просто не помню.

Когда народ в основном разошелся, пришла делегация из «певческого домика»* звать отца в гости. Он предложил им прийти ко мне. Заново накрыли стол, пели, играли на флейте и кларнете. Володя Ерохин под гитару исполнил «поэму», состоящую из его собственных стихов и музыки. Это продолжалось до шести вечера.

Убрав на скорую руку дом после пиршества, пошла звонить Н. Как сердце чувствовало! Сидит дома одна и плачет. Позвала ее, мы разговаривали с ней до пол-одиннадцатого.

На Светлой неделе я заболела, но оставалась на ногах. Провернула 200 страниц тома VI. Кончила!

Плохо чувствовал себя и отец Александр, в пост легко переносивший нечеловеческие нагрузки. Уже не первый год замечаю такое после Пасхи.

---

* Брат и сестра Ерохины снимали в деревне развалюшку. Там происходили спевки нового молодежного хора, организованного настоятелем. Позже церковь стала оплачивать это помещение, отсюда привившееся название «певческий домик».

А тут на него обрушился настоящий удар. Позавчера приехал отколовшийся от него «Кефиров». Встреча произошла при мне. «Кефиров» бросился отцу на шею, обнимал, целовал его. При мне он не говорил о причине своего возбужденного состояния, но я догадалась, что он принял сан католического священника. Но он же женат! «Кефиров» приехал на машине с зятем отца Александра, и они повезли совсем больного батюшку к нему домой. Как оказалось, «Кефиров» мурыжил его до позднего вечера. Хотел, чтобы он принял и благословил его отход, на что отец Александр, конечно, не согласился. В общем, разрыв оформился, поставили все точки над i.

Вчера отец неожиданно приехал служить: настоятель попросил заменить его. На нем лица не было: он еще и заснуть не мог после этого визита. Поехала его провожать. На вопрос, чем кончилась встреча, тяжело сказал: «Говорить об этом не хочется».

Но поезд отменили, мы долго сидели на платформе, и он разговорился.

Оказывается, «Кефиров» сказал, что отец на него «давил», и он принял это обвинение всерьез. Обвинял себя во многих сходных историях, размышлял о том, что должен изменить в своем поведении.

Я отвечала, что дело не в нем, он вовсе не давит, а в чувстве бессильной конкуренции с ним у его помощников — честолюбивых молодых мужчин. Уходят оттого, что подсознательно шли в Церковь самоутверждаться, а не служить.

Я впервые видела, как отец переживает кризис, как ему тяжело.

— Увы, безответственность в любых отношениях, вплоть до брачных, и стихия измены — все это от поисков своего, от самости. Это сатана действует через притязания, — говорила я. — Быть может, если и менять что-то, так это характер общения: не давать готовых ответов, а применять Сократову педагогику, заставлять собеседников самих находить ответ.

Бедный, бедный отец! Поистине его труд иногда граничит с мученичеством.

Господи, утешь его сегодня, сейчас! Вот он сидит над моими замечаниями к тому VI, всели в него новые силы, вдохни надежду. Дай и мне новое дыхание в этом строительстве, которое порой походит на бесконечный сизифов труд. Я хочу верить, что работа эта не бесплодна, что труд наш нужен, несмотря на отсутствие видимых результатов.

Дай мне, Господи, быть верной помощницей и утешением нашему пастырю. И пошли нам делателей стойких, верных, а главное, живущих горячей верой. Себя я могу упрекнуть в тысячах промахов, неумелости, нетерпении, но в чем отец-то виноват? Это чистое расточение себя людям, настоящее беззаветное служение плюс все необходимые качества. Но ведь и Тебя, Господи, гнали, а ученик не более Учителя. Что же он угрызает себя? Не дай ему замкнуться, потерять доверие к без конца предающим его (и Тебя!) людям.

Только теперь начинаю догадываться, как трудно, человечески непосильно быть истинным пастырем. Но не его силою, а Твоей, Господи. Твое же дело он делает! Так укрепи его, Боже!

20 мая

Отец Александр составил для своих прихожан анкету из 9-ти пунктов, а я предложила десятый.

Вот эта анкета.

1) Что мы делаем для того, чтобы осуществить жизнь по Евангелию в семье, с родными, соседями? Что это означает?

2) Как я проявляю свое христианство в профессиональной деятельности?

3) Как мы проявляем себя в качестве свидетелей Евангелия в социальных отношениях, на работе?

4) Наши социально-политические установки?

5) Соотношение Евангелия и творчества в моей и нашей жизни, в творческой и культурной деятельности?

6) Этика общественного места (можно ли брать без очереди?), христианская этика и культура.

7) Сфера отдачи (кроме семьи и профессии)?

8) Наше отношение к материальным благам? Нищета, бедность, христианская аскеза и отношение к собственности.

9) Правда и ложь. Всегда ли правда, когда правдивая информация? Подкрепить примерами из Евангелия.

10) Какой Вы хотите видеть общинную (церковную) жизнь и что готовы для этого сделать?

11 июня

Господи, дай мне сил молчать о моем трудном состоянии сейчас, когда придет отец Александр. Пусть с миром едет отдыхать. Он устал, измучен, паства его не радует. Одного вчерашнего визита гэбэшников достаточно, чтобы его пожалеть.

Тут пришел батюшка. Немного посидел, пошли пешком на станцию, ехали в электричке. В Семхозе ходили с ним на почту, потом к его дому. Времени для общения было много.

Говорил о своей усталости, о том, что ему все равно, где быть, ему уже ничего не нужно. Ехать в Коктебель он себя заставляет.

— Считайте, что я вам дал отпуск на месяц. Живите спокойно, снимите с себя ответственность за остальных. Это взрослые люди, их скоро хоронить надо, что их воспитывать!

Вот что он говорил о характерных чертах людей послесталинской эпохи: инфантилизм (от него большинство грехов), неспособность к самостоятельности, потребность в руководстве каждым шагом и вместе с тем неумение принимать это руководство, подчиняться.

— Не думайте, что это здесь такие собраны, — добавил он. — Но других нет. Будем работать с таким материалом, какой есть.

27 августа

Во время отпуска отца Александра имела четыре длительные беседы с настоятелем с целью смягчить его отношение к отцу Александру. Он мне дал прочесть сборник статей против отца Александра и «Протоколы сионских мудрецов», полученные им в Загорске.

В чем-то, кажется, удалось его убедить, но он человек весьма неустойчивый, поэтому я не рассчитываю на прочные результаты. Когда вернулся отец Александр, настоятель тут же ушел в отпуск.

Батюшка отдохнул физически хорошо, но душой — плохо. Уехал он с тяжелыми мыслями, и на отдыхе они его не отпускали.

Когда вернулся, его ждал вызов в Комитет по делам религий. Его местные враги (церковные люди!) накатали очередную «телегу», и в результате в Комитете ему запретили принимать людей в прицерковном домике.

Старая знакомая его мамы Мария Витальевна Тепнина сняла дом недалеко от церкви, а мне отказали хозяева моей зимней квартиры. Они обеспокоены слухами: в деревне говорят, что у меня собирается секта или что я содержу дом свиданий. Видимо, потрудились те самые люди, что выжили паству отца Александра из церковного домика.

Я спросила батюшку, не переехать ли мне в Москву. Он сказал, что дом Марии Витальевны временный, летний, а мой дом «необходим, как воздух». От таких слов отпали все сомнения, и я принялась искать новое жилье.

15 сентября

Готовлюсь к переезду на старую зимнюю квартиру. Поиски нового жилья не дали результата. Я постаралась успокоить свою хозяйку и с большим трудом убедила ее сдать мне дом на пятую зиму.

Пусть недоброжелатели отца Александра, распространяющие о нас дикие слухи, окажутся не в силах помешать мне помогать ему.

К старым сплетням прибавляются новые. Будто отец Александр украл в церкви иконы, переправил за границу и собирается туда бежать или будто здесь центр антиправительственного заговора. Одно в этих слухах верно: за домом действительно следят.

То, что напуганные хозяева пожелали выслушать мои объяснения и вняли им, — настоящее чудо.

5 октября

В мой день рождения ненадолго зашел батюшка, принес потрясающий подарок: «Послание Божественной любви малым душам», написанное бельгийкой по имени Маргарита. Это дневниковые записи ее диалогов с Тобой, Господи, в 1965— 1970 годах. Я поражена сходством бесед, которые Ты ведешь со мной, с тем, что Ты говорил ей. По временам читаю книгу, как свой дневник.

На книжке надпись: «Для ободрения и размышления».

6 октября

Уже две исповеди подряд со смущением признаюсь отцу Александру, что не знаю, в чем каяться. В начале исповеди отец Александр спросил:

— Что вас сейчас мучает?

— Пожалуй, одно: то, что ничего не мучает.

— Это нормально, — сказал он, — так в принципе и должно быть. Речь идет не о сознании неизменной греховности, а об отсутствии конкретных грехов под действием благодати. Это состояние надо беречь, а угрызаться и беспокоиться по его поводу не следует.

Не чудо ли наш батюшка! Я уже знаю по опыту, что это не мое свойство, а Твой дар, и стоит его отнять, я, увы, обнаружу, что нахожусь все в той же коросте грехов. И это тоже правильно, ибо оберегает от самомнения.

9 октября

Провожала батюшку. Состоялся очень интересный и важный разговор о смирении. К отцу недавно приезжал один видный врач и заявил, что в наших условиях лечить невозможно, поэтому надо эмигрировать. Это неправда, лечить, приносить пользу всегда можно. Все дело в притязаниях человека, в его преувеличенном мнении о своих возможностях.

— Я не верю в несостоявшихся людей, — сказал отец Александр. — Если ты сделал, что мог, значит, состоялся. Надо быть благодарным за возможность хоть что-то сделать.

Я поняла, что он говорит о себе. Это не часто бывает, и я попробовала вызвать его на откровенность:

— Какую трагедию вы могли бы развести из-за своей ситуации!

— У меня с самого начала были маленькие претензии к жизни.

— Да, но у вас большие способности, а как мало времени и условий для соответствующей им работы.

— Способности — это одно, а претензии к жизни — другое, и они у меня маленькие.

Тут я сказала, что у творческого человека всегда остается ощущение, что он сделал меньше, чем мог, это связано с тем, что у каждого есть некое превышение суммы способностей над его задачами. В творческом акте косвенно и мимолетно могут участвовать самые разные дарования, навыки, опыт человека. И это превышение лишь частично используемых способностей, некий «запас прочности» необходимы для успешной работы.

Мы с отцом Александром переводили статью Шураки. Там были поразительные слова: «Не Мессия не идет к нам, а мы не идем к Нему».

Батюшка делился своими соображениями по поводу предложенной ему работы: написать учебник по Ветхому Завету для Московской Духовной Академии. Мы не первый раз говорили об этом, я всячески уговаривала его согласиться, теперь он пишет введение и рассказывал о возникших проблемах.

10 октября

Позавчера отец Александр дал мне книжку, озаглавленную «Мистика Церкви (по сравнению с мистикой католической)». Она издана в 1914 году в Сергиевом Посаде. Основную часть книги составляют писания еп. Игнатия Брянчанинова.

Главная ее идея выражена в предисловии: «У «святых» Запада искажается «духовное делание», сказывается вывих в духовной жизни и дает себя знать иной дух... Ясно, что вселенское духовное предание, хранимое в Православии, там нарушено». Одним словом, западное христианство пронизано духом лжи.

Поносятся великие католические святые: Франциск Ассизский, Игнатий Лайола, Тереза Авильская и многие другие. Особый гнев автора вызывает книга Фомы Кемпийского «О подражании Христу». Подвергается нападкам воображение. «Не должно никогда... останавливаться на этих образах во время молитвы». Попавшие под эту «прелесть» впадают в ужасную гордость.

Мне глубоко чужд царящий в книге дух узости и ксенофобии, эта психология кулика, который признает лишь свое болото. Любовь к братьям заменяется высокомерным их осуждением, обогащение опыта — его намеренным оскудением.

Бедная Церковь наша! Сколько в ней косности, провинциальных комплексов, невежества. Бедный, бедный отец Александр, ухитряющийся служить Господу в дремучем лесу мракобесия.

И у него хватило отваги и мудрости не ограничивать меня, поверить истинности Его водительства и помочь в создании моей книги.

15 октября

Просматриваю введение к батюшкиному учебнику по Ветхому Завету. Если Духовная Академия примет, произойдет целая революция: это будет означать признание библейской критики. А пока там учат в том духе, что Моисей сам написал все Пятикнижие, а у книги пророка Исайи один автор.

Введение, видимо, рассмотрят на ученом совете, и от его решения зависит, будет ли отец Александр писать учебник.

27 ноября

Произошла неприятная история с киевской художницей И. В Киев поехал мой крестник В.Л., а я посоветовала ему познакомиться там с И. и моей крестницей М., дала для них духовные книги. И. же решила, что бедный наш В.Л. гэбэшник, попытавшийся проникнуть к ним в дом с целью разузнать про их связь с Новой Деревней. Ее сын Г. (тоже мой крестник) учится в Москве. И. запретила ему не только ездить в Новую Деревню, но и сообщать отцу Александру и мне о своих подозрениях.

А ведь сколько сил и времени она требовала у нас для себя! Этим летом, не спрашивая согласия, попросту поселилась с сыном у меня.

С чего бы такая паника? Вся их «вина» в том, что они ходят в церковь — не в Киеве, нет, а только в Новой Деревне — и читают кое-какие религиозные книги.

А дело в том, что семья И. стоит довольно высоко на социальной лестнице и богата, вот и затряслись.

К Г. специально по этому поводу срочно выехал дед с посланием от всей семьи, полном ужаса и строжайших инструкций. Дал прочесть письмо, тут же его сжег и уехал в Киев. Г. долго мучился, раздираемый страхами, привычкой слушаться родителей и желанием нас спасти. Вопреки запрету все-таки приехал — бледный, с трясущимися губами — и сообщил мне, что ГБ пользуется моим именем, а М., видимо, наводчица. Умолял, чтобы этот его единственный приезд в деревню остался для мамы тайной. Я попросила одну знакомую И. ее успокоить.

Но на душе тяжело. Ведь И. не одну меня предала, но и отца Александра, столько вложившего в нее с сыном, отказалась от его духовничества, отторгла Г. от духовного отца и крестной, оборвала эту единственную для них связь с Церковью. Кстати, сейчас она в Москве, но не пытается выяснить, в чем дело, или хотя бы предупредить нас об «опасности».

18 декабря

Вчера отец Александр лег в больницу на операцию. Господи, пошли ему хорошего хирурга, а хирургу точность и вдохновение!

24 декабря

Господи, войди в этот мир, где царит зло, и покрой Твоей рукой операционную, где сейчас оперируют отца Александра! Будь сам в этой комнате Царем-Исцелителем! Он нужен нам, он олицетворение силы и истинности Твоего учения, свеча, горящая во тьме и освещающая путь к Тебе.

Сейчас инструменты режут его тело, извлекают опухоль, перерезают нервы и сосуды. Благослови мозг и глаза хирурга, води Сам его руками.

Главное свершилось. Скоро отца Александра повезут в палату. Благодарю Тебя, Отче, Владыка и Источник жизни.

30 декабря

Слава Тебе, Боже, слава Тебе! Как дивно отозвался Ты на наши молитвы!

26 декабря я навестила батюшку в больнице. Я даже не застала его в палате! Он был на ногах, быстро и неутомимо ходил. Мы около часу гуляли с ним по коридору. Был весел, шутил, сказал, что совсем не чувствовал боли — ни во время операции, ни после нее, в тот же день встал и пошел звонить по телефону.

Пока я его ждала (он ходил на перевязку), соседи по палате говорили: «Это железный человек. Он совсем боли не чувствует. Ухаживает за всеми нами». Они после подобной операции с неделю не вставали с постели. На тумбочке у его кровати разложены были книги и листы бумаги.

Завтра вечером под Новый год отец Александр ждет меня в больнице. Я задумала устроить праздник для всей палаты. Но заболела, и, видимо, везти елку и подарки придется другому человеку.

Год 1982

4 января

Сегодня, кончив запись в дневнике, принялась хозяйничать на кухне. Мою посуду, и вдруг звонок.

— Не бойтесь, свои!

Гляжу, за стеклянной дверью террасы — батюшка! Глазам своим не верю. А это он едет из больницы домой в машине зятя, заехал в церковь узнать, нет ли на завтра треб — уже готов служить! — и завернул проведать, зная, что я больна.

Обычно я сдержанно веду себя с ним, а тут от радости бросилась его обнимать.

Очень доволен своим пребыванием в больнице: сосредоточился (на людях-то! — это значит, углубленно молился), продвинул учебник для Академии, пообщался с прихожанами. Помогли наши молитвы! Одно удовольствие получил от больницы!

Выражал восторг по поводу затеи с Новым годом, праздник для палаты удался на славу! Все носили новогодние медали, установили елку с самодельными игрушками. Мое озорное стихотворение он зачитал больным и прикрепил в коридоре к стенной газете.

Надеюсь, пригодилось и шампанское, и домашние пирожные «картошка», и все остальное, что доволок туда Андрей М. в огромном рюкзаке.

Хотя это и был блиц-визит, но батюшка успел сказать, что Бартелеми («Бог и Его образ», мой последний перевод) не справился с темой жертвы-замещения, проходящей красной нитью через оба Завета. Посмотрим, как справится он!

В общем, была радостная, подарочная встреча, ответ на наши горячие молитвы об отце Александре. Он живой, здоровый, посвежевший и отдохнувший — после операции и двух недель в больнице!

6 января

Рождественский Сочельник от литургии до всенощной батюшка провел у меня. Разговаривал с людьми, я лепила.

Художник Саша Юликов воспользовался ситуацией и стал рисовать отца Александра.

7 января

На Рождество после торжественной литургии устроили праздничный стол. Когда почти все разошлись, пришел батюшка и посидел с нами. Он совсем больной — сильно простужен.

10 января

Еще накануне отец Александр попросил взять к себе после службы врача из больницы, где его оперировали. Врач оказался живым, разговорчивым собеседником. Отца нам пришлось ждать до четырех часов: он, бедный, сидел с клиром, празднуя именины настоятеля.

Великолепные новости. Главная врагиня отца Александра певчая З. и регентша левого хора О. пошли на примирение. Они признались, что их враждебность (выражавшаяся прежде всего в доносах) была вызвана ревностью к прихожанам-москвичам. Они добились того, что батюшка не может беседовать со своими духовными детьми в прицерковном домике, посещаемость церкви сократилась, доходы упали. И они предложили мир. Кротость и терпение отца Александра и здесь принесли плоды.

Кстати, я молилась о певчей З., когда отец Александр был в больнице. Она шла к Чаше причащаться, а я с ужасом подумала: что она готовит своей душе! И стала молиться о ней ради нее самой, а не ради батюшки и мира в церкви. И тут такой поворот! Наверное, не я одна молилась. Отец Александр сказал, что он тоже так о ней молился.

12 января

С 10 утра до 16.30 у меня люди, которым назначил беседу отец Александр. Он разговаривал с ними поочередно за перегородкой. Лечила его. Он переносит грипп на ногах и совсем потерял голос. Поехала его провожать. Чтобы ему не говорить, переводила вслух статью из французского журнала о Синайских надписях.

13 января

После службы у меня остались А.З. и Т.Ж., оба профессиональные поэты. Пришел батюшка, сидел с нами, беседовал о литературе. Т. подарила ему только что вышедший «День поэзии», где помещены ее стихи, посвященные отцу Александру. Удивительно, как прошло посвящение с его инициалами: «А.В.М.»!

Завтра годовщина смерти Елены Семеновны. Поскольку завтра службы не будет, панихида и поминки предстоят сегодня.

14 января, вечер

После литургии молебен и панихида. Отец Александр замечательно говорил о маме, как о человеке заново родившемся в вере: «Бывает вера — рубашка, которую можно снять. А иногда она становится кожей, человек и вера образуют одно целое. Так произошло с мамой, она была человеком преображенным». Читали отрывки из ее воспоминаний, смотрели фильм о Моисее.

16 января

Были с отцом Александром в гостях. В седьмом часу уехали. За нами увязался С.К., хотел проводить немножко, но мы попали в поезд, который идет до Загорска без остановок. В электричке беседовали и переводили французскую статью о Послании Иакова.

На обратном пути до Пушкина утешала С.К., угрызавшегося из-за своей навязчивости.

18 января

После литургии пришла Р.Т. с просьбой помочь с переводом, еще кое-кто в надежде повидаться у меня с отцом Александром. Пришел и он. После всенощной провожала батюшку домой. Он рассказывал про воскресные события, обсуждали приходские дела.

Из больницы отец Александр вернулся с запасом обновленных сил, с новым энтузиазмом, стал мягче и сердечнее. Исчезли нотки горечи, разочарования, одиночества. Перед тем, казалось, он жил уже одной упрямой верностью, а теперь светится радостной любовью.

22 января

День рождения отца Александра. Устроили ему праздник. Подарили новый портфель, привезли угощенье и магнитофон с колонками. Прокрутили ему новые песенки Володи Е. в стереозаписи, хотя бард и сам тут присутствовал.

23 января

Это 13-я годовщина моего обращения. Поскольку в пятницу службы не было, то многие приехали поздравлять отца в субботу, 22-го еще и день рождения Марии Витальевны, которая заботится о его питании в присутственные дни с тех пор, как староста сняла отца с довольствия и рассчитала Марию Яковлевну, местную женщину, всегда выполнявшую эти функции. Празднество устроили в домике, который М.В. снимает неподалеку. После всенощной провожала отца Александра. Столько событий, что сорока минут в электричке не хватило на самое краткое их обсуждение.

24 января

У отца Александра умирает тесть, Федор Викторович. А ему еще непременно надо было в Москву. Он торопился и ко мне не заходил, позвал на минутку к себе.

Зачем я все это записываю — и притом так кратко и неинтересно? Чтобы когда-нибудь эти записи помогли мне вспомнить остальное, что остается между строк.

> Для того, чтобы сделать прерию,
> Нужна лишь пчелка да цветок клевера:
> Пчелка и клевер — их красота, —
> Да еще мечта.
> А если мало пчел и редки цветы,
> То довольно одной мечты.

Это из моей любимой поэтессы Эмили Дикинсон (в переводе Веры Николаевны Марковой).

28 января

24-го скончался Федор Викторович Григоренко.

Он был агрономом в совхозе Конкурсный. Там он получил 30 соток земли и построил деревянный дом. Жена его Ангелина Петровна до недавнего времени пела в лучшем церковном хоре Москвы (знаменитом Матвеевском) при церкви Всех скорбящих Радосте на Большой Ордынке.

Федор Викторович с женой жили внизу. В их чудесном саду больше всех трудилась Ангелина Петровна, раньше ей помогал муж, но потом здоровье его стало сдавать. Удивительное дело, но склероз дал ту же в точности картину, что и у отца Ангелины Петровны, дедуси, хотя они и не родственники. Федор Викторович убегал из дому, где-то плутал, несколько раз чуть не устроил пожар в доме, пришлось прятать все спички. Ангелина Петровна оставила работу в хоре, жизнь ее превратилась в мучение.

И вот он умер.

В это время отец Александр служил литургию. Предвидя, что тесть не переживет дня, он еще накануне дал указания родным, что делать, и поехал в Москву, где ему непременно надо было быть. Вернулся только к вечеру.

— Представляю, как вы себя чувствовали в Москве — как на иголках, должно быть, — ведь вы нужны были дома.

— Совсем нет. Все шло, как надо, и я не был нужен.

Родители у Наташи неверующие. Отец Александр отпел тестя дома. Во вторник его похоронили в Семхозе.

И вот в этих условиях батюшка еще ухитрялся работать над слайд-фильмом! Общался с пришедшими на поминки, а когда можно было, ненадолго уединялся и работал.

Вчера, 27-го, он служил, принимал людей, потом поехал в Москву. Сегодня ему предстоит приводить в порядок весь дом.

— Вы представляете, что там творится после похорон и поминок! Весь Семхоз был.

Федору Викторовичу уже исполнилось 80 лет, старческий маразм достиг апогея, и смерть его, объективно говоря, благо для него и для близких.

Я вообще заметила, что к смерти отец Александр относится легко, очень мужественно, даже к смерти самых любимых, мамы, например.

Он как будто всегда к ней готов. Саму смерть считает безобразным злом, тем, что подлежит отмене, и тем не менее и при смерти близких ровен, бодр и светел, как всегда. Тут особенно чувствуешь, что мужество его не от мира сего.

Вчера ненадолго зашел ко мне. Увидел журнал с пьесой об Эмили Дикинсон, сборники ее стихов на английском и на русском и заинтересовался. Он вообще всегда шныряет взором по книгам. В Москве, например, хотя знает содержимое моих шкафов наизусть, неизменно просматривает корешки книг, всегда что-нибудь вынет, полистает.

— Очередное искушение, — сказала я.

— В чем же?

— Вот, сидела Эмили в уединении, писала стихи. И я могла бы.

— А я вчера прочел об одном американском клоуне, который обучил всяким удивительным штукам морских львов. И я бы мог.

— Небось позавидовали клоуну?

— Нет, не позавидовал. Всего не охватишь.

Он дал мне понять, что то, чем я занимаюсь, важнее всяких стихов. И указал взглядом на людей, сидевших за столом.

Ушел, оставив чувство радости и благодарности Богу за мою судьбу. Искушения как не бывало.

9 февраля

После причащения 6 февраля испытала необычайный подъем и радость. Отец Александр, который мгновенно и бессознательно настраивается на чужие состояния, вовлекся в это веселье, и мы так шутили и острили, что окружающие заразились и тоже весело смеялись.

26 февраля

Вчера на исповеди сказала отцу Александру, что чувствую необходимость сократить активность.

— Покой и свобода, вот что вам нужно. Снимите с себя чувство ответственности за все и за вся.

Еще он советовал пассивно слушать людей: только воспринимать информацию. Часто человеку одно это и нужно. Важно прислушиваться к тому, что хочет сам человек. Вчера ездила с отцом Александром в гости.

16 марта

Совсем забросила дневник. С первого дня Великого Поста включилась, по совету батюшки, в молитвенные размышления на «Четыре сотни глав о любви» св. Максима Исповедника. К тому же на первой неделе много общалась с отцом Александром: четыре дня у него были службы утром и вечером, а день он проводил у меня. Народу было немного, он работал, я лепила.

Последнее время в чтении, работе и размышлениях постоянно натыкаюсь на тему свободы. Особенное впечатление произвела статья из американского журнала: «Jesus Was a Free Man» [«Иисус был свободным Человеком»].

В субботу ко мне зашел отец Александр. Никого не было, и я поделилась с ним своими мыслями.

— Попробуйте другие формы жизни и служения, но тогда я снимаю с себя ответственность!

А речь шла вовсе не о том. Мне нужно жить тут, и жить по собственному выбору и решению, не теряя свободы. Я понимаю: на фоне бесконечных измен и предательств ему показалось, что и я туда же.

Уходя, он сказал:

— Это чистой воды искушение.

Ночью я написала ему письмо. Не знаю, понял ли он его суть, или ему важен был только конец: «Моя жизнь здесь и есть мой собственный свободный выбор».

Прочитав, пришел ко мне веселым, ласковым. Мы были все время на людях, ни о чем не говорили. Лишь, уходя, полуобнял меня и, глядя в глаза, сказал:

— Ну, держитесь!

В этой истории он волновался гораздо больше меня. С одной стороны, жаль его, с другой, приятно: дорожит.

А у меня покой и чувство правоты: свобода — высший дар, и подчиняюсь я духовнику не слепо, а потому что у нас одна цель. Он поставлен руководить мною, но я свободна принимать или не принимать его руководство. Если б его указания вдруг вступили в противоречие с моей совестью, я бы отказалась их выполнять.

Но я бы хотела мира с ним и полного взаимопонимания. Вместе мы оба сильнее, чем порознь. А «вместе» это значит в согласии и доверии.

23 марта

Пережитый кризис принес неоценимые плоды. Я испытываю огромную радость от того, что *свободно* приняла мою жизнь в нынешней ее форме.

С отцом Александром мы больше не объяснялись. Просто в электричке, занимаясь французским, он перевел имя одного персонажа Baptiste как Креститель, я буркнула:

— Это переводить не обязательно, — и мы необоснованно долго смеялись по этому пустячному поводу, глядя друг другу в глаза, мирясь и радуясь восстановленному согласию.

26 апреля

Давно не писала, потому что до Пасхи ежедневно медитировала и записывала размышления. Закончила первую сотню глав о любви св. Максима Исповедника. Кроме того, редактирую учебник для Академии.

На шестой неделе Великого Поста по поручению батюшки ездила в Псков к отцу Сергию Желудкову. Требовалась его подпись под одним письмом. Милейший отец Сергий встревожился и тут же выехал в Москву, а я отправилась на один день в Псково-Печерский монастырь. У меня было рекомендательное письмо от отца Александра к отцу Иоанну Крестьянкину, его давнему доброму знакомому. Батюшка хотел, чтобы я с ним познакомилась. Увы, монастырское начальство контролирует общение отца Иоанна, и, несмотря на батюшкино письмо, я к нему не пробилась.

Монастырь фантастически красив, но как духовный центр мне не понравился. Правда, я там была слишком недолго, чтобы иметь право судить.

На Пасху у меня был народ почти целые сутки. После второй литургии, которую служил в восемь утра отец Александр, в дом набилось человек пятьдесят—шестьдесят. Рассадить всех не удалось, и мне с частью гостей пришлось разговляться стоя.

Под вопросом моя дальнейшая жизнь в деревне: отец Александр надеется на перевод, а куда, он и сам не знает. Настоятель создал здесь совершенно невыносимую обстановку.

27 июля

18 июля была на службе в Новой Деревне. Отец Александр предложил увидеться в пятницу 23-го. Это был требный день, он оказался свободен. Мы прогулялись, сходили в кино, в гости, я проводила его в Семхоз.

Он озабочен и невесел. Положение его в деревне по-прежнему трудно из-за настоятеля. Отец изменился за последнее время. Видимо, проходит трудный период. Очень резко отзывался о Е.Б.

— Эта работа ей нужна больше, чем мне, — говорил он. Вот и весь сказ.

Но все это не меняет главного: необходимости хранить верность Твоему, Господи, делу, которое Ты ведешь, невзирая на наши слабости и несовершенства.

29 июля

Вчера из Москвы ездила в Новую Деревню — исповедовалась и причащалась. На исповеди шел разговор о границе между достоинством и самолюбием.

Отец Александр сказал, что достоинство человека в одном: в том, что он «образ и подобие», а в остальном это низменное животное, захлестываемое неуправляемыми страстями.

— Достоинство перед кем? Что мы такое? — восклицал батюшка.

— Перед самой собой. Когда я не позволяю унижать себя, мне кажется, что я восстанавливаю некий порядок, сопротивляясь силам хаоса.

— Будем на эту тему медитировать, — сказал он. — Это трудный вопрос.

Исповедников набралось видимо-невидимо, и мне было неудобно, что он так долго занимается мною. Когда служба требовала его участия, он отходил от аналоя, возвращался и продолжал развивать эти мысли.

2 августа

Мы встретились с отцом Александром у Н. С полчаса разговаривали на кухне. Решили, что я поеду к отцу Станисласу. Он дал мне денег. Рассказывал о разных личных и приходских событиях, в том числе о появлении Ж.Б. Поэтому зашел разговор об изменах, и я заметила:

— Мне тоже иногда бывает невмоготу. Но что из этого?

— Когда бывает невмоготу, это означает усталость, надо брать отпуск, уезжать, отдыхать.

В связи с тем, что я собиралась в гости к католическому священнику, сказал:

— Мне самому, как вы знаете, близко католичество. Я мог бы устроить свою судьбу в нем, и даже вполне официально, сделал же это М. Но именно потому, что здесь так трудно и плохо, я не буду этого делать.

Батюшка всячески подчеркивал надежность и прочность наших отношений: дает мне свободу и отдых до осени.

Все, что происходит этим летом — три с лишним месяца «отпуска» от Новой Деревни и восстановленный в Москве дом, — это не произвол мой, а необходимость. Душа тоже имеет пределы перегрузок, и не считаться с этим нельзя. Возможно, в сентябре еще не потребуется возвращения: пока тепло, в деревне вполне могут функционировать те два дома, в которых сейчас встречается с паствой отец Александр. Но посмотрим, как сложится обстановка.

20 августа

Вернулась из поездки позавчера, а вчера была в деревне. В Москву ехала с отцом Александром. Решено, что возвращаюсь в деревню, но попытаюсь сохранить и московский дом. Для этого и там и тут надо набрать побольше уроков. Все обсудить не хватило времени: он спешил к людям, с которыми даже не был знаком. У них страшное горе: умер от рака тридцатипятилетний сын, очень талантливый, и они умоляли батюшку посетить их.

23 августа

Позавчера причащалась. Исповедь отец Александр начал с того, что стал говорить сам, чего почти никогда не делает. Сказал, что я отдыхала, путешествовала, это было необходимо и хорошо, но я оторвалась и выбилась из колеи. Предположил, что многое растеряла.

Когда дел стало слишком много, сказал батюшка, и он заметил, что суетится, он завел себе череп. Называет его Толиком. Толик всегда стоит у него на письменном столе. И вот когда в отце опять возникает спешка и суета, он смотрит на Толика, и все становится на свои места.

22 сентября

12 сентября ездила на именины отца. Молилась о нем в церкви, потом организовала непрерывный девятидневный молебен о мире между священниками в нашем храме (настоятель безобразно заедает отца Александра), а вечером была в гостях у него дома. Рвусь душой в деревню постоянно, но пока не позволяют обстоятельства.

15 ноября

Вчера после воскресной литургии настоятель потребовал, чтобы мы все остались на панихиду по Брежневу и непременно стояли с зажженными свечами.

Я осталась, почему бы не помолиться об умершем человеке, пусть и неверующем, но свечи не купила. Все это достаточно двусмысленно: если он был последовательным коммунистом, то такое действо счел бы возмутительным.

Елена Александровна, несмотря на мое нежелание, стала совать мне в руки зажженную свечку. Но я так и не взяла.

В воскресенье бесконечно долго гоняла чаи с людьми, ожидавшими отца Александра в моем новодеревенском доме. Он настоял, чтобы я поехала в Москву в тот дом, куда ехал и он. Попросил приехать в пятницу утром. Вечером в пятницу у меня уроки в Москве, в субботу утром снова надо в Новую Деревню. Господи, пошли смирения и терпения!

23 ноября

В субботу 20-го я рано встала (ночевала в Москве) и к началу службы была в храме. Молилось мне легко и радостно.

Отец Александр целый день принимал у меня гостей. После всенощной сунул в руку девятичастную просфору, сказал, что нес утром, но забыл отдать. Предупредил, что зайдет завтра.

Я взяла ему такси, но впервые не поехала провожать. Так устала, что легла в девять вечера.

Я обрела ту исходную позицию независимости, которая делает служение вольным и радостным.

25 ноября

Вчера исповедалась и причастилась. Мы продолжили разговор на тему, поднятую в исповеди, у меня дома. Он объяснил некоторые мои трудности особенностями моей ауры.

Я говорила, что аура от меня не зависит. И быть может, такой энергетический потенциал — это дар?

— Конечно, дар! Но им надо управлять!

Предложил сделать рисунок воздействия моей ауры на ауру окружающих. Я призналась, что давно переживаю кризис общения с людьми.

— Нет, общение ваше дело. Но вы не соизмеряете свою силу с их силой.

— Мне давно уже хочется отойти, уединиться. Я устала от неудач.

— Это пораженчество. И вы не выдержите.

— Ну, я бы компенсировалась творчеством. И я не одна была бы...

— Нет, нет. Научитесь управлять, и у вас все превосходно будет получаться.

— Но как, как?

— Готовых рецептов нет. Устраняйтесь, уменьшайтесь, старайтесь как можно меньше прикасаться. Вот тогда то немногое, что вы скажете, будет звучать авторитетно. Когда к вам приходят люди, дайте им чаю, немного пообщайтесь и отключайтесь: читайте, работайте, уходите гулять, наконец... Уменьшите дозы, и увидите, как отлично будет получаться.

— Я попробую.

Он весь просиял и благословил меня.

Сам он, я заметила, не держит в памяти проблем прихожан, прикасается к ним фрагментарно. Он не пытается решать их комплексно, а говорит с ними о том конкретном, с чем они приходят, и тут же забывает. А я держу всего человека в себе, и отец Александр часто прибегает к этому моему памятованию. Он, будучи священником, может сказать: «Я вообще значительно сократил общение и разговоры с отдельными людьми». А почему я не могу?

Я спросила, как он посмотрит, если я попробую научиться целительной молитве вместе с отцом Александром Борисовым.

— Надо пробовать, — отвечал он.

7 декабря

Рассказала отцу Александру о том, что пережила накануне поздним вечером на новодеревенском кладбище.

— Это лярвы, — сказал он. — Тут, конечно, не ад, а чистилище. Днем вы этого не ощущаете, потому что внимание рассеивается, а ночью обостряется восприимчивость.

— Я там поняла, почему над могилой надо непременно ставить крест: для защиты от темных сил, населяющих кладбища.

Он с этим согласился.

Год 1983

12 марта

Вчера мы так ладно, так дружно работали над переводом «Силы и славы» Грэма Грина! Отца Александра отрывали требы и люди, и все же мы неплохо потрудились. После всенощной поехала провожать его. Господи! Сохрани нам отца Александра! Времена тяжкие: обыски, изъятия духовной литературы, вызовы в ГБ. Внуши, Господи, властям достаточно мудрости, чтобы они не разрушали церковную основу народной нравственности. Ведь ничего, кроме умиротворения и просветления, людям, а значит, государству, Церковь не приносит. А какой мощный источник всяческого добра отец Александр, какая прочная нравственная опора для множества людей! Храни, Господи, Церковь Свою. Ты ведь сказал Отцу: «И «не погубил ни одного из тех, кого Ты дал Мне». Охрани, защити и укрепи Свой народ.

14 марта

Вчера отец Александр произнес необыкновенную проповедь о Страшном Суде. Он говорил о правде Божией, с которой несовместимы наша ложь и скверна, о том, что жить в близости Бога можно только лучшим из нас. Что останется, если уничтожить нашу тьму?

Он нашел прекрасный образ для Божия гнева, сравнивая его с извержением вулкана. Когда раскаленная лава встречает на своем пути озерца и болотца, они испаряются так быстро, что происходит взрыв. Так и наша скверна взрывается при приближении Божественной святости. Затем Господь и удалился, — говорил он, — чтобы не испепелить нас.

24 марта. Чистый четверг

После Великого Покаянного Канона св. Андрея Критского поехала провожать отца Александра. Он всю неделю сидит на сухоядении, сосредоточен, мягок. Чтением на пост взял того же св. Максима Исповедника, над которым медитирую и я.

Год 1985

Не вела дневник что-то около двух лет. В октябре 1983-го я переселилась в другой дом в Новой Деревне. Напуганные слежкой хозяева заломили такую цену, что пришлось отказаться от старого дома. Новая халупа оказалась холодной и щелявой. Приходилось денно и нощно топить печь, таскать из сарая дрова и брикет. Мне там было неприютно и тоскливо. Перед домом вечно торчала машина с гэбэшниками. Но отец Александр продолжал принимать у меня своих чад.

Еще летом у меня начались неприятности со здоровым правым глазом, а от бесчисленных ведер с золой и углем с ним случилась беда. Чтобы глаз окончательно не ослеп, срочно требовалась операция.

Это выяснилось 6 декабря 1983 года. Я осталась в Москве в ожидании очереди на операцию.

А 20 декабря отца Александра начали таскать в ГБ на допросы. Спрашивали его не раз и обо мне, он им отвечал: да, жила такая в Новой Деревне, но теперь не живет; пользовался ее гостеприимством, заходил чайку попить. Ему сказали: ну, так пусть больше не живет. Вот как все удивительно получилось. Когда надо было, Ты, Господи, с помощью левого глаза переселил меня на шесть с половиной плодотворных лет в Новую Деревню, а когда потребовалось перевести в Москву, сделал это с помощью правого глаза.

28 декабря меня успешно прооперировали. Батюшка причащал меня в Институте им. Гельмгольца, где я лежала. Через две недели меня выписали.

Пришлось заново налаживать жизнь в Москве. Понемногу стала редактировать. Пару раз в месяц часа на два-три приезжает батюшка. Сначала причащал меня дома, потом я стала ездить в Новую Деревню. Когда приезжаю, он старается пообщаться со мной побольше.

Трудно было перейти на этот режим. Но за годы в деревне у нас образовались качественно иные отношения, и они уже почти не зависят от плотности общения. Мы стали друзьями и соратниками на новом уровне взаимопонимания и согласия.

Как обычно, к лету очень устала и взяла на 9 мая билет на поезд в Евпаторию.

А 8 мая скоропостижно скончалась Елена Александровна. Это она привела меня к отцу Александру и пестовала в начальную пору церковной жизни. Я ей бесконечно многим обязана.

В последний раз видела ее 3 февраля этого года. По случаю пятидесятилетия отца Александра у меня был устроен грандиозный капустник. Елена Александровна была очень мила, мы ее одели цыганкой, она даже потанцевала и что-то доброе «нагадала» по руке отцу Александру и мне. И вот ее не стало.

Приехал отец Александр. Помолились у ее тела, а потом он отвернулся к иконам и долго не мог справиться со слезами.

Ее смерть была для него большим горем. Она была его самой давней прихожанкой, собственно, почти со времени рукоположения. Была очень деятельна, помогала уйме людей, писала иконы, публиковала статьи о церковной архитектуре и иконописи, о Владимире Соловьеве, составила статью об иконописи для многотомного Библиологического словаря, над которым работает отец Александр.

С ней кончилась целая эпоха в жизни нашего прихода. Ей было всего шестьдесят лет.

Я хотела сдать билет и остаться на похороны, но отец Александр настоял на том, чтобы я ехала отдыхать.

14 мая. Евпатория
Вчера послала письмо отцу Александру.

«Если представить себе человечество как единый организм, живущий тысячелетия, быть может, миллионы лет, — писала я, — то сейчас он похож на гигантского динозавра с очень маленькой головкой. Он не управляет желаниями, не знает цели, он глуп, он скот. Отдельные люди — обновляющиеся и отмирающие клетки этого чудовища. В каждом (и во мне, естественно, тоже) запечатлен его генетический код. И потому меня больше не интересуют гении — только святые, те, кто раскрыл в себе другой код — образа и подобия Божия, то есть истинные последователи Христа. Церковь, увы, пока более динозаврова, чем Христова. Обезображенное человечество и есть бездна Хаоса».

30 мая. Мисхор

Читаю по-французски «Мысли» Паскаля, четырехтомник которого отец Александр снял 8 мая с полки Елены Александровны и вручил мне. Первая глава «О необходимости знать веру» поразительно совпадает с тем, что я говорю начинающим на самых первых стадиях. Только у него точнее и стилистически лучше выражено. Сходство и смущает — Паскаль все-таки — и радует.

19 августа

Отец Александр проходит тяжкий искус. Кажется, что все эти годы он созидает приход не из Твоих верных, Господи, а из песка. Кто в католики, кто в пятидесятники, кто в адюльтеры. У него сплошные неприятности. Настоятель неотступно бдит, чтобы он не общался с паствой, а паства всеми правдами и неправдами пытается просочиться в церковный домик. Книги его больше печататься не будут: его вынудили дать в том расписку. Блистательный двухтомный учебник по Ветхому Завету, который он писал для Академии как магистерскую диссертацию, не прошел через ученый совет.

И вот он решил попытать счастья в Ленинградской Духовной Академии, защитить свой новый Библиологический словарь как диссертацию и стать там преподавателем Ветхого Завета, если на то будет Твоя святая воля. Он говорит так:

— Раньше я не позволял себе никаких мыслей о переменах в своей судьбе, потому что считал, что они (паства) без меня не могут. Но убедился, что и со мной они не могут.

Я подумала и решила, что он в своем праве. Тут его так зажали как богослова и как пастыря, что его огромные возможности не реализуются.

Я сказала, что тогда поеду в Ленинград. Он даже заплакал, бедный, притворился, что поперхнулся, а я притворилась, что этому поверила.

Написала ему большое письмо. Я говорила в нем о своей доле вины в происходящем. Но подтверждала его правоту в главном, писала, что, насколько знаю, так глубоко прав сейчас он один, а без гонений и мученичества такие дела не делаются. А уж где ему трудиться, в Москве или Ленинграде, Господь Сам усмотрит.

О чем же я буду молиться? Об исполнении в самом чистом виде Твоей воли об отце Александре, о приходе и обо мне. О том, чтобы мы с честью прошли все испытания и искушения и чтобы они обернулись к славе Твоей, Господи.

20 августа

Вот уже почти семнадцать лет, как я постоянно помогаю всем, чем могу, моему замечательному духовнику, верному, талантливому, энергичному Твоему служителю, Господи. А теперь мы оба как бы у разбитого корыта.

Многие предали его, еще больше — меня, но дело не в этом, а в том, что предают Тебя, Господи, Твой Завет. Не все, конечно, но большинство. Это трудно вместить. Трудно сохранять прежнюю открытость, доверие, благожелательность. Я не раз казнилась, считая себя во всем виноватой. Вина, конечно, есть, но не в слабостях и недостатках наших с отцом Александром дело.

Если уж пастырь мой страдает от видимой безрезультатности огромных непрестанных усилий на протяжении двадцати семи лет его служения, то что от меня ожидать?

Восхождения на Голгофу. Стояния у Креста. Stabat Mater. Чего Она хотела? Чтобы не напрасен был Крест! Чтобы дело Любви продолжалось — вопреки очевидному провалу, видимой безнадежности.

Вот и вся программа. Stabat Mater. Стоять, устоять, не очерстветь. Дарить людям ту самую Любовь. В этом моя вера, моя задача.

22 августа

Без моей воцерковленности, без духовника — я ничто. Это важная нить, соединяющая меня с Тобой, Господи. Как бы мне хотелось помочь ему в этих испытаниях, гораздо более трудных, чем допросы на Лубянке. Но тут я должна действовать только через молитву о нем и о нашем общем деле.

Год 1986

22 марта. Чистая суббота

Мой добрый и мудрый пастырь велел мне постом уйти в затвор. На первой, четвертой и седьмой неделе — в полный, а в остальные недели Великого Поста разрешил только самое необходимое общение.

Какое это благо! Я служу Тебе в уединении, и Ты делаешь мои труды плодотворными.

Отец поручил мне новую работу, которая не нарушает покоя, а насыщает его великими мыслями святых и духовных мыслителей о Тебе, Господи.

16 апреля

На Крестопоклонной неделе в двух номерах газеты «Труд» была опубликована огромная разносная статья против отца Александра, в которой его обливали грязью. Я лежала в постели с приступом ревматизма. Прочитав статью, заказала по телефону такси и на следующее утро поехала в наш храм.

Отец Александр исповедовал. Я подошла в числе последних и сказала, что приехала с тем, чтобы посвятить Евхаристический канон и причастие молитве о нем. Бедный! Было видно, как ему трудно и как он благодарен.

После службы мы погуляли вокруг храма. Я уговорила его показать мне объяснительную записку митрополиту Ювеналию и в Совет по делам религий. Взяла ее с собой и ушла к Н. Слава Господу, что Он мне это внушил! Записка требовала серьезной переделки. Отец так неудачно выразил мысль, что получалось, будто он признает правоту обвинителей. А тогда неминуемы арест, суд и срок.

Кроме того, как в давнишнем письме к Е.Н., был неверно взят тон, и в лице владыки батюшка обрел бы врага.

Перед всенощной зашла к нему. Была недолго, но убедила его в необходимости изменений, это было очень важно.

Осталась ночевать у Н., в воскресенье отстояла литургию в напряженной молитве за отца, затем зашла к нему за новым вариантом записки, который он написал ночью в Семхозе. Поправила ее и перед Пассией пришла с отредактированными листками. В кабинете у него были люди, поэтому мы поговорили две минуты в крохотной прихожей.

Наутро в понедельник он должен был явиться к владыке Ювеналию с объяснительной запиской по поводу этой статьи.

Наконец, часа через четыре после его визита к владыке мне сообщили, что все неплохо. Слава Тебе, Господи, что Ты слышишь наши молитвы и уберег его от беды!

В храме переворот. Новый настоятель сместил старосту, которая благоволит отцу Александру. Что теперь будет, неизвестно.

17 апреля

Отец Александр приезжал сегодня ко мне, побыл два часа. Подробно рассказал про визит к митрополиту. Объяснительная записка владыку удовлетворила, и он обещал, что все останется, как было.

6 мая. Светлый вторник

Всю Страстную неделю болела. В пятницу вызвала такси и отправилась на службу в Новую Деревню. Там объединили вынос и погребение Плащаницы, служили оба священника. В конце службы, когда я стояла в очереди к Плащанице, сквозь толпу народа ко мне подошел отец Александр, взял за руку, сказал только: «Пойдемте», — и увел из храма.

Он предложил прогуляться пешком до станции, потом проводила его на электричке до Семхоза.

Переночевала у Н. и наутро подошла к исповеди первой.

— SOS, — начала я и рассказала о пережитых искушениях.

Отец долго меня «откачивал». Говорил об искушении Церковью, о том, как трудно бывает его преодолевать. Сказал, что почему-то, — а впрочем, ясно, почему, — мне промыслительно не дается видеть результатов моих трудов. В общем, всячески меня укреплял.

Попросил прийти к двум часам, когда настоятель обещал сменить его за освящением куличей.

Мы стояли на клиросе за иконами, и он, отрываясь для освящения, продолжал говорить на тему моей исповеди.

Пришел настоятель, а отец Александр все не отпускал меня. Мы долго сидели на лавочке в церковном дворике, потом гуляли за оградой.

Вторая Пасхальная литургия прошла замечательно. Я была на Светлой заутрени, которую совершали оба священника, но там не было ничего подобного. Утром же на Пасху отец Александр служил с необычайным подъемом и радостью. Одних детей причащалось тридцать пять человек! Приехали и те прихожане, которые выбираются очень редко. Радостные лица, улыбки, светящиеся глаза. С великой силой единения пели все пасхальный тропарь и отвечали на возгласы батюшки: «Воистину воскресе!»

20 мая

В конце Светлой недели разные люди стали мне передавать от отца Александра, что на Радоницу его вызвали к начальству и что он будет мне звонить.

Действительно, позвонил и перед беседой с начальством, и после нее. Дождался меня на вокзале, я его проводила на электричке.

В четверг утром неожиданно позвонил снова: опять вдруг вызвали к начальству. Звонил он с вокзала, я предложила увидеться у Новодевичьего перед назначенной ему через час встречей, потому что пришли коекакие мысли по поводу его ситуации. Но я не успела, он был уже у владыки Ювеналия.

Через час вышел, почему-то в рясе, и мы гуляли по Новодевичьему, обстреливаемые взглядами любопытных. Конечно, тут же встретился знакомый ему священник, нам пришлось обедать втроем в грузинской харчевне на Арбате, потом ездили знакомиться к какому-то профессору-медику.

После этого говорить и думать о деле отец Александр уже не мог. Завтра еду к нему в Семхоз искать вместе с ним выход из щекотливого и опасного положения.

Запись о поездке в Семхоз 21 мая и о последующих событих в дневнике по понятным причинам отсутствует. Батюшка считал, что обыск у меня весьма вероятен, и велел убрать из дому все, что могло бы быть интересно для КГБ. Тем более ни к чему было писать о наших делах в дневнике.

Попробую восстановить события по памяти. Поездку к отцу 21 мая я помню очень детально, а вот в реконструкции последующих событий возможны неточности, все-таки прошло пять с половиной лет.

Первая объяснительная записка после статьи в «Труде», которая писалась для митрополита Ювеналия, владыку удовлетворила и вызвала в нем дружеские чувства к батюшке. Но цель-то у КГБ с самого начала была другая: арестовать и посадить отца Александра, а не удастся, так дискредитировать его в глазах верующей интеллигенции, как это было проделано с отцом Дмитрием Дудко.

Владыка вызвал батюшку и потребовал от него другую объяснительную записку с конкретными ответами по всем пунктам обвинений той страшной статьи.

Петля на шее батюшки затягивалась, владыка был не в силах сопротивляться давлению всемогущих органов.

Вот затем, чтобы написать ответ, и попросил меня отец Александр приехать к нему домой.

Был теплый весенний день. Мы сидели на нижней террасе, перед окном в сад стоял письменный стол с пишущей машинкой. Отец показал мне черновик своего ответа. Это была достойная отповедь обвинителям ни в чем не повинного человека.

— Это никуда не годится! — воскликнула я. — Вы что, сесть решили?

Преодолевая его сопротивление, я совершала над бедным батюшкой чудовищное насилие. Я страдала вместе с ним и требовала:

— Пишите: я глубоко сожалею.

— Я ни о чем не сожалею! Мне не в чем каяться, все это чушь собачья!

Временами у него вздувалась вена на лбу, весь красный, он кричал:

— Я не буду этого писать!

— Ну, если вы собираетесь помочь им посадить вас за решетку, пишите что хотите, тут я вам не помощница.

Я замолкала и молча шагала взад и вперед по террасе за его спиной. Наконец отец оглядывался.

— Что писать? Диктуйте.

— Пишите: я глубоко сожалею.

— Я это уже написал! Больше не буду!

— Еще несколько абзацев будут так начинаться!

Нет, в этом письме не было ничего унизительного для батюшки.

Я глубоко сожалею, что невольно дал повод к такому-то и такому-то ошибочному толкованию моих намерений, высказываний, поступков. Но обвинение в сношениях с Американской Автокефальной Православной Церковью мы решили начисто опровергнуть, рискнули даже отрицать участие отца во встрече с отцом Иоанном Мейендорфом на квартире у С.Бычкова. Ведь не мог КГБ предъявить суду фильмы, сделанные скрытой камерой, и записи подслушивающих устройств. Больше же у них ничего не было, а без свидетельских показаний процесс невозможен. Иностранных свидетелей не было в стране, а советских уже таскали, и они все отрицали.

Мы писали это письмо несколько часов. Владыка Ювеналий в высшей степени одобрил его, но в Совете потребовали изменений. Батюшка написал новый вариант и дал его мне.

Мы его обсудили, внесли поправки, и он поехал с этим письмом в Совет. Там с ним много часов беседовали «искусствоведы в штатском». Они потребовали еще покаянное письмо в «Труд». Это письмо мы тоже сочинили вместе.

Он сделал все, чтобы прекратить кампанию против него миром. Дальше отступать было нельзя.

Конечно, записка и письмо в «Труд» означали лишь краткую отсрочку ареста. Органы давно и планомерно продвигались к своей цели.

Но вернемся к дневнику.

В деревне сохранялся «карантин». Доступ в домик имела только Мария Витальевна и ее помощницы.

16 июня

Из всех сфер реальной приходской жизни и помощи батюшке для меня остались исповедь да редактирование Словаря. Он передает мне работу по кускам, я возвращаю ему через кого-нибудь и понятия не имею, что происходит дальше.

Вчера, вернувшись из недельной поездки на теплоходе по Волге, исповедалась у отца Александра, но поговорить с ним вне исповеди не удалось. Очередной кусок Словаря пришлось передать через помощницу Марии Витальевны.

21 июня

Позавчера мне позвонили: пытались узнать, чем закончился новый вызов отца Александра к начальству. Это могло быть очень серьезно: новый раунд после достигнутой договоренности, скорее всего, означал беду.

Я кинулась в деревню. Батюшка предложил проводить его после всенощной. Оказалось, это не его вызывали, а прихожанина, на чьей квартире происходила злополучная встреча. В электричке отец Александр с трудом собрался с мыслями и как-то вяло рассказал о своих передрягах.

Потом заговорил о специфике прихода. Из-за отдаленности храма сюда добираются люди, которых «припекло», часто психически неблагополучные, не сумевшие прижиться в Москве.

Посоветовал «не брать на грудь пациентов», т.е. сохранять дистанцию с приходящими за советом.

Как хорошо, что ничем его не огорчила, не нанесла ни малейшей лишней травмы. Господи! Храни его.

1 августа

На днях сказала батюшке, что обдумываю «Устав свободы», и он попросил показать его, когда напишу.

Я настаивала на необходимости для меня затвора.

А сегодня он читает мой «Устав». Очень надеюсь, что теперь все войдет в свои берега.

Вот основная часть «Устава». Опускаю обширную преамбулу, где излагаю свои размышления о свободе для воцерковленного человека.

УСТАВ СВОБОДЫ

Я ответственен только перед Богом. В своих действиях я руководствуюсь своей любовью к Нему. Мое глубинное «Я» согласно с Его волей и почитает ее своим высшим благом.

В каждое мгновение жизни я свободен следовать этой воле или отвергнуть ее.

Любая ситуация, в которой я оказываюсь, есть для меня вопрос Бога, обращенный ко мне: чего ты сейчас хочешь, каков твой выбор? Я отвечаю на этот вопрос, сознавая всю ответственность и помня, что ответ решает судьбу моей души.

Я знаю, что мой правильный ответ важен не только для меня, и лишь в этом смысле несу за него ответственность.

Формы моего действия в мире выбираю по согласию моей воли с Его волей. Я творю добро, потому что моя воля хочет этого. Делаю это для Него одного.

Я проверяю свою совесть, исходя из Евангелия. Только оно является для меня абсолютным критерием.

Бог — единственная моя Цель, от всего остального считаю себя свободным. Когда ощущаю свою связь с Ним, я совершенно свободен во всех своих действиях.

В периоды спада, сомнений или нечистоты воздерживаюсь от взаимоотношений с миром и ищу причины таких состояний прежде всего в утрате духовной свободы.

Я обращаюсь за помощью к Богу и, лишь освободившись от уз «мира сего», могу снова действовать в нем как свободный странник, которому никто ничем не обязан и который тоже не обязан ничем никому.

Участвую в жизни Церкви по велению сердца, а не по долговым обязательствам. В отношениях со всеми ее членами, иерархию включая, руководствуюсь только своей совестью.

Я сам выбираю, как мне «чтить день субботний»: участвуя ли в богослужении, в уединенной ли молитве, в чтении ли Писания, или в доброделании.

Стараюсь не прерывать молитвенной связи с Богом, которая может иметь различные формы, в выборе которых я остаюсь свободен.

Ритм причащения может быть разным в разные периоды жизни. Если таинство становится привычкой и сила его слабеет, я вправе сделать на время перерыв, пока не возникнет живая потребность. В периоды упадка можно причащаться как бы «против желания», руководствуясь желанием выбраться из такого состояния.

Порядок должен быть свободным, внутренним, а не внешним.

Я готовлю из себя чистый камень для строительства Церкви и в согласии с волей Бога решаю, как именно употребить мои возможности в этом созидании.

Буду следить за тем, чтобы живая вера не омертвевала в привычных формах и чтобы угождение Богу в людях не превращалось в человекоугодие или в самоугождение.

Буду, как зеницу ока, беречь духовную свободу, и да поможет мне Бог.

2 августа. Ильин день

Живу по «Уставу свободы». Помню, что уже делала подобную попытку обрести внутреннюю свободу. Но теперь дело серьезнее. Прежнюю жизнь я не выберу ни по форме, ни внутренне. В ней не должно быть долгосрочных обязательств.

3 августа

Сегодня в проповеди отец затронул темы «Устава». Говорил о свободе, даруемой познанием истины, и о нашем порабощении суетой и грехом. Как всегда, когда говорит в проповедях на темы наших бесед или моих дневниковых записей, нарочно не глядел на меня, повернулся всем корпусом в другую сторону. У креста спросил:

— Когда вы следующий раз здесь появитесь?

— Когда вам удобно, мне все равно.

Условились на субботу.

Посмотрим, что принесет суббота. Судя по проповеди, кое-какие идеи «Устава» пришлись ему по вкусу. Он, собственно, сам так чувствует.

По большому счету мне один Ты нужен, Господи. А это и есть свобода, которая не цель, а средство к возрастанию моей любви к Тебе. Спасибо!

11 августа

Сейчас ровно полдень. На этот час отец Александр вызван в Патриархию. Как он уверен, Патриархия — предлог, встреча предстоит с ГБ.

Господи, охрани батюшку от беды, и да выйдет он невредимым из этой схватки. Все святые, молите Бога о нем!

Позавчера, в субботу, я причастилась, а потом отец Александр попросил меня дождаться его в домике. Он молча вернул мне «Устав свободы». На мой вопрос ответил:

— А разве все не так и есть?

— Тогда можно его кое-кому показать?

— Нет, не стоит. Он все-таки очень личный. Я с великим трудом добиваюсь какого-то порядка, а предложить им свободу, будет развал и анархия.

Отец уже несколько месяцев — Боже, храни его, спаси и помилуй сейчас! — предлагает мне в сомолитвенники В.А. Я отвечала, что боюсь впасть в привычный для меня стереотип неправильных отношений: опять долгосрочные обязательства.

— Никаких долгосрочных обязательств! — воскликнул он живо.

— И мне лучше сменить окружение. В приходе у людей на меня выработалась определенная реакция.

— Это естественно. На родителей всегда восстают. От них берут безоглядно, не чувствуя никакой ответственности и потребности в отдаче. Я сам без конца с этим сталкиваюсь. И мне бывает горько и трудно. Но я не думаю о том, чтобы что-то менять.

— Вы другое дело. Вы несете за них ответственность перед Богом. Вам деваться некуда. А я впервые в жизни имею возможность осуществить свою свободу и независимость. Впервые никому ничего не должна, разве что помогать дочери, да и то материально.

Мысль о круге людей вне прихода ему не понравилась.

— Что вы будете с ними делать? Куда потом девать? А то, что на вас смотрят, как на родительницу, так в каком-то смысле ведь это верно.

— Да с какой стати? Вот, например, Г.А., она на год меня старше!

Матерь Божия, приди ему сейчас на помощь, помоги разрешиться этой встрече благополучно! Пусть этот вызов обернется к его благу. Например, пусть ему предложат написать что-нибудь к тысячелетию Крещения Руси. Укрепи и обрадуй его!

Без всяких моих вопросов отец Александр рассказывал о себе. Про интриги в храме, про вызов в Патриархию на сегодня. Сказал, что физически чувствует себя хорошо, кроме, — и указал на сердце.

— В фигуральном смысле или в прямом?

— В прямом.

И действительно, когда мы шли с ним в сторону станции, он вдруг спросил, нет ли у меня с собой валидола. Валидола не было. Он резко побледнел (вернее, посерел, потому что сейчас на нем коричневый загар), лоб покрылся испариной, он взялся за сердце. Я предложила ему присесть в тени, он отказался — уже недалеко до того дома, куда он шел.

— Когда вы снова появитесь? — спросил он.

— В четверг, на Воздвижение. Мы встретимся в храме с Г. и С. и, Бог даст, совершим паломничество в Радонеж.

Я сбегала в аптеку за валидолом и пустырником и принесла их в тот дом, где он находился. Ему было уже лучше. Будем надеяться, что это невротические спазмы сердца, а не стенокардия.

Св. великомученик Пантелеймон, поддержи сейчас его сердце и исцели его!

От встречи осталось такое впечатление: «Устав свободы» не вызывает возражений, но практически, как я и думала, ему не хочется особых изменений в моей жизни и деятельности. Он надеется, что освобождение будет внутренним, а внешне все останется, как было.

— Насчет конкретных форм моей жизни пусть Бог Сам решает, — сказала я.

— Пусть Бог решает, — эхом откликнулся он.

Отец Александр не виноват в тех трудностях, которые я испытываю, это мои проблемы. Он очень со мной терпелив.

24 августа

Расставаясь с батюшкой 9 августа, на его вопрос, когда опять появлюсь, я сказала: в четверг (то есть на первый Спас). Но резко испортилась погода, в четверг продолжался сильный дождь, и я не пошла в храм.

И вот стою на Преображение на литургии. Служит отец И., а отец Александр исповедует в приделе. Оттуда выходит С. и шепчет мне:

— Отец Александр волнуется, куда вы пропали, просил меня вас разыскать и узнать, в чем дело. Пойдите, покажитесь ему.

Этого делать я не стала: все-таки идет богослужение. Когда после Евангелия читали записки, я услышала его твердые шаги (он шел в алтарь помогать) и потом его тихий голос над ухом:

— Ну, слава Богу, что вы здесь. Я даже испугался.

— Все в порядке, — шепнула я и незаметно пожала ему руку.

По окончании службы договорились, что я подожду его в домике и вместе поедем в Москву.

Я сидела в кабинетике и ела яблоко. На секунду выглянула, чтобы выбросить огрызок. И, как на зло, в этот момент в проходную кухоньку вышел из другой двери настоятель. Я молча поклонилась, он молча ответил поклоном, но взгляд его был темнее тучи. Потом сразу же в кабинет явилась староста.

— Что вы тут делаете? Как вы сюда попали? И сидите тут без батюшки одна! — гневно допрашивала она.

Пришлось дважды повторить, что меня прислал отец Александр подождать его, потому что мы уедем вместе.

Едва отец Александр вошел в кабинет, как М.В. доложила ему про мой проступок. Он тут же ушел объясняться на другую половину дома.

— Я вас очень подвела? — спросила я, когда он вернулся.

— Нет, нисколько. Оба приходили искать меня независимо друг от друга.

Он ел, угощал меня и рассказывал о вызове в Патриархию. Вопреки мрачным ожиданиям батюшки, вызывал его владыка Ювеналий, а не ГБ, они беседовали несколько часов и даже обедали вместе, что является знаком особого расположения. Объяснил, что к чему. Благодарю Тебя, Боже, за дивный ответ на молитву!

Это на уровне чуда. Ювеналий становится покровителем отца Александра, а от него в судьбе батюшки многое (хотя и не все) зависит.

В Москву ехали вместе. Договорились встретиться 29 августа, а первого сентября он уходит в отпуск.

Впечатление от последней встречи такое, как я и ожидала после «Устава». Он делает все, чтобы вернуть отношения на старые рельсы, к тому же сейчас он старается не допускать текучки в приходе. Но моя твердость только пойдет нам обоим на пользу. Да и общаться с ним в прицерковном домике стало неприятно.

11 сентября

Я попросила перенести встречу на 27 августа. Когда мы остались одни, он сказал:

— Начнем с конца. Первого октября (т.е. в первый день после отпуска) я к вам приеду. Вы мне тогда расскажете свои соображения (о редактировании). И вообще думайте, экспериментируйте.

28 августа после службы зашла в кабинет за Словарем, над которым продолжаю работать.

21 сентября газета «Труд» вернулась к статье «Крест на совести» от 10 и 11 апреля. «Напомним, в этом материале шла речь о создании антисоветского подполья под прикрытием религии», «о том, как, действуя по указке Запада, определенные лица пытались создать для этой цели "подпольную Церковь"».

В новой статье приводился возмущенный отклик коллектива производственного объединения «Карбид» из казахстанского города Темиртау: «Наша страна их вырастила, дала им образование, а они продают все для нас святое за иностранные тряпки. Нет таким прощения!»

В центре статьи было покаяние Б.Развеева, отбывающего наказание.

Газета опубликовала также письмо в редакцию отца Александра:

«Сознаю, что, сам того не желая, допустил нарушения законодательства о культах. Так, некоторые мои незавершенные рукописи и магнитозаписи вышли из-под моего контроля и получили хождение. Мое общение с прихожанами храма, вопреки моим намерениям, привело к прискорбным для меня фактам. Некоторые из моих прихожан оказались виновными в противообщественных поступках или на грани нарушения закона. Считаю, что несу за них определенную моральную ответственность. Кроме того, публикация моих богословских работ в западном католическом издательстве "Жизнь с Богом" была использована западной прессой для причисления меня к "оппозиционерам". В настоящее время я более строго взвешиваю мои действия».

В этом письме, которое мы сочинили вместе, взвешено каждое слово. Оно никому не навредило, и ему самому тоже. Батюшка принимал на себя моральную ответственность за людей и за события, которые от него не зависели. Я-то знаю, как тяжело ему далось это письмо. Но он вовсе не рвался к мученическому венцу, его служение здесь, на месте, казалось ему важнее. Он прекрасно перенес бы заключение, оно его не пугало. Но он отвечал за свою обширную паству и ради нее должен был оставаться на месте.

«Искусствоведы в штатском» поставили ему письмо в газету «Труд» условием его свободы.

2 октября

Вчера у меня был отец Александр, недавно вернувшийся из отпуска. Ко дню рождения подарил две отличные книги. Был мил, никуда не спешил, провел у меня часа четыре. Возобновляет традицию: собирается бывать через вторник.

Год 1987

15 марта

Сколько всего произошло за то время, что не писала!

10 февраля, в день рождения Б.Л.Пастернака, прямо на его могиле сломала ногу. А 12 февраля состоялось заседание комиссии по его наследию. Приняты необыкновенные решения: печатать «Доктора Живаго», создать музей Пастернака, издать сборник воспоминаний о нем. Сейчас в двух толстых журналах читают мой «Портрет Бориса Пастернака» и записанные мной воспоминания его жены.

Я стала молиться за Горбачева: он делает невозможное!

Батюшка регулярно ко мне ездит. Он пережил невиданно тяжкий душевный кризис и был в этот период откровенен со мной.

Шли мы как-то с ним от церкви к дому С. В какую-то паузу в разговоре он обычным будничным тоном сказал:

— Душа моя скорбит смертельно.

Я не обратила внимания, он часто механически повторяет тексты, всплывающие в памяти, и разговор продолжался. А через несколько минут он повторил:

— Душа моя скорбит смертельно.

Тут уж я навострила уши и с тревогой на него посмотрела. И тогда, глядя мне в глаза, он сообщил мне уже как информацию к моему сведению:

— Душа моя скорбит смертельно.

Не в мыслях, а во всем моем существе прозвучало евангельское продолжение, просьба Христа к ученикам: «Побудьте здесь и бодрствуйте со Мной». Я ни о чем не спрашивала его.

Когда мы пришли к С., у которой был какой-то гость, я попросила их посидеть на кухне. Взяла батюшку за руку, подвела к иконам и стала горячо молиться о нем, взывая к Господу о помощи моему страдающему духовнику. Он тоже молился вслух.

А потом обнял меня, прижался и заплакал. Но быстро взял себя в руки, вытер платком лицо и пришел в обычную форму. Только был очень бледен.

У него были свои дела с С., и я ушла.

В следующие его службы я приезжала в храм молиться за него и тут же уезжала. Я ни о чем не расспрашивала, только интересовалась его состоянием. Сам по телефону сказал, что это личное, интимное. Часто звонил или приезжал. Я сохраняла сдержанность.

Вскоре у меня дома он подробно рассказал о том, что его так ужасно мучает. Рассказывал, стоя у окна спиной ко мне, и плакал. Я утешала, поддерживала, а главное — молилась.

Постепенно состояние невыносимости прошло, осталась в нем глубокая печаль. Это с ним было впервые в жизни.

Немилость властей к батюшке сменяется фавором. Владыка Ювеналий часто приглашает его, и они подолгу беседуют. Отец Александр делает разработки разных богословских проблем для Синода (например, о роли женщин в Церкви), а я их редактирую и перевожу для этой работы разные материалы. Батюшку будут публиковать в «Богословских трудах».

Все это представляется почти невероятным! Еще и году не прошло после статьи в «Труде», еще, кажется, совсем недавно мы с ним сочиняли покаянный ответ!

Продолжается работа над Словарем.

24 марта
Читаю выбранные для меня батюшкой на Великий Пост из «Добротолюбия» «Подвижнические наставления» святых отцов Варсануфия и Иоанна. Полно точнейших попаданий в яблочко. Очень многое прямо ко мне относится, проясняет трудные проблемы, например, отношение к грехам. Необходимо неприятие своего греха при сохранении любви и уважения к Божию образу и подобию в себе. То же и в отношении к чужим грехам, разумеется.

27 июня

Несмотря на обилие литературной работы и уроков продолжаю, как всегда, редактировать Словарь.

Отец Александр, бедный, ужасно вымотался, весь в людях и делах. С Пасхи он практически служит один, потому что настоятель сначала болел, а потом ушел в отпуск.

13 июля

Недавно в электричке завела с отцом разговор о том, что вера, увы, не преодолевает в человеке его эгоизма, и отец с горечью сказал, что работает в «мертвой системе», нашей современной РПЦ.

Вчера, на Петра и Павла, он служил в последний раз перед отпуском. Народу на исповедь пришло очень много, поэтому я была предельно кратка.

Попросила у батюшки прощения.

— За что? — воскликнул он.

— За то, что столько тяжелого идет от меня.

— Ну, что вы! Я переживаю все это вместе с вами, сострадаю вам, я ведь многое так же чувствую. Sancta indifferentia (святое равнодушие), — говорил он. — Sancta — страсть, indifferentia — высшая самоустраненность. Где-то между ними золотая середина.

— Этот высокий идеал не для меня. Просто я не так устроена.

— Все высокие идеалы недостижимы, а стремиться все-таки надо. Знаете что! Я вам разрешаю забыть все прошлое. Начнем с самого начала, вернемся к истокам: к вере, надежде, любви.

Он накрыл меня епитрахилью, а когда я отходила, удержал на минутку:

— В субботу нам не удалось увидеться. В три-четыре часа я приду к Павлу. Потом зайду к вам попрощаться.

У Павла собралось множество прихожан по случаю его именин и прощания с батюшкой перед его отпуском.

Наконец часов в семь вечера к моей даче на такси подъехал отец Александр. Я рассчитывала проводить его, но за забором осталось стоять трое других провожатых. Мы поговорили пять минут, он поцеловал меня, благословил и ушел, не оглядываясь.

30 октября

По переезде в Москву в конце августа была в Новой Деревне дважды: 12 и 13 сентября.

Накануне своих именин позвонил отец Александр. Просил срочно отредактировать его доклад для комиссии при Синоде. Это первое его официальное выступление, символ примирения с ним высшей иерархии и признание его как богослова. Договорились, что я приеду 12-го на службу, останусь в его кабинетике и к вечеру сделаю работу.

Гостей батюшка позвал на тринадцатое. Я не хотела ехать, но, когда он пригласил в третий раз, согласилась.

Гостей было видимо-невидимо, за столом для меня не нашлось места, никто не потеснился. Я шепнула отцу Александру на ухо:

— Давайте я поеду домой, я неважно себя чувствую. Я ведь здесь не нужна.

— Это было бы очень странно, — сказал он.

Я поднялась в отцов кабинет и села там в одиночестве читать «Огонек». Прошло довольно много времени, наконец батюшка привел туда гостей пить чай. Меня он взял за руку и отвел вниз.

Я молча сидела за разгромленным столом с полупустыми блюдами и грязными тарелками, за которым не было хозяина, а только несколько опоздавших, общавшихся между собой.

Перед уходом попрощалась с отцом Александром, он поблагодарил за проявленное терпение.

Еще раз мы встретились с ним в одном доме, хозяин которого недавно ездил в Канаду и созвал знакомых поделиться впечатлениями. Я отменила часть уроков, но отец Александр, без которого не начинали, опоздал на полтора часа, и мне вскоре пришлось уйти. Да и рассказы о тамошней богатой жизни не стоили затраченного времени.

В середине октября отец Александр по собственной инициативе приехал ко мне.

Уходя, посмотрел на свой незаконченный портрет и предложил продолжить. Условились о встрече через две недели, она уже состоялась. Был у меня четыре часа.

Он теперь в норме, следы кризиса исчезли. Прекрасно выглядит, хорошо себя чувствует, бодр, энергичен, жизнерадостен.

Рассказала ему об одной идее, связанной с внутрицерковной жизнью. Она касается обучения искусству молитвы. Он горячо одобрил ее и сказал, что пришлет двух руководителей общений, чтобы я посвятила их в свой замысел.

17 ноября

Позавчера звонил отец Александр, договаривался, что приедет через полторы недели вместо прошлой пятницы, когда не смог вырваться. Говорил, что хорошо бы мне появиться в Новой Деревне.

Еще намекнул, что если митрополит Питирим (возглавляющий Издательский отдел Патриархии) примет Словарь к публикации, придется его заново редактировать.

25 ноября

В 11 утра пришел отец Александр. Я его лепила, он смотрел мою правку Словаря, разговаривали.

И тут меня прорвало. Я обрисовала мою ситуацию в приходе. Я долго искала вину в себе, но, в общем, не нахожу. Да и была бы такая вина, мы ведь должны прощать друг друга и за смертные грехи.

Он удивлялся, не верил, говорил, что сам хочет посмотреть.

Я ему рассказала несколько особенно ярких эпизодов и заключила:

— Вот потому не ждите меня. И не огорчайтесь: баба с возу, кобыле легче.

Он меня обнял, сказал, что никуда я не денусь, но в общем он уже спешил.

— Я вам позвоню, когда буду в Москве, договоримся.

Год 1988

12 января

4 января вечером позвонил батюшка и пригласил меня на фильм Тарковского «Жертвоприношение». Весь фильм мы наперебой угадывали шедевры мировой живописи, на которых построены мизансцены. Оба были от фильма в восторге.

После фильма он сообщил, что приедет ко мне на второй день Рождества, а я ему сказала, что появлюсь на праздник в храме.

Поехала в Сочельник. Служил настоятель, и служба шла как-то буднично, вяловато, я уехала после помазания.

8 января отец Александр приехал с подарком — изданным в Туле сборником житий русских святых.

22 февраля

Два дня назад у меня был отец Александр. Рассказывал про Польшу, про тамошнюю замечательную церковную жизнь. Полно храмов и постоянно строят новые, на все вкусы. С лекториями, помещениями для катехизации детей, библиотеками. Специальные магазины торгуют духовной литературой, и все там есть: от отцов Церкви до современных богословов. Официальная религиозная периодика, да еще шестнадцать неофициальных журналов. Четыре богословских института, где, кстати, учатся и женщины. Храмы полны даже в будни. Формы церковной жизни разнообразны, идет творческий поиск — и все это открыто, беспрепятственно!

Контраст с нашими условиями произвел на отца Александра угнетающее впечатление, хотя за поляков он, конечно, рад.

На следующий день мы встретились на поэтическом вечере нашего прихожанина А.З. в крохотном зальчике красного уголка на улице Дмитрия Ульянова. Публика наполовину состояла из общих знакомых. Батюшка пришел позже меня и сел рядом. А.З. читал свои стихи — в непривычном духе гласности — в них ад нашей повседневности соседствует с жизнью духа. Мы изредка обменивались с отцом согласными замечаниями. После стихов все пошли пить чай в соседнее тесное помещение, я не смогла туда протиснуться. Батюшка вышел, взял меня за руку и провел к столу, отрезал мне кусок кекса, отдал свою чашку чаю.

Вчера я позвонила А.З. и наговорила ему много хорошего про его стихи. Он очень обрадовался. Как мы все нуждаемся в добром внимании друг к другу!

Странное дело, сейчас впервые чувствую себя старше батюшки и готова проявить терпение, чтобы помочь ему по-новому: отстраненностью и вместе с тем надежным дружелюбием.

13 марта

Вчера поехала причащаться в Новую Деревню.

На исповеди повинилась отцу Александру в том, что не выполнила его поручение (впервые в жизни): потеряла два листочка с текстом его писем, которые должна была перевести на английский и французский.

Обсуждали вопрос о прощении. Надо ли прощать тех, кто дурно поступает по отношению ко мне и в этом не раскаивается? Я молчу и тем пложу зло, потому что тогда повторяется все снова и снова. Ведь в Евангелии сказано, что если брат твой согрешает против тебя, обличи его, не послушает, обличи в присутствии брата, а если и тогда не послушает — обличи перед Церковью, не поможет и это — порви отношения.

— Ну, что ж, — отвечал он. — Почему бы вам не высказать свое огорчение, сохраняя доброе отношение к человеку и готовность ему помочь?.. Дело все в вас. Другие ведь не страдают так глобально от мирового зла.

— Я и сейчас готова с сочувствием, даже с благоговением и полной отдачей служить людям. Только горький опыт подсказывает: они предадут все то высокое, что возникает между нами.

— Я по-человечески тоже часто чувствую, как вы. Но действую не своей силой, — сказал он.

Он никак меня не отпускал, хотя время шло, а сзади стояла очередь исповедников. Отходил читать записки, прервал исповедь на время пресуществления и снова продолжал.

Я попросила отпустить меня, он отвечал, что все это слишком важно, и продолжал этот бесконечный разговор. Снова отошел, потом вернулся.

— Я не Господь Бог, чтобы это разрешить, — сказал он. — Нужно чудо. Только чудо может помочь.

Наконец накрыл меня епитрахилью, а когда я отходила, сказал, что приедет во вторник.

— Вы будете дома?

— Буду, — только и успела я сказать. Потом лишь сообразила, что как раз во вторник ко мне придет наше общение, где я наконец делаю с людьми то единственное, что нужно: сталкиваю нашу совесть с евангельскими заповедями и помогаю понять и преодолеть разрыв.

16 марта
Крестопоклонная неделя.

Вчера произошло что-то важное. Неожиданно для ребяток они встретились у меня с отцом.

Все получилось, как мне кажется, хорошо.

Провели вместе с батюшкой медитацию на Мф 18, 1-4: «В то время ученики приступили к Иисусу и сказали: кто больше в Царстве Небесном? Иисус, призвав дитя, поставил его посреди них и сказал: истинно говорю вам, если не обратитесь и не будете, как дети, не войдете в Царство Небесное. Итак, кто умалится, как это дитя, тот и больше в Царстве Небесном».

Ю. рассказал, что нового внесли в его жизнь наши встречи.

Отец Александр был очень всему рад, горячо молился, поддерживал, одобрял, во всем участвовал.

27 марта
Опять пришла порция Словаря на редактуру.

17 апреля
В Светлое Воскресенье была в Новой Деревне в восемь утра. Пасхальную литургию служил отец Александр. Было великое множество детишек, почти весь храм — знакомые.

Отец Александр сиял и искрился, таким я его давно не видела. Очень радовался детям — он их вообще нежно, даже страстно любит.

А во вторник с утра собрались у моих ребяток. Туда приехал отец Александр и по моей просьбе говорил о Воскресении и его месте в нашей вере и жизни. Говорил прекрасно, и мы в два магнитофона записали эту беседу.

В промежутках редактирую Словарь. Отец Александр практически его кончил. Мне осталось страниц сто пятьдесят — и все! Завершится работа в 2000 с лишним страниц!

30 апреля

Вчера звонил отец Александр. «Рвется ко мне, но не получается». Я улыбнулась:

— Не преувеличивайте.

— Правда, рвусь. Я соскучился.

18 июня

Завтра впервые в жизни пойду на собрание к пятидесятникам-«инициативникам». Отец давно настаивает, чтобы я у них побывала. После вечера в Институте нефтехимического синтеза ко мне подошла Л., которая там работает. Мы не виделись лет двенадцать, если не больше. Когда-то она была православной, ходила к нашему батюшке, а потом стала пятидесятницей. Я решила воспользоваться случаем и поговорила с ней об этом.

Свое желание побывать у них на собрании я объяснила так: мой опыт работы в малой Церкви привел меня к чему-то схожему с их жизнью. Речи нет о «переходе», но мне важно «понюхать воздух», посмотреть, чему можно у них поучиться.

В их общине я знаю человек пять-шесть, бывших батюшкиных прихожанок. Лучше бы пойти к незнакомым, но на незнакомых и не выйдешь, «инициативники» на нелегальном положении.

Иду я с открытой душой. Ведь там те же люди, наверно — те же проблемы. Я знаю, что в Православной Церкви реальная духовная жизнь конкретных мирян аморфна, незрела, буксует. Очень тяжелы мне безответственность в отношениях, равнодушие к судьбе и личности друг друга. Вообще теплохладность.

А лучше ли у них? И не платят ли они за это «лучше» утратой свободы? Но почему те, кто к ним перешел, у них и остались?

Ну, посмотрим.

20 июня

Вчера была на собрании пятидесятников. Впечатления неоднозначны.

С одной стороны, концентрированность веры много выше, чем в нашей Церкви. Все идет так живо, что по сравнению с ними наше стояние на богослужении кажется мертвенным и застылым. Молитва горячая, у многих со слезами. Есть энтузиазм, одухотворенность, это несомненно. Непривычны и проповеди, и отличное знание Слова Божия. Подкупает простота, отсутствие показухи, молилось с ними очень хорошо.

Один из братьев хоронил в этот день свою маму, часть общины была на похоронах, они приехали ближе к концу. Об этом брате молились несколько раз, чтобы Господь поддержал его и утешил.

Смутило лишь одно. На скамьях сидели только женщины, а все немногочисленные мужчины были в роли руководителей и проповедников. Женщина может только задать вопрос и помолиться вслух. За все три часа женщиной был задан лишь один вопрос, а два раза в общем гуле голосов (молятся вполголоса) возвышались со слезной мольбой женские голоса.

Шестерых женщин я там знаю, они раньше были в нашем приходе. Ушла я с одной из них. Шел дождь, и мы долго стояли с ней в подземном переходе. Восемь лет назад, оставшись одна, она пришла к пятидесятникам. Православные к ее беде отнеслись с равнодушием, друзья дома ее бросили. А у пятидесятников она нашла друзей, поддержку, реальную помощь. Есть над чем задуматься.

Кто у нас помог Даше, оставшейся с двумя малышами без средств к существованию? А ведь наш приход еще, может быть, самый лучший и живой участок РПЦ. Здесь хоть люди собираются, изучают Священное Писание, молятся вместе.

27 июня

Вчера, в воскресенье, отец Александр провел прекрасную общую исповедь на тему: вера, надежда, любовь. У аналоя я сказала, что мне нечего добавить к его словам: все выражено и названо. Как мы и уславливались, предложил дождаться его.

Прождала его на жаре более трех часов. Разговор про интервью в «Горизонте», которое я ему сосватала, перенес на следующее воскресенье.

Я спросила его про выступление в оппозиционном политическом клубе «Перестройка» в компании Дудко, Якунина, Борисова. Там раздавали листовки Народного Фронта с призывом участвовать в митинге на Пушкинской площади, который был разогнан милицией, а кое-кого арестовали. И вообще это была политическая акция.

Свое выступление на этом собрании он объяснил случайностью: не знал, что они там будут.

4 августа

Исповедь я начала с того, что, как мне кажется, я стараюсь творить добро, а встречаю или даже порождаю зло, и мне все больше хочется уйти в затвор.

На это последовала быстрая реплика отца Александра:

— А где же подвиг?

Он опять сказал, что если встречается с малейшим проблеском добра, то всегда поражается ему, как чуду. Сколько раз я это от него слышала, а только теперь дошло. Он видит мир лежащим во зле, для него это норма. А для меня зло не норма, а аномалия, и я на этом надрываюсь. У меня просто не хватило бы сил жить, как он. Все его упование в одном Боге, от людей он ничего не ждет.

Год 1989

23 февраля

13 и 14 февраля в Центральном Доме литераторов состоялись Вторые Пастернаковские чтения.

Мой долклад был назначен на 14-е. Уже на открытии 13-го заблистали первые зарницы, и я попросила отца Александра пойти со мной на мое выступление.

Едва я кончила доклад, как начался скандал. Одна литературная дама объявила дневниковые записи наших разговоров с Пастернаком поздней подделкой и вымыслом. Истории, мол, известны такие случаи, например, «Пушкинские дневники» Смирновой-Россет, придуманные, написанные и опубликованные ее дочерью. Поднялся шум.

Если бы не присутствие батюшки, непременно не выдержал бы и лопнул какой-нибудь сосуд.

Он был рад, что я ни словом не возразила на обвинения, сказал, что все время об этом молился.

Мы посидели с отцом Александром и другими знакомыми в кафе ЦДЛ, и он увез меня в деревню на всенощную под Сретенье. Я чувствовала себя совсем больной. Батюшка был добр и внимателен, а на всенощной мне полегчало.

11 июля

Живу на даче в Заветах, постепенно втягиваюсь в отдых.

В воскресенье 30 июня у креста условились с отцом Александром, что пообщаемся 6 июля на Владимирскую.

Я не готовилась причащаться, но, едва войдя в храм, пережила удивительное ощущение. От меня отвалилось все темное прошлое. Оно представилось мне длиннохвостым драконом, вгрызающимся в спину. И вдруг он отпал! Оказалось, что я нахожусь в солнечном летнем дне. Я одновременно и только родилась, и вместе с тем у меня зрелая душа. А прошлое — на деле это только светлая сильная волна, вынесшая меня в блаженное настоящее, которое воплощалось в игре со светом зеленой листвы за алтарным окном. А впереди ожидало будущее со Христом, Которому я полностью доверяю.

В храме были знакомые, в их числе крестники. И их, и отца Александра я видела обновленными глазами, воспринимала в них только лучшее.

31 августа

27-го, в воскресенье, проповедь батюшки была «сердцевинная»: о главном и насущном, очень сильная, простая, яркая.

У креста отец Александр сказал, что к часу должен подъехать редактор из «Знание—сила». Я осталась. Состоялось совещание, связанное с деятельностью «Культурного Возрождения» и организуемого в Москве «Независимого Теологического Института». В остальное время до середины всенощной под Успенье редактировала отличную статью батюшки о добре и зле для какого-то журнала.

30-го исповедовалась у отца Александра. Все было очень хорошо. Только бы удержаться в этом триедином состоянии веры, любви и смирения. Храм снова стал своим, родным, любимым.

У креста я сказала отцу Александру, что уезжаю с дачи в Москву. Он попросил дождаться его: ему надо было что-то мне сказать. Оказалось, хотел, чтобы я составила план журнала, который будет выходить как бюллетень «Культурного Возрождения».

Когда мы остались вдвоем в кабинетике, отец Александр предложил помолиться. Он благодарил за двадцать лет нашего с ним совместного труда и просил позволить нам послужить Богу вместе еще немного.

После службы проводила его в электричке до Семхоза.

Он, конечно, изменился. Сейчас он пользуется большой известностью, можно сказать, славой. Из-за его лекций спорят между собой клубы, журналы осаждают его просьбами о статьях и интервью. В отпуск в ноябре он едет в Италию и Францию встречаться с разными нужными людьми.

А на темной семхозской платформе, где мы стояли под зонтами (шел дождь), передо мной был усталый, одинокий человек. Он шел в дом, где полно людей, где всем что-то от него нужно, но он сам и его подвиг никому не интересны. Он устал от людской неблагодарности и эгоизма и ежедневно преодолевает горечь молитвой.

Чудовищное расписание его лекций, когда каждое воскресенье и все его субботы отец Александр после службы уже в два часа дня выступает в Москве, это самозащита: он признался, что не в силах сидеть и слушать часами одни и те же глупости. И не мне его судить.

30 сентября

В СП «Вся Москва» принят к изданию большой сборник. В него входят «Сын Человеческий» отца Александра, «Почему и я христианин» отца Сергия Желудкова, статья Бердяева и мои «Размышления на Нагорную проповедь». Отец Александр готовит четвертую редакцию «Сына Человеческого» и вносит туда изменения.

Вот такие удивительные дела! Это как разрешение от бремени после затянувшегося вынашивания.

Год 1990

8 февраля

5 февраля в Музее изобразительных искусств им. Пушкина состоялось открытие научной конференции, посвященной столетию Бориса Леонидовича. Уровень докладов мне понравился. Недругов моих на горизонте не было видно. Я подумала: почему бы мне не выступить, мой доклад включен в вечернюю программу 6 февраля. В значимости темы я была уверена. Смущало лишь одно обстоятельство: отец Александр не советовал выступать. Но мне показалось унизительным проявить трусость.

Короче, я рискнула. Доклад назывался: «Таинственный портрет в неоконченной пьесе Пастернака».

И конечно, получила положенное за непослушание. Какая-то дама подняла скандал, кричала, что, говорят, портрет плохой, неудачный. Он стоял на выставке «Мир Пастернака» всего лишь этажом выше, могла хотя бы посмотреть, а не с чужих слов говорить. Начался шум. Ведущая еле успокоила зал.

Я досидела до конца. А ночью почувствовала себя плохо: видимо, грипп. Температура 38,3. Слушаться надо батюшку!

18 февраля

Вчера после срыва пастернаковского мероприятия отец Александр позвонил в восемь вечера. Хочет все-таки провести этот вечер в Библиотеке иностранной литературы. Спросил, почему не приезжаю в Новую Деревню.

Я ему рассказала про свою последнюю поездку на Рождество. Мне очень нужно было поговорить с ним, и я приехала задолго до всенощной в Рождественский сочельник. А мне сказали, что отец Александр занят, и не пустили в домик. В январский мороз целый час сидела на дворе в ожидании батюшки и, окоченев, пошла в храм. Ради того, чтобы поговорить, переночевала в Пушкино. Исповедь из-за нехватки времени ограничилась наклонением головы под епитрахиль. У креста отец Александр спросил: «Все хорошо?» Я отрицательно покачала головой. Тем дело и кончилось. А в результате я заболела.

— Мне не говорили, что вы заходили в домик и ждали меня, — сказал он.

— Вот поэтому, не сговорившись заранее, я не буду приезжать.

— Лучше в будни, — сказал он, — по будням я там долго остаюсь. Вот скоро будет пост, я там буду по средам и пятницам.

26 февраля

Ну, вот. Не соскучишься! Позвонил Б.Е. и сообщил новость: отец Александр вдруг решил, что «Сын Человеческий» в СП «Вся Москва» должен выйти отдельной книгой, а не в сборнике вместе с трудом покойного его друга отца Сергия Желудкова и моими «Размышлениями». А Б.Е. уже заключил договор с издательством на сборник как составитель. Таким образом, выйдет книга отца, а мы с отцом Сергием, скорей всего, не будем изданы вообще: в отличие от «Сына Человеческого» наши труды коммерчески не выгодны для издательств.

12 марта

6 марта позвонил отец Александр и предложил приехать 10-го, в субботу. Никто, мол, не знает, что он утром служит, народу не будет, и мы сможем поговорить.

Народу, конечно, было полно. С недавнего времени отец Александр — настоятель, впервые после Алабина. Он усадил меня в своем новом настоятельском кабинете и принялся решать с людьми разные проблемы: интервью, статьи для журналов, публикацию Словаря, строительство крестильни и проч. и проч.

Наконец мы остались одни.

Он говорил, что в сердце у него ничего не переменилось, просто «такой период». Сказал: у него такое чувство, что ему мало осталось времени, и потому он спешит много сделать.

Попросил приехать в ближайшую пятницу.

19 марта

В пятницу отец Александр поводил меня по требам, а когда мы ненадолго остались одни, сразу заговорил о рабочих планах.

С сентября работает экспериментальный класс для верующих детей в московской школе, некоторые наши прихожане там преподают. Есть предложения открыть подобные классы при других школах. Но надо готовить педагогов, программы, разрабатывать методику. Он уже договорился о таком центре подготовки педагогов. Не хотела бы и я принять участие?

На 29 апреля назначил собрание с целью обсудить новые формы духовной деятельности, в том числе издательской. При новодеревенском храме будет строиться большое двухэтажное здание, где помимо крестильни с церковью будут помещения для воскресной школы, библиотеки, лекций, встреч и тому подобное.

Относительно изданий его книг сказал, что большая часть гонораров пойдет на новые начинания. Собирается оплатить из них и всю мою редакторскую работу.

Я говорила о том, что настало время профессионализации. Нужно, чтобы люди при необходимости могли оставить изматывающую светскую работу и перейти на духовную и при этом кормиться самим и содержать семью. Например, преподавателям воскресных школ могли бы платить родители учеников. Иначе никто ни за что отвечать не станет, будет хаос и дилетантство.

Поговорили о сборнике. Это С.Б. мутит воду. Батюшка легко внял доводам и согласился на издание сборника в том же составе.

Говорит, что к нему пришло много нового народу.

4 апреля

Отец Александр горячо увлечен возможностью выступлений, открывшейся вдруг после гонений, недоверия, изоляции на протяжении всей его жизни. Ему действительно есть что сказать людям. Как к еврею РПЦ относится к нему недоброжелательно, часто с открытой враждебностью. Ему не давали печататься и вообще пальцем пошевелить, и его огромные дарования были сжаты под прессом. Возможность открытой проповеди Христова учения — великое благо и для всех, кто его слушает, и для него тоже.

26 апреля

Создано Библейское общество, при нем будет выходить журнал, посвященный библеистике. Отец Александр хочет включить меня в штат редакции. Но библеистика меня не слишком интересует, это наука, а не живая жизнь.

Вот если б это был религиозный журнал широкого профиля, дело другое!

29 апреля отец Александр собирает свой приход в одном из московских клубов. Разговор пойдет о том, что мы можем сделать для Церкви в новых условиях ее жизни, когда перед ней открылись большие возможности.

Хочу выступить и попробовать найти единомышленников для создания «школы евангельской жизни». Сейчас, когда Церковь в моде, особенно опасно уйти в одну внешнюю, поверхностную деятельность.

27 мая

Даша ездила с ночевкой в Заветы — отдать залог за дачу и поговорить с отцом Александром, который только что вернулся из ФРГ. Привезла известие, что он собирается ко мне.

Мы принимали батюшку вместе с Дашей. Но сначала он предложил помолиться вдвоем перед иконами в маленькой комнате. Молился он горячо. Был такой родной, домашний, уютный. Рассказывал подробно о впечатлениях от поездки. Поразили его порядок и ухоженность каждого клочка земли в Германии, ограды и дома, всегда сверкающие свежайшей окраской, чего нет, по его словам, в других странах.

Рассказал, как без визы ездил в Брюссель и встречался с Ириной Михайловной Посновой и отцом Антонием, столько лет печатавшими его в издательстве «Жизнь с Богом».

Я его кормила на кухне жареной уткой. Чтобы не запачкался, подвязала ему вместо салфетки хорошенький фартучек, «слюнявчик», — смеялся он.

А через несколько дней он уезжал в отпуск в Италию, где поселилась его дочь Ляля с мужем и ребенком.

22 июля

Впервые после отпуска, проведенного в Италии, отец Александр служил на Петра и Павла, то есть 12 июля, а 15-го, в воскресенье, я поехала в наш храм.

Второй священник в отпуске, отец Александр служил один. Народу было много, поэтому он провел общую исповедь и объявил, чтобы просто подходили под разрешительную молитву.

У креста попросил дождаться его.

Пока ждала несколько часов, познакомилась с французским журналистом Ивом Аманом и поговорила с С.К.

Когда мы остались с отцом Александром наедине, он ввел меня в некоторые приходские проблемы и попросил подумать о материалах для первых номеров журнала Библейского общества.

В следующую затем пятницу мы более двух часов обсуждали вдвоем состав этих номеров, авторов, редколлегию и т.п. Составили дельный, достаточно реальный план. Это должен быть не бюллетень, как сначала намечалось, а именно тот религиозный журнал широкого профиля, о котором я говорила раньше отцу Александру.

Сегодня, в воскресенье, в храме оказались Т.Ж., которую я прочила в ведущие поэтической рубрики, А.Б., которому предполагалось поручить статью о библейской теме в кино, а сверх того живущий в Париже внук писателя Бориса Зайцева Петр Андреевич Соллогуб с семьей.

У креста я заручилась согласием отца Александра на переговоры с ними. Т.Ж. и А.Б. охотно согласились, а с

Соллогубом я обговорила уйму полезных дел. Во-первых, у Бориса Зайцева множество неопубликованных работ и П.А. посмотрит, нет ли статей на нужные нам темы. Во-вторых, поговорит с сыном отца Александра Ельчанинова о возможности печатать «Записки» его отца без копирайта. В-третьих, он дал адрес отца Алексея Князева, ректора Православного Богословского института в Париже, и я напишу ему письмо с просьбой содействовать нашему журналу.

А жена его оказалась племянницей Софьи Куломзиной, автора прекрасных книг по религиозному воспитанию детей, и обещала связаться с теткой на предмет безвозмездного использования ее книг для воскресных школ и издания их у нас.

В-пятых, они обещали прислать нужные журналы и книги.

Отец сказал, что на издаваемых его книгах будет стоять мое имя как редактора, чтобы я получала за проделанную работу. Тогда мне можно будет давать меньше уроков и больше времени посвящать церковной работе.

Наверно, в этом журнале мне надо взять работу с авторами, уж очень как-то само пошло.

* * *

На этом кончаются прижизненные записи об отце Александре в моем дневнике. Но были еще не записанные в дневнике две встречи, которые я хорошо помню.

Первая из них состоялась перед самым моим отъездом в Прибалтику в конце июля.

Несмотря на все обещания уменьшить количество лекций, отец Александр набрал их на следующий сезон еще больше, чем в прошлом. Оставшись с ним наедине в его кабинете, я стала ему выговаривать с горячностью:

— Вы совсем себя не бережете, вы уже не мальчик! Такие нагрузки и быка убьют! Вы не одному себе принадлежите!

Он заглянул мне в глаза, ища понимания, и сказал то, что говорил еще в марте:

— Я должен торопиться. У меня совсем мало времени осталось. Надо успеть еще что-то сделать.

Я похолодела от страха.

— Что-то с сердцем?

— Нет, это не со здоровьем связано, с сердцем сейчас все в порядке. Но это так, поверьте мне, я это знаю.

Мы обсудили текущие дела, кто-то вошел к нему в кабинет, а я стояла в большой комнате и разговаривала с Т.Ж.

Он вдруг вышел из кабинета и отвел меня к окну. Вполголоса сказал с волнением и очень настойчиво:

— Вы не должны на того человека сердиться. Вам нельзя на него сердиться!

— Да я не сержусь, просто очень за него беспокоюсь.

Он благословил меня и поцеловал в голову.

На другой день я уехала в Палангу.

На Успенье, 28 августа, я была на службе в Новой Деревне, молилась вместе с батюшкой. Батюшка был в этот день очень занят, спросил только у креста, приду ли я 2 сентября. Я кивнула.

На 2 сентября 1990 года в клубе МЗАЛ (Московского завода автоматических линий) был назначен вечер, посвященный матери Марии (Кузьминой-Караваевой), а затем собрание актива «Культурного Возрождения». Перед началом я безуспешно пыталась разыскать батюшку в служебных помещениях. Он вышел из какой-то двери, догнал, легко, воздушно обнял меня со спины и потом как-то особенно нежно улыбнулся.

— Надо поговорить, — сказала я ему.

— Хорошо. Сейчас пора начинать, поговорим перед собранием.

Он вел вечер и выступал с вдохновением, вкладывал всю душу в каждое слово. Говорил он о подвиге м. Марии, отдавшей жизнь за други своя, как о чем-то кровно ему близком.

В том помещении, где должно было проходить наше собрание, его обступила густая толпа и никак не отпускала. Я стояла у окна в другом конце комнаты. Он прорвал кольцо, взял меня за руку и увел в соседнее помещение.

Я ему рассказала, что сборник в СП «Вся Москва» под угрозой срыва: С.Б. опять добивается, чтобы «Сын Человеческий» вышел у них отдельной книгой, без книги отца Сергия Желудкова и моих «Размышлений на

Нагорную проповедь». Никакого отношения к сборнику С.Б. не имел, но сбивал с толку издателей.

— Ну, кто будет слушать С.Б.! — отвечал батюшка. — Не волнуйтесь, все будет в порядке, я вам обещаю.

Потом я напомнила ему, что никак не оформлено его намерение обозначить меня редактором на вновь выходящих его книгах. Он позвал Андрея Еремина, которому поручил свои издательские дела, а я Борю Евсеева, и при них он ясно и твердо сказал, чтобы на всех его книгах стояло мое имя как редактора и чтобы со мной при всех изданиях заключался отдельный договор на редактуру.

Еремин, как солдат, повторил его указание.

Затем началось наше собрание. Батюшка сидел в публике. Когда было предложено избрать его президентом, я потребовала, чтобы кандидат изложил программу. Он перешел за стол президиума и действительно изложил программу работы общества. Я не унималась, мне было почему-то весело. Задала вопрос: общество называется просветительско-благотворительным, а изложенная программа относится только к культурной деятельности. А где благотворительная? Он разъяснил, что часть средств от издательской и лекционной работы пойдет на нужды детской республиканской больницы, над которой шефствует приход.

Стали избирать совет «Культурного Возрождения». Зачитывали список кандидатов (в котором меня не было).

Я послала отцу Александру записку с предложением включить в совет директора Дома культуры Московского завода автоматических линий, где все это происходило. Он нам много помогал, охотно предоставлял зал, был явно заинтересован в нашей деятельности, к тому же присутствовал на этом совещании. Прочитав записку, батюшка тут же выдвинул его кандидатуру, и директора избрали.

Затем он предложил мою кандидатуру. На это я ответила:

— А я предлагаю Леню Василенко.

— А я вас, Зоя Афанасьевна!

— А я Леню Василенко.

— Леня Василенко, это понятно. А вы? Хотите вы работать или нет? — В голосе его зазвучали грозные нотки.

— А как вы думаете? Конечно, хочу!

У служебного входа его ждала машина. Мне почему-то не хотелось уходить, я встала в сторонке. Он вышел в плотном кольце людей. Поговорил с ними, потом прорвался сквозь окружение. Уже садясь в машину, увидел меня и улыбнулся. Я сложила руки, показывая, что прошу благословения. Он издали, все так же улыбаясь, благословил, дверца захлопнулась, и машина тронулась.

Я стояла, глядела вслед и думала, чувствовала, что увезти батюшку от меня невозможно, наша живая связь нерасторжима. Она представилась мне в виде тонкого луча, протянутого между нами. Луч был похож на тот, который соединил меня со Средоточием всего, что есть, 23 января 1969 года, в тот час, когда батюшка молился о даровании мне веры.

9 сентября я причащалась в Антиохийском подворье. Молилось мне хорошо, особенно о батюшке, причастие было благодатным, полновесным, радостным. Я добиралась домой с этим тихим немерцающим светом в душе.

В два часа дня позвонила Г.К. Она только что вернулась из Новой Деревни. Батюшка не приехал на Литургию. Несколько прихожан кинулись в Семхоз. Я знала, что накануне он читал лекцию и был здоров.

Отец никогда не пропускал своих богослужений, даже если был тяжко болен. Я знаю только один такой случай, много лет тому назад, на Покров. Когда я примчалась в Семхоз, он лежал в жару, бредил...

На четыре часа была назначена его лекция в клубе на Волхонке. Звоню туда в четыре, его нет. В четверть пятого, нет. В полпятого, нет. Я понимаю, что случилось что-то ужасное, говорю это в ответ на непрерывные звонки, но ничего ужасного не чувствую. После причастия я все еще окружена облаком благодати, в сердце полное доверие к Богу.

В полседьмого мне сообщают по телефону: батюшку убили! А я уже готова к любой вести, не удивляюсь, в сердце тот же мир, та же тихая радость о Господе. Отец со Христом, им хорошо вместе. Все идет, как надо. Опускаюсь на колени и благодарю Бога, принимая Его волю, которая всегда блага.

Ну, вот и все. Потом была суета с некрологом, снятием посмертной маски, с похоронами, следствием, статьями о батюшке, фильмами, радиопередачами.

Я и сейчас веду свое общение, выступаю на вечерах памяти, вот и четыре дня назад, в день рождения отца, выступала, пишу книгу о нем, готовлю публикации его трудов.

А в душе покой и радость от того, что батюшка не только был в моей жизни, но и есть. И в каком-то новом качестве. Это не только присутствие и та живая связь между нами, которую я так явственно почувствовала в нашу последнюю встречу, когда смотрела вслед увозившей его машине. Конечно, он ходатай и заступник, и молитвы к нему необычайно действенны. Но тут есть нечто большее: он вовлекает меня в свою тамошнюю блаженную жизнь, приобщает к своему счастью быть со Христом. Теперь эта нерасторжимая совместность стала такой, какою задумана от века.

Батюшка, простите меня. Спасибо Вам.

26 января 1992 года.

Содержание

**Часть вторая
МОЙ ДУХОВНИК**

Зоя Масленикова

ЖИЗНЬ ОТЦА АЛЕКСАНДРА МЕНЯ

Редактор
Игорь Захаров

Художник
Алексей Кокорекин

Верстка
Кирилл Лачугин

Корректор
Наталья Суздалева

ISBN 5-8159-0264-0

9 785815 902640

Директор издательства Ирина Евг.Богат

Издатель Захаров
Лицензия ЛР № 065779 от 1 апреля 1998 г.
121069, Москва, Столовый переулок, 4, офис 9
*(Рядом с Никитскими воротами,
отдельный вход в арке)*

Тел.: 291-12-17, 258-69-10
Факс: 258-69-09
Наш сайт: www.zakharov.ru

Подписано в печать 15.08.2002. Формат 84×108¹/₃₂. Гарнитура Таймс.
Печать офсетная. Бумага Novel. Усл. печ. л. 21,84+0,84 вкл.
Тираж 5000 экз. Изд. № 264. Заказ № 420.

Отпечатано с готовых диапозитивов
на ГИПП «Уральский рабочий»
620219, г. Екатеринбург, ул. Тургенева, 13.